दया प्रकाश सिन्हा

नाट्य-समग्र

समकालीन नाटक

खण्ड दो

स्वीकृति हेतु पता :

बी-255, सेक्टर-26

नोएडा-201301

ई-मेल : dpsinha50@hotmail.com तथा
pkbharti2004@yahoo.com

दया प्रकाश सिन्हा

नाट्य-समग्र

खण्ड दो

समकालीन नाटक

वाणी प्रकाशन

वाणी प्रकाशन
4695, 21-ए, दरियागंज, नयी दिल्ली 110 002

शाखा

अशोक राजपथ, पटना 800 004

फ़ोन : +91 11 23273167 फ़ैक्स : +91 11 23275710

www.vaniprakashan.in
vaniprakashan@gmail.com
sales@vaniprakashan.in

SAMKALEEN NATAK-2
by Daya Prakash Sinha

ISBN : 978-93-87889-15-6
Collection of Play

प्रथम संस्करण

मूल्य : ₹899

हर्ष प्रिंटर्स, दिल्ली-110 093 में मुद्रित

वाणी प्रकाशन का लोगो मक़बूल फ़िदा हुसेन की कूची से

नाटक : मेरी दृष्टि में

मैंने नाटक पढ़ा नहीं, कढ़ा है। कहने का अर्थ है कि मैंने सिलसिलेवार न तो नाटक के सिद्धान्तों का अध्ययन किया है, और न अभिनय, निर्देशन, आदि का किसी गुरु या वरिष्ठ से प्रशिक्षण प्राप्त किया है। थियेटर में जो कुछ भी, अच्छी या बुरी, मेरी उपलब्धि है, वह सब मेरी अपनी कमाई है। वह मेरी अपनी ज़िद, मेरे अपने लगाव और अपने अध्ययन का प्रतिफल है।

अंग्रेज़ी में एक शब्द है–'स्टेजस्ट्रक'। इसका अर्थ है रंगमंच के प्रति अतीव आकर्षण; अभिनय की अति बलवती इच्छा। ऐसा आकर्षण या इच्छा जो अकारण ही तर्कहीन हो। जैसे लोहा चुम्बक से चिपक जाता है, कुछ वैसा ही रंगमंच के प्रति खिंचाव। रंगमंच के प्रति लगाव। 'स्टेजस्ट्रक' शब्द का प्रयोग केवल रंगमंच के सन्दर्भ में किया जाता है। संगीत, नृत्य या चित्रकला के सन्दर्भ में नहीं। 'म्यूज़िकस्ट्रक' या 'डान्सस्ट्रक' के अभाव से स्पष्ट है कि जो पागलपन नाटक/अभिनय के आकांक्षिओं में होता है, वैसी दीवानगी संगीत/नृत्य के प्रेमियों में नहीं होती। इसीलिए केवल रंगमंच के सन्दर्भ में 'स्टेजस्ट्रक' शब्द का प्रयोग अंग्रेज़ी भाषा में प्रचलित है।

'स्टेजस्ट्रक' शब्द इस बात का संकेत करता है कि रंगकर्मियों का रंगमंच से जुड़ाव भावना के स्तर पर होता है; तर्क के आधार पर नहीं। इसी प्रकार दर्शक भी नाटक में भावना के स्तर पर अधिक, तर्क के स्तर पर कम आनन्दित होते हैं। ब्रेख्त के इस आग्रह से कि नाटक में तर्क और विचारों का बाहुल्य होना चाहिए, कोई रंगकर्मी सहमत नहीं होगा, जो रंगमंच में साँस लेता है। संक्षेप में कहा जाये, तो नाटक दिल से खेला जाता है, और देखने वाले उसे दिल से देखते हैं। नाटक की समीक्षा का यह तथ्य ही एकमात्र और अन्तिम मानदण्ड है। कोई नाटक कितना ही विद्वत्तापूर्ण हो, तर्कसम्मत हो, साहित्यिक ऊँचाइयों से मण्डित हो, समीक्षकों द्वारा सराहा गया हो, किन्तु अगर वह सामान्य दर्शकों द्वारा अस्वीकृत कर दिया जाता है, तो वह नाटक असफल माना जायेगा। सामान्य दर्शक नाटक दिल से देखता है, और दिल स्वीकृत या अस्वीकृत भी करता है।

नाटक एक द्विआयामी विधा है। नाटक साहित्य भी है और कला भी। अपने लिखित अथवा मौखिक रूप में नाटक, साहित्य की किसी भी अन्य विधा जैसे उपन्यास, कहानी, कविता आदि के समान साहित्य है। किन्तु जब वही नाटक मंचस्थ होता है, तो वह मंचीय कलाओं जैसे नृत्य, संगीत, आदि की कोटि में आ जाता है। मंचस्थ नाटक का मूल्यांकन, अन्य मंचीय कलाओं के समान, एक कला के रूप में होता है। नाटक विधा का यह द्विआयामी रूप उसकी विशिष्टता और आकर्षण है।

यद्यपि लिखित नाटक का साहित्य में स्थान होता है, किन्तु उसका निकष रंगमंच है। नाटक की सफलता की पहली शर्त उसकी मंचीयता है।

लिखित नाटक साहित्य होता है। किन्तु वह अन्य साहित्यिक विधाओं से भिन्न होता है। कविता, कहानी, उपन्यास आदि से भिन्न, नाटक की रचना विभिन्न चरित्रों के बीच संवाद आधारित होती है। संवाद यह इंगित करते हैं, कि नाटक की रचना अन्ततः विभिन्न पात्रों/चरित्रों के माध्यम से मंच-प्रस्तुति हेतु की गयी है। नाटक का पठन-पाठन भी पाठकों को आनन्द दे सकता है। लिखित नाटक का पठन एक अतिरिक्त विकल्प हो सकता है। किन्तु नाटक की परम पूर्ति तो उसकी मंच-प्रस्तुति में ही है।

ऐसा सम्भव है कि कोई नाटक अपने लिखित रूप में श्रेष्ठ साहित्य सिद्ध हो, और साहित्य की कसौटी पर एकदम खरा उतरे। किन्तु जब वही नाटक मंचस्थ किया जाये, तो प्रेक्षकों द्वारा अस्वीकार कर दिया जाये। रंगमंच पर वह एकदम असफल सिद्ध हो। इसके विपरीत, इसकी भी सम्भावना है कि समीक्षक किसी नाटक को साहित्यिक मानदण्डों पर नितान्त असफल और घटिया घोषित करें, किन्तु उसकी मंच-प्रस्तुति हर तरह से सफल सिद्ध हो। प्रेक्षक बार-बार उस प्रस्तुति को देखने आयें और बार-बार 'फुल-हाउस' का बोर्ड देखें। इस परिस्थिति में नाटक को मापने की कसौटी क्या है? साहित्यिक अथवा मंचीय?

मेरी दृष्टि में वह नाटक श्रेष्ठ है जो साहित्यिक मूल्यों से भरपूर हो, और साथ ही साथ वह मंच पर भी उतनी ही सफलता और लोकप्रियता से मंचस्थ हो सके, जैसे शेक्सपियर के नाटक।

नाटक की उत्पत्ति सहज ही मानव की उत्पत्ति के साथ हुई होगी, और मानव सभ्यता के विकास के साथ ही नाटक का विकास हुआ होगा। सभ्यता के आरम्भिक काल में, किसी आदिम पुरुष के परिवार में; किसी बालक ने खेल-खेल में अपने माता-पिता के सामने किसी पशु के चलने की नक़ल की होगी, तो उसने स्वतः ही नाट्य-शास्त्र में वर्णित 'आंगिक अभिनय' किया होगा। और जब

उसने अपने माता-पिता को रिझाने के लिए उस जानवर की बोली की भी नक़ल की होगी, तो उसने 'वाचिक अभिनय' किया होगा। और अगर उसने जानवर की नक़ल करते हुए, अपने सिर पर उस जानवर के सींग लगा लिए होंगे, तो उस आदिम अभिनेता ने आंगिक और वाचिक अभिनय के साथ 'प्रत्याहार अभिनय' भी किया होगा। और अगर उसने नकल करते हुए उस जानवर के समान क्रोध में अपने शिकार को पकड़ने का अभिनय भी किया होगा, तो जानवर की उस नकल में 'सात्विक' अभिनय भी जुड़ गया होगा। जानवर की नकल करते हुए उस बालक के अभिनय पर उसके माता-पिता आनन्दित हो रहे होंगें। उस क्षण आंगिक, वाचिक, आहार्य और सात्विक अभिनय के साथ दर्शकों की उपस्थिति से सम्पन्न पूर्ण रंगमंच का जन्म हो गया होगा। जैसे मानव सभ्यता के विकास के साथ संगीत-नृत्य का विकास हुआ, उसी प्रकार रंगमंच की सहज उत्पत्ति और विकास भी मानव सभ्यता के विकास के सहयात्री हैं।

जब एक व्यक्ति अपने सामने एकत्रित जनसमूह को सम्बोधित करता है, तो वह मात्र सम्बोधन होता है। किन्तु जब वही व्यक्ति, अपने सम्बोधन को विशेष प्रभावी बनाने के लिए एक हाथ ऊपर उठाते हुए, हवा में मुट्ठी बाँधता है, चेहरे पर आक्रोश का भाव लाता है, आँखें सिकोड़ कर, नाक के नथुने फैलाते हुआ, ऊँची आवाज़ में चुनौती-सी देते हुए बोलता है, तो उस क्षण नाटक जन्म लेता है। 'नाटकीयता' शब्दों द्वारा परिभाषित नहीं की जा सकती। नाटक में वह अभिनय (आंगिक, वाचिक, आहार्य तथा सात्विक), मंच सज्जा, प्रकाश संयोजन, ध्वनि प्रभाव आदि के माध्यम से उत्पन्न की जाती है। मंचित होते नाटक में, सामान्य वाचिक शब्द कैसे भावपूरित हो कर भावपूर्ण संवाद में परिवर्तित हो जाते हैं, नाट्यकला का जादू है।

रंगमंच, प्रेक्षागृह, ध्वनि-प्रकाश उपकरण, गगनिका, यवनिका आदि ऐसे तत्त्व हैं, जो नाटक की प्रस्तुति में प्रयोग होते हैं। किन्तु नाटक इनके बिना भी प्रस्तुत हो सकता है। केवल एक अपरिहार्य तत्त्व है, जिसके बिना नाट्य-मंचन सम्भव नहीं है। वह तत्त्व है–प्रेक्षक। नाटक बिना प्रेक्षक के हो नहीं सकता। इसलिए रंग-प्रस्तुति की कल्पना भी बिना प्रेक्षक के नहीं की जा सकती। प्रेक्षक का महत्त्व फ़िल्म, टेलीविज़न आदि में नहीं है। प्रेक्षक तो रंग-प्रयोगों का अविभाज्य अंग होता है। अगर प्रेक्षक नहीं, तो नाट्य-प्रस्तुति नहीं।

प्रेक्षक नाटक के मात्र दर्शक नहीं होते। वे अपनी उपस्थिति से रंग-प्रस्तुति सम्भव करते हैं। साथ ही उसे प्रभावित भी करते हैं। यह मंच-प्रस्तुति दर्शकों की प्रतिक्रिया से प्रभावित होती है। अतएव प्रत्येक रंग-प्रस्तुति अभिनेताओं और

दर्शकों की रचनात्मक-साझेदारी कही जा सकती है। इस परिप्रेक्ष्य में नाट्य-प्रस्तुति में दर्शकों की भूमिका और महत्त्व नाट्य-टोली के समान ही होता है। कदाचित इसीलिए फ्रांसीसी भाषा में 'असिस्ते' शब्द के दो अर्थ होते हैं; एक सहायता करना, तथा दूसरा नाटक देखना। मंचस्थ होते नाटक में दर्शक केवल नाटक देखता ही नहीं, अपितु नाटक की प्रस्तुति में सहायता भी करता है। नाटक की प्रस्तुति में अभिनेता और दर्शक, दोनों का बराबर का योगदान होता है। वही नाटक सफल माना जाता है जिसमें अभिनेताओं और दर्शकों की रचनात्मकता में बराबर की साझेदारी हो। इस सन्दर्भ में भरतमुनि नाट्य मंचन में दर्शकों की केन्द्रीय भूमिका का उल्लेख करते हुए नाट्य शास्त्र में लिखते हैं–

वेदाध्यात्मोपपन्ने शब्दछन्दस्समन्वितम्।
लोकसिद्धं-भवेत्सिद्धं नाट्यंलोकत्मकं तथा ॥

(नाटक चाहे वेद या अध्यात्म से उत्पन्न हो, वह कितने ही सुन्दर शब्दों और छन्दों में रचा गया हो, वह तभी सफल माना जाता है, जब लोक स्वीकार कर ले; क्योंकि नाटक लोकपरक होता है।)

रंगमंच, विश्व के विशाल फलक पर घटित हो रहे मानव समाज के समस्त कार्य-व्यापार का वामनावतार है। उसका लघु-प्रतिरूप है। इस भावना को व्यक्त करते हुए नाट्यशास्त्र में वर्णित है–

"नाटक तीनों लोकों के भावों का अनुकीर्तन है।" (1:105-106)
कहीं धर्म है, कहीं क्रोध, कहीं अर्थ, कहीं श्रम,
कहीं हास्य, कहीं युद्ध, कहीं काम, तथा कहीं वध है। (1:108)

साहित्य को परिभाषित करते हुए कहा गया है कि साहित्य समाज का दर्पण होता है। यह परिभाषा नाटकों पर भी सटीक लागू होती है। भरत ने नाट्यशास्त्र में भी नाटक को लोक के समस्त कर्मों का दर्पण कहा है–

धर्म्यमर्थ्य यशस्यं च सोपदेशं ससंग्रहम्।
भविष्यतश्च लोकस्य सर्वकर्मानुदर्शकम् ॥

(यह धर्म, अर्थ, यश तथा सदुपदेशों का संग्रह है जो लोक के समस्त कर्मो का दर्पण सिद्ध होगा।)

किन्तु नाटक साधारण दर्पण नहीं है। वह विशेष दर्पण है, जिसमें जीवन एवं जगत की प्रतिछवि अधिक गहरे, और गाढ़े रंगों में दिखाई पड़ती है। कुछ कुछ 'कानवेक्स लेंस' के समान, जो सूरज की किरणों को केन्द्रित करके अग्नि उत्पन्न कर सकता है। इसीलिए भरतमुनि के नाट्यशास्त्र के अनुसार जब देवताओं ने प्रथम नाटक मंचस्थ किया, तो दानव क्रुद्ध हो गये। उन्होंने दंगा किया और

तोड़-फोड़ भी की। बड़ी मुश्किल से दानवों को समझा-बुझाकर उनका क्रोध शान्त किया गया।

नाटक बहुजन्मी होता है। नाटक का पहला जन्म नाटककार के मस्तिष्क में होता है। उसको दूसरा जन्म नाटक-निर्देशक देता है। अलग-अलग निर्देशक, विभिन्न रूपों में परिकल्पित करके नाटक को अर्थवान बनाते हैं। इस सन्दर्भ में नाटक को बहुजन्मी भी कहा जा सकता है।

नाटककार और निर्देशक दो अलग-अलग इकाई होते हैं। इनके बीच अन्तःसम्बन्धों और अन्तर्दायित्वों पर प्रायः चर्चा होती है। यह भी विवाद का विषय होता है कि दोनों के बीच कौन बड़ा है। एक ओर कहा जाता है कि नाटककार को अपनी रचना में निर्देशक को मनमाना परिवर्तन करने की आज़ादी नहीं देनी चाहिए? अगर निर्देशक को इतना ही शौक़ है तो उसे स्वयं ही नाटक लिख लेना चाहिए। नाटक के स्वरूप का अपरूप करने का उसे अधिकार नहीं है। दूसरी तरफ़ निर्देशक कहते हैं कि नाटककार को अपने नाटक में अभिनय और प्रस्तुति सम्बन्धी निर्देश न्यूनतम देने चाहिए। निर्देशक की रचनात्मकता को बाधित नहीं करना चाहिए। नाटककार प्रायः निर्देशकों द्वारा नाट्यलेख में प्रस्तावित संशोधन/परिवर्तन को अस्वीकार करते हैं; और यदि निर्देशक यह संशोधन बिना नाटककार को बताये, अपने स्तर से रंग-प्रस्तुति में कर देता है, जिसका नाटककार को बाद में पता लगता है, तो नाटककार अपनी आपत्ति दर्ज कराता है। मुझे ज्ञात है कि जब मोहन राकेश को यह पता लगा कि उनके नाटक 'आषाढ़ का एक दिन' की इलाहाबाद प्रस्तुति में डॉ. लक्ष्मीनारायण लाल ने, बतौर निर्देशक नाटक में अनेक फेर-बदल किये हैं, तो उन्होंने पत्र द्वारा खिन्नता और आपत्ति प्रकट की।

मैं संयोग से नाटककार भी हूँ, और निर्देशक भी। इस परिप्रेक्ष्य में, मेरी मान्यता है कि नाटककार मूलतः निर्देशक भी होता है, क्योंकि नाटक सबसे पहले उसके मस्तिष्क में मंचस्थ होता है। अतएव नाटक लिखने के दौरान वह स्वाभाविक रूप में, नाटक के भावी निर्देशकों के लिए, प्रस्तुति सम्बन्धी निर्देश अपने नाट्यालेख में समावेशित करेगा। प्रायः यह निर्देश भावी निर्देशकों के लिए बहुत उपयोगी सिद्ध होते हैं। इस पर आपत्ति अनुचित लगती है।

निर्देशक द्वारा नाट्यालेख में किये गये संशोधन/संवर्धन या फेर-बदल के लिए नाटककार की आपत्ति भी अनुचित प्रतीत होती है। नाटक प्रकाशित होने के बाद देश-विदेश में वितरित होता है। उसके अनेक मंचन भी देश-विदेश में होते रहते हैं, जिनकी सूचना नाटककार को नहीं मिल पाती। इन प्रस्तुतियों में किस-किस

निर्देशक ने नाट्यालेख में क्या परिवर्तन किये, नाटककार को ज्ञात नहीं हो पाता। वैसे भी, सफल नाटकों की आयु नाटककार की आयु से बहुत बड़ी होती है। पाँच सौ साल पहले लिखे शेक्सपियर के नाटकों में किस निर्देशक ने क्या फेर-बदल किया, उसे स्वर्गीय नाटककार नहीं जान सकता। इसलिए नाटककारीय आग्रह कि निर्देशक नाट्यालेख में कोई परिवर्तन न करें, अर्थहीन लगता है।

मेरे नाटकों को भी अनेक निर्देशकों ने अलग-अलग नगरों में मंचस्थ किया है। इनमें से कुछ को मुझे देखने का अवसर मिला। प्रायः सबने अपनी-अपनी तरह से नाटक को अतिरिक्त धार देने के लिए नाटक को संवर्धित करने का प्रयत्न किया था। कुछ प्रयोग सफल रहे, और कुछ असफल रहे। नाट्य-निर्देशन भी एक रचनात्मक प्रयोग है। नाटककार को निर्देशक की रचनात्मक-स्वाधीनता को बाधित करने का अधिकार नहीं है।

वर्तमान समय में, सिनेमा का बहुत बोलबाला है। सिनेमा के अभिनेता, सामान्य जनता में देवताओं, या अति-मानवों के रूप में पूजित होते हैं। लोकप्रियता में सिनेमा के पश्चात टी.वी. आता है, और उसके बाद रंगमंच। रंगमंच के कलाकारों के पास न तो फ़िल्मी कलाकारों के समान लक्ष्मी की कृपा होती है, और न टीवी के कलाकारों के समान प्रसिद्धि। फिर भी रंगमंच का समाज में स्थान है। इसलिए वह समकालीन 'टेक्नोलॉजी' की आँधी में उड़ नहीं गया। अपने स्थान पर दृढ़ है। इसका कारण है रंगमंच की अपनी विशिष्टता।

फ़िल्म और टीवी जनसंचार माध्यम हैं; जबकि थियेटर कला है। जो आनन्द दर्शकों को फ़िल्म/टी.वी. देखने से प्राप्त होता है; उससे भिन्न आनन्द दर्शकों को रंग-प्रस्तुति देखने में मिलता है। फिल्म/टीवी की रचनात्मकता और उससे सृजित सौन्दर्यमूलक आनन्द, थियेटर की रचनात्मकता से गुणात्मक रूप में भिन्न होता है। अतएव रंगमंच का फ़िल्म/टीवी से भिन्न और अलग व्यक्तित्व और सत्ता होती है। फ़िल्म और रंगनाटक की तुलना वैसी ही होगी, जैसी सेब और सन्तरे की तुलना।

फ़िल्म में मनुष्य अपने आकार से बहुत बड़ा दिखाई पड़ता है और टीवी में बहुत छोटा। केवल रंगमंच में ही कलाकार अपने क़द में दिखाई पड़ता है।

फ़िल्म/टीवी की रचना में दर्शक का योगदान नहीं होता। फ़िल्म/टीवी में बेजान तस्वीरों को देखने वाला मात्र दर्शक ही बना रहता है। इसके विपरीत रंगमंच में अभिनेताओं और दर्शकों के बीच प्रत्यक्ष आदान-प्रदान होता है। जहाँ मंच पर प्रस्तुत होता हुआ नाटक दर्शकों को प्रभावित करता है, वहीं दर्शक अपनी प्रतिक्रिया द्वारा अभिनेताओं को प्रभावित करते हैं। अभिनेताओं और दर्शकों के

बीच घटित यह जीवन्त अन्तःक्रिया रंगमंच का आकर्षण होती है; जो रंगमंच को फ़िल्म/टीवी की निर्जीव प्रस्तुति से भिन्न प्रतिष्ठित करती है।

कलाओं की पहचान प्रायः कोमलता, सरसता और भावुकता से की जाती है। किन्तु यह पहचान नितान्त सत्य नहीं है। कलाओं की अदृश्य संचरण शक्ति इतनी प्रभावी और समर्थ होती है कि वह समाज में क्रान्तिकारी परिवर्तन ला सकती है। दूर क्यों जायें। बंकिमचन्द्र चटर्जी द्वारा 1882 में लिखा बंगाली उपन्यास 'आनन्द मठ' का एक गीत 'वन्देमातरम्' भारत में जंगल की आग की तरह फैल गया। यह गीत पूरे देश में राष्ट्रीयता का ज्वार ले आया। मात्र एक शब्द 'वन्देमातरम्' अंग्रेज़ों के विरुद्ध विद्रोह और प्रतिरोध का उद्घोष बन गया। बंगभंग आन्दोलन (1905 ई.) के दौरान यदि कोई 'वन्देमातरम्' का घोष करता, तो ब्रिटिश पुलिस या तो उसे बन्दी बना लेती या गोली मार देती। 'वन्देमातरम्' गीत देश की आज़ादी का अभिमन्त्र बन गया; और आज, रचना के लगभग डेढ़ सौ वर्षों के बाद भी, हमारे देश प्रेम और राष्ट्रीयता का पर्यायवाची है। कलाओं के समान, ऐसी अतुलनीय शक्ति साहित्य में भी होती है। वह समाज में विचारों का निर्माण करता है; उसमें सत्ता की चुनौती देने का सामर्थ्य होती है। सोवियत संघ के पतन में रूसी लेखकों की भूमिका सर्वज्ञात है।

नाटक की शक्ति है शब्द। तीर तो दिखाई पड़ता है किन्तु नाटक के शब्द, बिना दिखाई पड़े ही, तीर के समान दर्शकों के हृदय छलनी कर सकते हैं। इस सन्दर्भ में मुझे प्रसिद्ध रंगकर्मी उत्पलदत्त का बंगाली नाटक 'टीनेर तलवार' याद आ रहा है। इस नाटक में दर्शाया गया है कि कैसे नाटक की सस्ती और नकली 'टीन की तलवार' से तत्कालीन शक्तिमान अंग्रेज़ी सरकार काँप जाती है। नाटक के शब्दों की घातक क्षमता, रंगकर्म के आदि काल से ही उसे विवादास्पद बनाती है। भरत नाट्यशास्त्र में इस सम्बन्ध में एक रोचक कथा है। देवताओं के आग्रह पर, देवताओं के मनोरंजन के लिए जब ब्रह्माजी ने भरत मुनि को नाटक करने के लिए आदेश दिया, तो भरतमुनि ने जो नाटक किया, उससे दानव भड़क उठे। नाटक में देवताओं की विजय और दानवों की पराजय रूपायित थी। दानवों ने नाटक बन्द करवा दिया, और तोड़फोड़ की। इस तरह हम देखते हैं कि आदि काल से ही नाटक विवादास्पद रहा है। और आज भी प्रायः हो जाता है। इस परिप्रेक्ष्य में, कला होने के बावजूद नाटक, अन्य कलाओं के समान कोमल भावुकता से युक्त नहीं है। पथरीली कंटकाकीर्ण राह नाटक की राह है।

फ़िल्म, टी.वी. नाटक, संगीतिका (ओपेरा), नृत्य-नाटिका (बैले), नुक्कड़ नाटक आदि रंगविधाओं के मूल में नाटक ही है। इन्हें युगानुकूल नाट्य-विधा

का विस्तार भी कहा जा सकता है। फ़िल्म और टी.वी., नाटक के टेक्नालॉजी से प्रेरित स्वरूप है; संगीत आधारित 'ओपेरा' तथा नृत्य केन्द्रित 'बैले' भी नाट्यविधा के स्वरूप हैं। लोकतन्त्र और राजनैतिक विचारद्वन्द्व की माँग के अनुरूप नुक्कड़ नाटक का आविष्कार हुआ। इस सबके बावजूद, अभिनय के जादू से मन्त्रमुग्ध, मौन दर्शकों का रंगमंच आज भी केन्द्र में है। पश्चिम देशों में सिनेमा नाटक को अपदस्थ नहीं कर सका। वहाँ नाटक का टिकट, सिनेमा से अधिक महँगा होता है। वहाँ नाटक देखने जाना सुसंस्कृत होने की निशानी होता है। वहाँ नाटक समाज के केन्द्र में है। भारत के समान, समाज के हाशिए पर नहीं। इसलिए लन्दन में 'माउसट्रेप' नाटक सन् 1952 से आज तक प्रतिदिन मंचस्थ हो रहा है। सन् 2012 में नाटक की पच्चीस हज़ारवीं प्रस्तुति सम्पन्न हुई थी।

मानव सभ्यता के प्रारम्भ से आज तक समाज में रंगमंच की भूमिका निर्विवाद है, और उसका महत्त्व ध्रुव है। बर्नाड शा ने नाटक/रंगमंच की व्याख्या करते हुए लिखा है–

Theatre,
A factory of thought,
A prompter of conseince,
An elucidator of social conduct,
An armory against despair and dullness,
And a Temple of ascent of man.

(रंगमंच,
विचारों की कार्यशाला,
विवेक को जाग्रत करने वाला,
सामाजिक आधार का व्याख्याता,
निराशा और निष्क्रियता के विरुद्ध कवच,
मानव उत्थान का मन्दिर।)

नोएडा
मार्च, 2018

दया प्रकाश सिन्हा

अनुक्रम

मेरे भाई : मेरे दोस्त
15

इतिहास-चक्र
99

राग बिदेसी
157

सादर आपका
221

इतिहास
301

मेरे भाई : मेरे दोस्त
(1969)

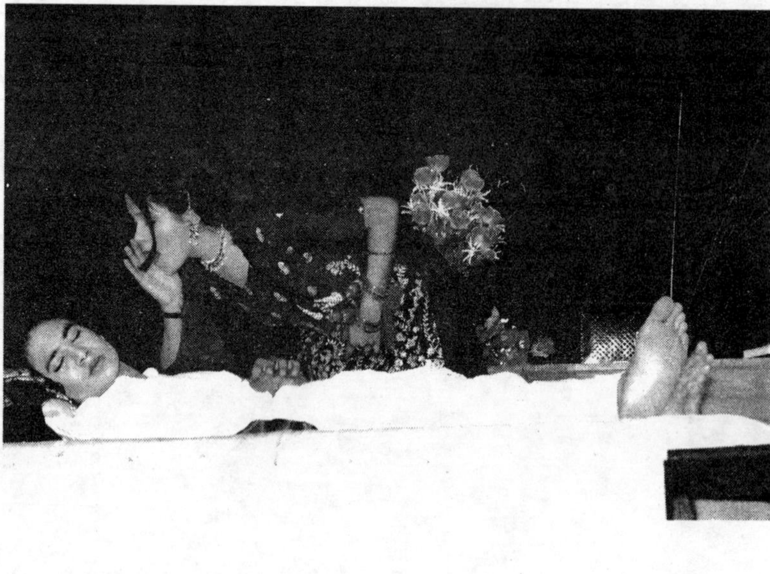

लब्धप्रतिष्ठ रंग निर्देशक
बी.एम. (ब्रज मोहन शाह)
का अन्तिम निर्देशित नाटक
'मेरे भाई : मेरे दोस्त', उनकी पावन
स्मृति को समर्पित

कथन नाटककार का

अपने इस नाटक की भूमिका लिखते समय, सहसा मेरी विहंगम दृष्टि, हिन्दी के सम्पूर्ण नाट्य-दृश्य पर जाती है। यह नाटक 1971 में लिखा गया था। 1974 में छपा। आज, ठीक दस वर्ष बाद, इस नाटक पर पुनः लिखते हुए, मन अपने आप ही, पिछले दस वर्षों का लेखा-जोखा लेने लगता है। पिछले दस वर्षों में हिन्दी नाट्य-जगत ने क्या खोया, क्या पाया?

आजादी प्राप्त होने के पश्चात रंगकर्मियों में एक उत्साह था। पाँचवें दशक के मध्य में, जब मैं रंगमंच से जुड़ा, तब मुझे और मेरे साथ के सभी रंगकर्मियों को लगता था, कि वह किसी महान यज्ञ के अनुष्ठान से सम्बद्ध हैं। दासता की शताब्दियों में बिखरी रंग परम्परा-बोध से हम सब, चेतन-अवचेतन रूप में प्रेरित थे। यह उत्साह किसी सीमा तक छठे दशक में भी कायम रहा। किन्तु सातवें दशक में अचानक बैठ गया—समुद्र के भाटे के समान, जब ज्वार लौट जाता है। सातवें दशक में लोग बम्बई भागने लगे—फिल्मों की ओर। पिछले दस वर्षों में, फिल्मों में सफल तो बस दो चार ही हुए, जैसे राज बब्बर, नसीरुद्दीन शाह, ओमपुरी, ओम शिवपुरी, किन्तु इन चार के पीछे लगभग चार सौ रंगकर्मी अब बम्बई की ख़ाक छान रहे हैं, बम्बई की बसों से निकलता धुआँ 'संसिया' रहे हैं। देश की सर्वोपरि नाट्य-प्रशिक्षण संस्था, दिल्ली का राष्ट्रीय नाट्य विद्यालय, बम्बई के फिल्मी जगत के लिए 'एक्स्ट्रा' निर्मित करने की 'फैक्टरी' बन गया है। हर दूसरे दिन, एक नयी नाट्य संस्था जन्म लेती है, जो दो-चार नाटक प्रदर्शित करके, अन्तिम साँस लेते हुए, इस जगत को मिथ्या, तथा राम नाम को सत्य सिद्ध करती हुई समाप्त हो जाती है। दर्शकों का नाटक से विश्वास उठ गया है। वह नाटक देखने जाने से डरते हैं। कहीं उनमें केवल समीक्षक को प्रसन्न करने के लिए, प्रयोग के नाम पर किसी अमरीकी या फ्रांसीसी नाटक की अधकचरी भोंड़ी नकल ही न हो, जो उनके सर से ऊपर निकल जाए। वह टिकट तो पहले ही नहीं लेते थे, अब निमंत्रण पर भी नाटक से कतराने लगे हैं। हिन्दी रंगमंच इस समय पतन की पराकाष्ठा पर है, किन्तु मैं निराश नहीं हूँ।

मेरा विश्वास है कि भ्रमित रंगकर्मी, फिल्मों से मोह-भंगित होकर, एक दिन पुनः रंगमंच की ओर लौटेंगे। फ़िल्म और रंगमंच का अन्तर, एक दृष्टि से तो स्पष्ट है। फिल्म मूलतः व्यवसाय है, तो रंगमंच कला। इतना खरा विभाजन स्वीकार न हो, तो मैं कहूँगा—फिल्म 30 प्रतिशत कला है, तो 70 प्रतिशत व्यवसाय; और रंगमंच 30 प्रतिशत व्यवसाय, तो 70 प्रतिशत कला। मैं आशान्वित हूँ कि रंगकर्मियों का कला के प्रति समर्पण इस दशक में उभर कर आयेगा।

मैं नाटक फ़ैशन के लिए नहीं लिखता, न नाम के लिए और न पैसे के लिए। नितान्त व्यक्तिगत रचना-सुख के लिए मैं नाटक लिखता हूँ। मूलतः मैं अभिनेता हूँ। जैसे अभिनेता चाहता है कि उसका अभिनय दर्शकों तक पहुँच सके, उसी तरह मैं चाहता हूँ नाटक मंचस्थ हो, और वह अपनी बात दर्शकों तक पहुँचा सके। इसलिए मैं जानबूझ कर, नाटकीय संरचना में कथ्य का सरलीकरण कर देता हूँ। उसे नाहक उलझाता नहीं, और न उस पर बनावटी मुलम्मा चढ़ाता हूँ। मेरे निकट, किसी भी नाटक की कसौटी, संप्रेषणीयता है, जैसे शेक्सपियर के नाटक, जो जनसाधारण के लिए लिखे गये, और सबसे पहले उन्हीं के बीच खेले गये।

यह नाटक, मेरी दृष्टि में, आज के सामाजिक परिवेश का सच्चा दस्तावेज प्रस्तुत करने का प्रयत्न है। एक प्रबुद्ध नागरिक की भाँति जिन घटनाओं, स्थितियों और प्रवृत्तियों पर मैं प्रतिकृत होता हूँ, उन्हें नाटक के रूप में, कभी-कभी, रूपायित करता हूँ। यह नाटक भी इसी तरह जन्मा।

बेगम आबिदा अहमद 'हम सब' नाट्य-संस्था की अध्यक्ष हैं, और नाट्य-प्रेमी हैं। दिल्ली के 'ग़ालिब' प्रेक्षागृह का उद्घाटन प्रधानमंत्री इंदिरा गांधी ने 1974 में किया था। उस अवसर पर मैंने बेगम साहिबा के कहने पर, उनके द्वारा लिखित 'ग़ालिब' नाटक का निर्देशन किया था। 1981 में 'हम सब' के लिए जब उन्होंने पुनः नाटक करने को कहा, तो मैंने 'मेरे भाई : मेरे दोस्त' को उठाया। मैं इसे 1971 में, 'शतरूप' के तत्वावधान में मंचित कर चुका था। 'हम सब' की प्रस्तुति, दर्शकों और समीक्षकों द्वारा सराही गयी। इस प्रस्तुति के आधार पर, दूरदर्शन और आकाशवाणी पर सफल प्रसारण हुए। यह मुझे ईमानदारी से अपनी बात कहने के लिए, एक बार फिर आश्वस्त करता है। बात महत्वपूर्ण है, न कि उसको कहने का ढंग।

दया प्रकाश सिन्हा

नयी दिल्ली
जनवरी, 1984

नाटककार का पुनर्कथन : इस संस्करण के लिए

बहुत वर्षों पहले, मैंने किशोरावस्था में पृथ्वीराज कपूर का एक नाटक देखा था। नाटक विभाजन पर था, और उसमें शरणार्थियों का चित्रण था। नाटक प्रारम्भ होने से पूर्व पृथ्वीराज़ ने दर्शकों को सम्बोधित करते हुए कहा था—"मैं नाटक आज के लिए करता हूँ। उसमें आज की समस्या होती है। अगर आज की बात ईमानदारी से कही जाए, तो वह सर्वकालिक हो जाती है।"

पृथ्वीराज का यह कथन मेरे मन में कहीं गहरे उतर गया। मेरे लिए ब्रह्म-वाक्य बन गया। आज भी जब नाटक लिखता हूँ तो पृथ्वीराज का यह कथन याद आता है।

• • •

नाटक 'मेरे भाई : मेरे दोस्त' में भी आज का सत्य है। सत्य, और सत्य के सिवाए कुछ नहीं। पाकिस्तान, आतंकवाद, हिन्दू-मुस्लिम समस्या आदि पर नाटक नहीं के बाराबर लिखे गये हैं। साहित्य की अन्य विधाओं में अगर कुछ लिखा गया है, तो वह प्रायः सत्य से आँख चुरा कर, आदर्शवादी लीपापोती ही बनकर रह गया है। सच कभी नहीं लिखा गया। यह ऐसे विषय है, जिनका साक्षात्कार करते हुए साहित्यकार कतराते हैं। इन विषयों से वे हाथ ऐसे झटक देते हैं, जैसे हथेली में रखे अंगारे को। मैंने नाग को नाथने की कोशिश की है। सत्य से आँख मिलाने की कोशिश की है।

• • •

यह नाटक मैंने 1971 में लिखा था, जब हिन्दुस्तान पर पाकिस्तान के आक्रमण के बादल मंडरा रहे थे। आज बत्तीस वर्ष बाद भी यह नाटक प्रासंगिक है। नाट्यदलों द्वारा खेला जा रहा है, और दर्शकों द्वारा सराहा जा रहा है।

इन चालीस वर्षों में स्थिति नहीं बदली है। पाकिस्तान की आक्रामक मुद्रा जैसे तब थी, वैसी ही आज भी है। पाकिस्तान जब तक है, तब तक वह भारत के प्रति वैसा ही आक्रामक बना रहेगा, जैसा 1947 में था, जब उसने काश्मीर पर आक्रमण किया था, या विभाजन के पूर्व मुस्लिम लीग थी। मुस्लिम लीग का

अलगाववाद, आक्रामकता, हिंसा और क्रूरता पाकिस्तान ने विरासत में पाई है। सच पूछा जाए तो मुस्लिम लीग की विचारधारा पाकिस्तान के रूप में जड़ हो गयी है। भूगोल बन गयी है। इसलिए जब तक पाकिस्तान है, पाकिस्तान का अलगाववादी, सांप्रदायिक और हिंसक चिंतन है, तब तक यह नाटक प्रासंगिक रहेगा।

• • •

हिन्दू और मुसलमान, भारत में एक हजार वर्षों से साथ-साथ रह रहे हैं। विश्व में इंडोनेशिया के बाद, भारत में ही सर्वाधिक मुसलमान आबादी है, पाकिस्तान बनने के बाद भी। हिन्दुओं और मुसलमानों को साथ-साथ भारत में रहना है। यह दोनों ही सम्प्रदायों के हित में है कि वे पारस्परिक सम्मान और स्नेह से रहें। नाटक इस दिशा में इंगित करता है।

• • •

यह नाटक अनेक संस्थाओं द्वारा देश के विभिन्न नगरों में खेला जाता रहा है। मैं स्वयं भी जब-तब अपने नाटकों का निर्देशन करता रहता हूँ। अस्सी के दशक में मैंने इसके अनेक मंचन दिल्ली में, और फिर लखनऊ में किये थे। अभी कुछ हफ्तों पूर्व मैंने पुनः इस नाटक को सर्वथा नवीन पात्रों के साथ पुनः निर्देशित किया। इस बीच नब्बे के दशक में प्रख्यात निर्देशक ब्रज मोहन शाह (बी.एम. शाह) ने इस नाटक को साहित्य कला परिषद के लिए निर्देशित किया था।

मेरे मूल आलेख में गीत नहीं थे। बी.एम. शाह ने नाटक निर्देशित किया, तो कुछ वृन्दगीत बीच बीच में डाल दिये। मुझे यह गीत अच्छे लगे। इनसे प्रस्तुति का प्रभाव सघन होता था। अतएव मैंने वे गीत, वैसे के वैसे ही, इस संस्करण में समावेशित कर दिये हैं।

आज बी.एम. हम लोगों के बीच नहीं हैं। "मेरे भाईः मेरे दोस्त" बी.एम. द्वारा निर्देशित उनके जीवन का अन्तिम नाटक है। अतएत इसके पुनः प्रकाशन पर उनका स्मरण स्वाभाविक है।

उत्तर प्रदेश संगीत नाटक अकादमी के अध्यक्ष होने के नाते मैंने प्रयत्न किया, और अकादमी ने नाट्य-निर्देशन के क्षेत्र में विशिष्ट योगदान के लिए एक "बी.एम. शाह अकादमी पुरस्कार" प्रतिष्ठित किया। यह मात्र प्रयत्न है। वैसे तो शाह की स्मृति उनके नाटकों के हज़ारों दर्शकों की स्मृति में सजीव है। यह नाटक बी.एम. की स्मृति को समर्पित है।

—दया प्रकाश सिन्हा

नाटक 'मेरे भाई : मेरे दोस्त' प्रथम प्रस्तुति कमानी सभागार नयी दिल्ली में 18 सितम्बर, 1971 में संपन्न हुई, जिसमें निम्नलिखित कलाकारों ने भाग लिया :

डॉ. मिर्ज़ा	:	चमन बग्गा
अम्मी	:	सुनीता शिरोले
गेसू	:	अंजू चतुर्वेदी
ग़फ़ूर	:	अमर स्नेह
यासीन	:	प्रकाश जैन
किशनलाल	:	आई. बी. चंगेज़ी
उस्मान	:	देश दीपक निगम
शर्मा	:	एस.एन. श्रीवास्तव
चमेली	:	सरला भटनागर

निर्देशन : दया प्रकाश सिन्हा

नाटककार के निर्देशन में, दिल्ली की संस्था 'हमसब' ने 1981 से 1983 के दौरान 'मेरे भाई : मेरे दोस्त' की आठ मंच-प्रस्तुतियां की। इसके अतिरिक्त दिल्ली—दूरदर्शन तथा आकाशवाणी द्वारा भी यह नाटक प्रस्तुत किया गया। नाटक में निम्नलिखित कलाकारों ने भाग लिया :

बेगम	:	निर्मला अग्निहोत्री
गेसू	:	रश्मि सैनी
ग़फ़ूर	:	आभूषण
डॉ. मिर्ज़ा	:	गुलशन कुमार
यासीन	:	राजकमल
किशनलाल	:	राजेश रायज़ादा/अशोक निशेश
हरीश	:	शान्ति एस. कालरा/गोविन्द गुप्त
पुलिस कप्तान	:	अशोक निशेश/कुलदीप गोसाँई
चमेली	:	विजय गुप्ता/सावित्री तलवार

निर्देशन : दया प्रकाश सिन्हा

नाटक की अद्यतन प्रस्तुति, नाटककार के निर्देशन में, 6 तथा 7 अप्रैल, 2003 को, गांधी मेमोरियल हॉल, नयी दिल्ली में 'स्नेह भारती' संस्था द्वारा सम्पन्न हुई जिसमें निम्नलिखित कलाकारों ने भाग लिया—

बेगम	:	पूजा शर्मा
गेसू	:	गरिमा कपूर
ग़फ़ूर	:	अनूप त्रिवेदी
डॉ. मिर्ज़ा	:	विजय सिंह
यासीन	:	गौरव श्रीवास्तव
किशन लाल	:	आर.के. शर्मा
हरीश	:	जितेन्द्र बरसीवाल
पुलिस कप्तान	:	गोविन्द गुप्त
चमेली	:	चन्द्रकान्ता नाग
ड्राइवर	:	गौरव अरोड़ा

निर्देशक : दया प्रकाश सिन्हा

पात्र-परिचय

डॉ. मिर्ज़ा	सम्मानित डॉक्टर	आयु 54 वर्ष
अम्मी	डॉ. मिर्ज़ा की पत्नी	आयु 45 वर्ष
गेसू	डॉ. मिर्ज़ा की बेटी	आयु 22 वर्ष
ग़फ़ूर	डॉ. मिर्ज़ा का घरेलू नौकर	आयु 55 वर्ष
यासीन	डॉ. मिर्ज़ा के दोस्त का बेटा	आयु 26 वर्ष
हरीश	यासीन का हमउम्र दोस्त	आयु 26 वर्ष
चमेली	यासीन की धाय	आयु 50 वर्ष
किशन लाल	डॉ. मिर्ज़ा के दोस्त	आयु 50 वर्ष
शर्मा	पुलिस कप्तान	आयु 40 वर्ष

पहला अंक

काल : 1967
समय : प्रातः
स्थान : लखनऊ : डॉ. मिर्ज़ा का घर

लखनऊ में डॉ. मिर्ज़ा के मकान के दो कमरे। देखने वालों की तरफ से दिखाई पड़ने वाला बाँया कमरा डॉ. मिर्ज़ा की बैठक है, तथा दाँया कमरा मेहमानों के लिए इस्तेमाल होता है। इन कमरों की बनावट से ज़ाहिर है कि यह कमरे आजकल के फ़्लैट का हिस्सा नहीं हैं; बल्कि पिछली सदी में बनी कोठी के हिस्से हैं। कमरे की दीवार में ताक़ है, तथा दरवाजों के ऊपर महराबों की बनावट है।

बाँये कमरे में तीन दरवाज़े हैं। एक दरवाज़ा घर के बाहर खुलता है, तथा दूसरे दरवाज़े से घर के भीतर जाया जा सकता है। तीसरा दरवाज़ा, दाँये और बाँये कमरे के बीच का है।

बाँये कमरे में एक दरवाज़ेदार खिड़की है, जिससे बाहर गली में देखा जा सकता है।

दाँये कमरे में दाहिनी दीवार में पीछे की तरफ एक दरवाज़ा है, जो गुसलखाने में खुलता है।

बाँये कमरे की सजावट एक बैठक के मुताबिक है। उसमें पुराने क़िस्म के सोफ़े के साथ तख़्त और गाव तकिया भी है। दाएं कमरे में एक पलंग, एक छोटी पढ़ने की मेज़, एक कपड़ों की अलमारी, एक कुर्सी, एक सामान रखने का छोटा तख़्त, एक किताबों और

दीगर सामान रखने की अलमारी है। पढ़ने की मेज़ पर बिना फूलों का एक गुलदान भी है।
पर्दा खुलने पर बाँए कमरे की खिड़की से उगते सूरज की किरणों का खेल। अम्मी और गेसू के अतिरिक्त अन्य शेष कलाकार, अपने अपने कपड़ों पर सफ़ेद शॉल ओढ़कर, एक गायक-वृन्द के रूप में, प्रकाश के घेरे में उद्भासित होते हैं, और गाते हैं :-

उठ जाग मुसाफ़िर भोर भई,
अब रैन कहाँ जो सोबत है।
जो सोबत है सो खोबत है
जो जागत है सो पावत है
उठ जाग मुसाफ़िर.................।
उठ नींद से अंखियाँ खोल ज़रा
अपने बारे में सोच ज़रा
जब चिड़िया चुग लेगी खेत तेरा
रह जाए फिर तू हाथ धरा।
उठ जाग मुसाफ़िर.................।

(दाँया कमरा)

(गायन समाप्त होते ही, प्रकाश गायक-वृन्द से हट जाता है। दाँयां कमरा उद्भासित होता है। अम्मी का बाँयें कमरे से होते हुए, दाँयें कमरे में प्रवेश। वह उस कमरे का मुआयना करती है। घर के भीतर से चिट हटाती गेसू बाँये कमरे में जाती हैं उसके पहनावे से जाहिर है कि किसी खास वजह से नये कपड़ों में संवर कर आई है। वह रुककर अपने कपड़े देखती है और दुपट्टा सम्भालती है।)

अम्मी : (वार्डरोब खोल कर देखती है और पुकारती है) ग़फ़ूर मियां।
गेसू : (अपने कपड़े ठीक करती हुई पुकारती है) ग़फ़ूर चचा।

अम्मी : **(बीच के दरवाजे पर आकर)** गेसू, तेरे ग़फ़ूर चचा तो सुन चुके तेरी नाज़ुक आवाज़। अल्लाह का ख़ास करम है उन पर। जा, तू खुद ही बुला ला। अलमारी में कागज़ तक नहीं बिछाया है अब तक।

गेसू : अभी जाती हूँ अम्मी। **(तब ही ग़फ़ूर का भीतर से प्रवेश)** यह लो, ग़फ़ूर चचा तो खुद ही आ गये।

(ग़फ़ूर मियाँ तथा गेसू का दाँये कमरे में प्रवेश)

अम्मी : ग़फ़ूर मियाँ, तुमने अलमारी में कागज़ तो बिछाया ही नही।

ग़फ़ूर : क्या?

अम्मी : कागज़।

ग़फ़ूर : ''जस्ट नाउ'' लाता हूँ। **(प्रस्थान भीतर)**

अम्मी : **(पलंग पर तकिया चादर ठीक करते हुए)** क्या बजा है?

गेसू : **(हाथ की घड़ी देखकर)** साढ़े आठ।

अम्मी : साढ़े आठ! अब तक तो बेशक आ जाना चाहिए था।

गेसू : हो सकता है हवाई जहाज़ लेट आया हो।

अम्मी : मुए हवाई जहाज़ भी लेट होते हैं–?

गेसू : हाँ, क्यों नहीं?

अम्मी : रेलगाड़ी की तरह?

गेसू : मौसम ख़राब हो तो। फिर हवाई अड्डे से आने में रेलवे की दो 'लेविल-क्रासिंग' भी तो पड़ती हैं।

अम्मी : तेरे अब्बा तो कल रात भर सो नहीं सके।

गेसू : क्यों?

अम्मी : यासीन से मिलने का ख़्याल ही उनको बेचैन कर रहा था। **(अब्बा के शब्द दोहराते हुए)** सुबह यासीन आ रहा है। कैसा होगा देखने में। **(स्वर बदलकर)** यासीन, बस यासीन!

गेसू : अब्बा तो पिछले तीन महीनों से 'एक्साईटेड' हैं, जब से यासीन मियां का ख़त आया कि वह लखनऊ आ रहे हैं।

(जाज़म लिए ग़फ़ूर मियां का भीतर से प्रवेश)

अम्मी : यह क्या ले आए?

ग़फ़ूर : जाज़म।

अम्मी : जाज़म?

ग़फ़ूर : आप ही ने 'वान्टा' था।

गेसू : **(हँसकर)** यह है ग़फ़ूर चचा। मंगवाया था काग़ज़, और लाए हैं जाज़म।

ग़फ़ूर : **(कान पर हाथ रखकर)** ऐं...?

गेसू : मैं लाती हूँ काग़ज़। **(ग़फ़ूर से)** लाइए जाज़म। **(हाथ से जाज़म लेती है)** मैं इसे अन्दर रखती आऊँगी। **(भीतर प्रस्थान)**

ग़फ़ूर : क्या कुछ और वान्टा था?

अम्मी : जी हाँ, लेकिन अब आप रहने दीजिए। **(ग़फ़ूर जाने को मुड़ता है।)** अरे हाँ, पानदान यहीं ले आइए।

ग़फ़ूर : व्हाट? ख़ानदान! अब अपना ख़ानदान कहाँ से लाएं?

अम्मी : पानदान **(इशारे से समझाती हैं)** पा-न-दा-न।

ग़फ़ूर : **(समझ जाने की मुस्कराहट)** यस, पानदान। **(भीतर प्रस्थान)**

(भीतर से काग़ज़ लिए गेसू का प्रवेश)

गेसू : यह रहे काग़ज़ अम्मी!

अम्मी : इन्हें अलमारी में लगा दे। **(गेसू से)** मैं समझती हूँ बेटी, पढ़ने की मेज़ पर रखे गुलदान में फूल भी लगा दे।

गेसू : आप भी अब्बा से कम 'एक्साइटेड' नहीं हैं।

अम्मी : आख़िर को वह इनके दोस्त का लड़का है। इनके सबसे नेक और दिलेर दोस्त का लड़का।

(अम्मी भी बाँये कमरे में जाती है। तब ही ग़फ़ूर पानदान लिए भीतर से आता है।)

(बाँया कमरा)

ग़फ़ूर : जब पहली बार मैं 'ऐरोप्लेन' पर चढ़ा था, तो 'फ़ियर' से मेरा दम ड्राई हो रहा था। टामस साहब बोला-वेल ग़फ़ूर, डर माँगटा टुमको?

अम्मी : **(सोफ़े पर बैठते हुए)** यह क़िस्सा तो हम कई बार सुन चुके हैं।

ग़फ़ूर : **(अपनी धुन में)** हार्ट ही हार्ट तो फ़ियरता था, मगर हिम्मत करके स्पीका, हमें डर नहीं माँगता।

अम्मी : वह तो ठीक है। चाय का पानी चढ़ा दीजिए। टामस साहब का क़िस्सा यासीन मियां की सुनाइएगा।

ग़फ़ूर : उनको तो सुनाऊँगा ही।

(ग़फ़ूर घर के भीतर जाता है। तब ही बाहर मोटर रुकने की आवाज़ सुनाई पड़ती है।)

अम्मी : **(पुकारते हुए)** गेसू, वह लोग आ गये।

(गेसू जो दायें कमरे में अलमारी में काग़ज़ बिछा रही थी, दौड़कर बीच के दरवाजे से बाँए कमरे में खिड़की पर जाती है।)

गेसू : यह तो पड़ोस में कोई मोटर से आया है। **(खिड़की से हटकर सोफ़े पर आकर बैठती है।)**

अम्मी : **(खिड़की से हटती हुई)** अब तक तो आ ही जाना चाहिए था। पता नहीं, क्यों देर हो रही है। **(बैठकर फिर पानदान खोलती है।)** जब यासीन गया था, तो मुश्किल से साढ़े चार साल का था।

गेसू : आपने देखा था?

अम्मी : हाँ, क्यों नहीं। बड़ा प्यारा बच्चा था। गोरा-गोरा हसीन सा। मगर अपनी उमर के लिहाज़ से बेहद संजीदा था। तेरे अब्बा का बस चलता तो वह उसे गोद ले लेते।

गेसू : **(अविश्वास से)** सच अम्मी!

अम्मी : उसकी ख़ाला नहीं मानीं। सन् सैंतालीस में जब उसकी ख़ाला उसे पाकिस्तान ले गयीं, तो हफ़्ते भर खाना तो दूर, इन्होंने मुझसे बात तक नहीं की। बेहद ग़म हुआ इन्हें उसके जाने का।

गेसू : अब्बा के जिगरी दोस्त का लड़का भी तो था।

अम्मी : बेहद बदक़िस्मत है बेचारा। बाप के मरने के चार-महीने बाद तो पैदा हुआ, इस पर ख़ुदा की मर्ज़ी, पैदा होते ही उसकी वालदा भी चल बसीं।

गेसू : बेचारा!

अम्मी : तब ही तो अपनी उमर से पहले समझदार हो गया

लगता था। अल्लाह, कितना संजीदा रहता था!

गेसू : माँ की मौत होने पर किसने पाला?

अम्मी : उसकी ख़ाला ने। अगर तेरे अब्बा की उस समय तक शादी हो गयी होती, तो लड़-झगड़ कर वह उसे खुद पालने के लिए ले आए होते। उसे खुद पाल सकें, इसीलिए तो इन्होंने मुझसे शादी की।

गेसू : नहीं अम्मी!

अम्मी : इनका तो शादी करने का क़तई इरादा नहीं था। यह तो ताज़िन्दगी मुल्क की ख़िदमत करना चाहते थे। लेकिन उस बिना माँ-बाप की औलाद को माँ-बाप का प्यार दे सकें, इसीलिए शादी की।

गेसू : यासीन मियां से अब्बा के लगाव को तो जानती थी। पर यह बात आज मालूम पड़ी, कि अब्बा ने शादी भी उनके लिए ही की।

अम्मी : तेरे अब्बा तो उसके लिए कुछ भी कर सकते थे। शादी के दूसरे ही दिन तेरे अब्बा मुझे लेकर यासीन को माँगने गये और जब उसकी ख़ाला ने इंकार किया, तो इनको इतना सदमा पहुँचा कि बीमार पड़ गये।

गेसू : तब ही तो अब्बा इतने 'एक्साइटेड' हैं।

अम्मी : जिस दिन यासीन के आने का ख़त आया, तो आँख बंद कर ज़मीन पर मग़रिब की तरफ बैठ गये। बोले, खुदा! तूने मुझे सब कुछ दिया। एक बेटा नहीं था, वह भेज दिया।

गेसू : अब्बा कल रात को खाते वक़्त मुझसे कह रहे थे, **(अब्बा की आवाज़ की नकलें करते हुए)** गेसू, यासीन आ रहा है। वह ऑक्सफ़ॉर्ड में उर्दू का प्रोफ़ेसर है। इल्म-अदब तो वह तुझे पढ़ा दिया करेगा। **(स्वर बदल कर)** मुझे पढ़ाएंगे। उँह! देखती हूँ कैसे पढ़ाएंगे।

अम्मी : तूने उसकी मेज़ पर गुलदान में फूल लगा दिये?

गेसू : वह तो मैं भूल ही गयी।

अम्मी : जा न, जल्दी से लगा दे। फूल आंगन से तोड़ ले। **(गेसू भीतर जाने को बढ़ती है।)** न हो तो अब्बा की

मेज़ के गुलदान से फूल निकाल कर यासीन की मेज़ पर लगा दे।

गेसू : अच्छा अम्मी। आप भी अब्बा से कम एक्साइटेड नहीं हैं। **(भीतर जाती है।)**

(थोड़ी देर बाद ग़फ़ूर का भीतर से आना।)

ग़फ़ूर : 'टी' का पानी 'फ़ायर' पर चढ़ा दिया गया है और 'ब्रेकफ़ास्ट' मेज़ पर 'सीटिंग।'

अम्मी : **(बाहर कार रुकने की आवाज़)** लगता है वह आ गये। **(उठकर खिड़की से देखती है और फिर पुकारते हुए)** गेसू, अब्बा आ गये। अरे सचमुच आ गये। **(खिड़की से हटकर बाहर का दरवाजा खोलती है।)** खुशामदेद! खुशामदेद!

(तभी गेसू हाथ में फूलों का गुच्छा लिए भीतर से आती है और अम्मी के पास, थोड़ा पीछे, खड़ी हो जाती है। यासीन को बाँह में लिए डॉ. मिर्ज़ा का बाहर से प्रवेश। गेसू फूल का गुच्छा पीठ के पीछे छिपा लेती है।)

मिर्ज़ा : गेसू की अम्मी, यह रहा यासीन।

अम्मी : हाय, कितना हसीन है मेरा बेटा।

मिर्ज़ा : **(यासीन से)** यह है तुम्हारी चचीजान और यह है मेरी बेटी गेसू। उर्दू में इस साल एम.ए. किया है।

गेसू : आदाब। **(दाहिना हाथ आदाब करने को उठाती है, तो उसमें फूलों का गुच्छा है। घबराकर उसे बायें हाथ में लेती है और फिर दायें हाथ से आदाब करती है।)**

मिर्ज़ा : फूल लाई है यासीन के लिए! तो इन्हें छिपा क्यों रही है? **(गेसू के हाथों से फूल लेकर)** लो बेटे यासीन, गेसू का तोहफ़ा।

यासीन : **(गुलाब लेकर)** बहुत ही खूबसूरत हैं।

अम्मी : **(मिर्ज़ा से)** बेचारे को बैठाइए तो सही। सफ़र से थका होगा।

मिर्ज़ा : हवाई अड्डे से मैं ले आया। अब यासीन तुम्हारे चार्ज में है। मेरी ज़िम्मेदारी ख़त्म। **(यासीन से)** क्यों ठीक है न?

यासीन : **(मुस्कराकर)** बिल्कुल।

अम्मी : बैठो बेटे। इधर बैठो। **(यासीन कुर्सी पर बैठता है।)**

मिर्ज़ा : अरे मैं तो ग़फ़ूर मियां से मिलाना ही भूल गया।

ग़फ़ूर : 'नो मैटर', देर 'कम' दुरुस्त 'कम'।

मिर्ज़ा : यासीन, यह हैं ग़फ़ूर मियां। इनके हाथों में तो जादू है। इनके हाथ का बना एक बार खाना खा लो, तो हमेशा के लिए इनके गुलाम हो जाओ।

ग़फ़ूर : सब खुदा की 'काइण्ड' है। टामस साहब कहा करते थे...।

मिर्ज़ा : एक अंग्रेज़ ब्रिगेडियर तो इनका इतना मुरीद हुआ कि अपने साथ ही विलायत ले गया। उसके साथ आधी दुनिया घूम आए हैं।

ग़फ़ूर : टामस साहब तो कहते थे, यहीं रह जाओ। मगर साहब, जब 'कंट्री' आज़ाद हुआ तो मुझसे वहाँ नहीं रहा गया। मैंने 'स्पीका', पूरी ज़िंदगी तो 'स्लेव' मुल्क में काट दी। जिंदगी के बचे-खुचे दिन आज़ाद 'कन्ट्री' में काट कर, अरमान तो 'कम्पलीटूं'।

अम्मी : बातें ही होंगी या सामान भी अन्दर लाया जायेगा।

यासीन : **(चौंककर, उठता-सा)** सामान!

अम्मी : घबराओ मत यासीन मियां। तुम्हारा सामान मैं अभी रखवाए देती हूँ। गेसू बेटी, इनका सामन कमरे में रखवा दे।

गेसू : अच्छा अम्मी। **(बाहर प्रस्थान)**

ग़फ़ूर : **(यासीन)** हुजूर, मुझे तो विलायत जाने पर 'फ़ील' हुआ कि गुलामी कितनी बड़ी बला है। लोग हमें ज़लील, 'डैम ब्लडी' समझते हैं। विलायत में बच्चे तक गली चलते मुझे देखकर चिल्लाते थे 'ब्लैकी, ब्लडी, बास्टर्ड'। खुदा की क़सम, उस समय कितना 'ब्लड बॉइलता-था।

मिर्ज़ा : ग़फ़ूर मियां, ख़ानसामा ही नहीं हैं, मेरे गार्जियन भी हैं।

अम्मी : इनको खाने में ज़रा देर हो जाए तो ग़फ़ूर मियां अच्छा ख़ासा नसीहतनामा खोल देते हैं—तंद्रुस्ती हज़ार नियामत है—जी है तो जहान है।

(गेसू बाहर के दरवाजे से समान लादे ड्राइवर के साथ अन्दर आती है, और बीच के दरवाज़े से दाँये कमरे में जाती है। वहाँ सामान रखवाती है।)

मिर्ज़ा : बातें ही करोगी या चाय भी पिलाओगी?

अम्मी : चलिये, चाय एकदम तैयार है, नाश्ता मेज़ पर लगा है।

यासीन : नाश्ता मैं गुस्ल के बाद करूँगा। एक कप चाय...

अम्मी : बेशक! ग़फ़ूर मियां एक कप चाय यहीं ले आइए। **(ग़फ़ूर कान पर हाथ रखता है तो ऊँचे स्वर में)** एक कप चाय यासीन मियां के लिए ले आइए।

ग़फ़ूर : चाय की आदत मियां को भी है। मैंने तो विलायत में भी नहीं ड्रिंकी। **(प्रस्थान-भीतर)**

यासीन : घर तो बेहद अच्छा है। पुश्तैनी लगता है?

मिर्ज़ा : नबाब आसफुद्‌दौला के ज़माने का है।

अम्मी : इनको इस घर से मुहब्बत है। दोस्तों ने इतना कहा कि गली में कब तक पड़े रहोगे, महानगर में एक कोठी बनवा लो, मगर नहीं माने।

मिर्ज़ा : इस मकान में मेरे अब्बा थे, दादा थे और दादा के भी दादा थे। मुझे महसूस होता है कि इस मकान के ज़र्रे-ज़र्रे से हमारे ख़ानदान का रिश्ता है। तुम मुझे जज़बाती कहो-दक़ियानूसी कहो-यह रिश्ता मैं तोड़ नहीं सकूंगा।

यासीन : मगर चचाजान, यहाँ आने में मैंने जितना देखा, उससे तो मुझे यह लगा कि यह मुहल्ला-पूरा-का-पूरा हिन्दुओं का है..?

मिर्ज़ा : **(अचानक कठोर हो जाता है)**...तो?

यासीन : मेरा मतलब है...

मिर्ज़ा : **(रुखाई से)** मैं तुम्हारा मतलब समझ गया।

यासीन : मेरा मतलब...क्या यह महफ़ूज़ है...मतलब यह कि हिन्दू-मुस्लिम दंगे में...

मिर्ज़ा : **(उत्तेजना में खड़े होकर)** बर्ख़ुरदार...यह हिन्दुस्तान है।

यासीन : **(अनिश्चित-सा)** जी।

मिर्ज़ा : यहाँ हिन्दू और मुसलमान एक क़ौम है। **(यासीन सिर झुका लेता है।)** हम लोग इस मकान में आज से सौ

साल पहले भी रहते थे। तब भी हिन्दुओं के मोहल्ले में मुसलमान का यह एक मकान था। तब यह मकान महफ़ूज़ था और आज नहीं है। क्यों?

यासीन : **(खड़े होकर)** मुझे माफ़ कीजिए।

मिर्ज़ा : इसमें तुम्हारी कोई ग़लती नहीं। बीस साल जिस प्रोपेगेण्डे के ज़ेर-असर तुम रहे हो, उसने कुछ तो तुमको मुतासिर किया ही होगा।

यासीन : चचाजान, मैं वाक़ई शर्मिन्दा हूँ। यक़ीन मानिये, बाहर रहकर भी मैं कभी इस मुल्क को नहीं भूला, जहाँ मैं पैदा हुआ था। जहाँ मेरे बाप-दादा दफ़न हैं। रिसर्च तो दरअसल बहाना है। मुझे तो आपकी मौहब्बत खींच लाई। यहाँ की मिट्टी खींच लाई जिस मिट्टी का मैं बना हूँ।

मिर्ज़ा : **(शान्त होकर, उदारता से)** मैं समझता हूँ कि इसमें तुम्हारी ग़लती नहीं है। पिछले दो सालों में तुमने इंग्लैंड से मुझे जो ख़त लिखे हैं, उसी से मैं जानता हूँ कि तुम तंगदिल फ़िरक़ापरस्त इन्सान नहीं हो। फिर भी पहले बीस साल जिस आबोहवा में रहे हो, उसका कुछ तो असर आएगा ही।

अम्मी : **(परिहास से)** डॉक्टर साहब, अब आबो-हवा बदल गयी है। मरीज़ को ठीक करने की ज़िम्मेदारी मेरी। अब ख़त्म भी कीजिए।

मिर्ज़ा : बेटे बुरा मत मानना। जिस मुल्क की आज़ादी के लिए मैं लड़ा, मेरे बाबा 1857 में काम आए, उसी मुल्क में आज, हम जब आज़ाद हैं, तफ़रक़े की ओछी बातें सुनकर, मैं आपे में नहीं रह पाता। **(स्वर बदल कर)** अभी आता हूँ। **(भीतर जाता है।)**

अम्मी : और कहो बेटा, तुम्हारी ख़ालाजान तो अच्छी हैं? **(गेसू जो अब तक दायें कमरे में शोफ़र की मदद से यासीन का सामान लगवा रही थी, बायें कमरे में आती है। ड्राइवर घर के बाहर चला जाता है।)**

यासीन : ख़ुदा के फ़ज़ल से अच्छी हैं। घुटनों में थोड़ा दर्द रहता

है उन्हें भी लखनऊ की याद सताती है। हर गर्मी में दशहरी आम याद आते हैं, जो उन्होंने अपने बाग़ में खुद लगवाए थे।

अम्मी : आओ, तुम्हें तुम्हारा कमरा दिखा दूँ। **(दायें कमरे में यासीन और अम्मी का प्रवेश)**

(बायें कमरे में फ़र्श पर यासीन गुलाब का गुच्छा छोड़ गया है, जहाँ वह गिर पड़ा था। उसे उठाकर गेसू दायें कमरे में यासीन के पीछे जाती है)

(दायाँ कमरा)

अम्मी : कमरा बहुत बड़ा तो नहीं है।

यासीन : बहुत अच्छा है। इससे बड़ा तो मुझे चाहिए भी नहीं।

अम्मी : यह गुसलख़ाना है। यह पढ़ने की मेज़, यह वार्डरोब, यह किताबों की अलमारी **(गेसू मेज़ पर रखे फूलदान में फूल लगाती है।)**

यासीन : बहुत अच्छा है मेरे लिए। बहुत ठीक है। **(अचानक गुलदान को देखकर)** आपने फूल लगा दिये?

गेसू : आपको फूल पसन्द नहीं हैं?

यासीन : आप कैसे कहती हैं?

गेसू : पसन्द होते तो आप इनकी तौहीन नहीं करते।

यासीन : तौहीन।

गेसू : यह फूल फ़र्श पर पड़े थे।

अम्मी : जानकर थोड़े ही फेंके होंगे।

यासीन : **(शर्मिन्दा-सा)** मैं निहायत ही ग़ैर-मुहज़्ज़ब आदमी हूँ। हालांकि लखनऊ का हूँ, लेकिन बीस साल में नफ़ासत, नाज़ुक-ख़याली और तहज़ीब खो चुका हूँ। अब आप लोगों की सोहबत में आदमी बनूंगा। मेहरबानी होगी, अगर आप मुझे माफ़ फ़र्मायें।

(बायाँ कमरा)

(तभी बायें कमरे में एक फ्रेम में चढ़ी तस्वीर लिए डॉ. मिर्ज़ा का प्रवेश। वह शेरवानी और टोपी उतार आए हैं। अब कुर्ता और पायजामा पहने हैं।)

मिर्ज़ा : **(पुकारते हुए)** अमां यासीन मियां।

(दायाँ कमरा)

यासीन : आया चचाजान। **(अम्मी से)** चचाजान बुला रहे हैं। **(बायें कमरे में जाता है। पीछे-पीछे अम्मी और गेसू भी जाती है)**

(बायाँ कमरा)

मिर्ज़ा : देख लिया अपना कमरा?

यासीन : मेरे लिए निहायत मौज़ूं है; शुक्रिया।

मिर्ज़ा : देखो बर्खुरदार, तुम बिना किसी शुबह के लखनऊ में हो। लेकिन यह शुक्रिया, युनिवर्सिटी में अपने दोस्त-अहबाब और प्रोफ़ेसरों के लिए बचा के रखो।

यासीन : आइंदा ख़्याल रखूँगा, शुक्रिया।

मिर्ज़ा : फिर शुक्रिया?

यासीन : **(हँसकर)** आदत पड़ गयी है।

मिर्ज़ा : गेसू की अम्मी, अभी तक तुमने यासीन को एक कप चाय नहीं पिलाई।

अम्मी : ग़फ़ूर मियां से तो कहा था...

मिर्ज़ा : गेसू बेटी, तू जाकर देख। तेरी अम्मी ग़फ़ूर से कुछ सख़्त-सुस्त न कह दें। **(गेसू भीतर जाती है।)**

मिर्ज़ा : **(यासीन से)** तुम्हें देखकर मुझे बार-बार ऐसा लगता है, जैसे अनवर से ही मैं बात कर रहा हूँ। बेटा बाप से इतना मिल सकता है, हैरत होती है। बिल्कुल वही क़द, वहीं नक़्श, वही देखने का अन्दाज़ **(आवाज़ बदलकर)** यह देखो—यह तस्वीर मैं तुम्हें दिखाने लाया था। यह तस्वीर हम लोगों ने तुम्हारे अब्बा की वफ़ात के सिर्फ़ दो महीने पहले खिंचवाई थी। यही है उसकी आख़िरी निशानी मेरे पास।

यासीन : यह अब्बा की फ़ोटो है?

मिर्ज़ा : हाँ।

यासीन : अगर आपने न बताया होता तो मैं अपनी फ़ोटो समझ बैठता।

मिर्ज़ा : तुम्हारे ख़ालू के पास तुम्हारे अब्बा की एक भी फ़ोटो नहीं?

यासीन : नहीं।

मिर्ज़ा : ताज्जुब है!

यासीन : कुछ फ़ोटो थीं। उन्हें पाकिस्तान जाते वक़्त ग़ैर-ज़रूरी सामान के साथ यहीं छोड़ गये थे।

मिर्ज़ा : हम और अनवर कितने गहरे दोस्त थे। एक जान और दो क़ालिब का मुहावरा हम लोगों पर बिल्कुल लागू था। कितना ऊँचा इन्सान था वह। कितना दिलेर, कितना वतन-परस्त। जब दो साल पहले तुमने मुझे ख़त लिखा कि तुम हिन्दुस्तान आना चाहते हो तो मैंने फ़ौरन कहा-यह है अनवर का बेटा। आख़िर खून का असर होता ही है। एक लमहे के लिए भी मुझे शक नहीं हुआ। मैंने तुम्हारी घुटन महसूस की। अपने मुक़ामे पैदाइश, अपने वतन को लौट आने की तुम्हारी तड़प को मैंने सुना, और फिर कहा, बार-बार दोहराया, अनवर का बेटा है! और मैंने लखनऊ यूनिवर्सिटी में डी. लिट की 'फ़ैलोशिप' दिलवाने के लिए कोई कसर नहीं रखी। गवर्नर तक से तुम्हारे लिए कहा।

यासीन : मैं आपका शुक्रगुज़ार हूँ।

मिर्ज़ा : तुम्हारे लिए नहीं बेटे; मैंने जो कुछ किया, तुम्हारे लिए नहीं किया। मैंने तो अनवर के लिए किया है। क्या मैं कभी उसका क़र्ज़ चुका पाऊँगा? क्या मैं कभी इस क़ाबिल होऊँगा कि उसका एहसान अदा कर सकूँ? वह दिन आज भी मुझे याद है। बिल्कुल याद है। मैं अब भी उसे देख सकता हूँ। (**स्टेज की रोशनी धीरे-धीरे कम होने लगती है। सिर्फ़ एक रोशनी की लकीर डॉ. मिर्ज़ा के चेहरे को रोशन करती है**) सन् बयालीस के वह इन्कलाबी दिन। हम दोनों मेडिकल कालेज में पढ़ते थे। हम दोनों-मैं और अनवर! हम दोनों ने प्लान बनाई, कचहरी पर तिरंगा फहराया जाए। जुलूस कचहरी की तरफ़ चल पड़ा। जुलूस में सबसे आगे थे,

हम दोनों-मैं और अनवर। सारी फ़िज़ां नारों से गूंज रही थी—इन्क़लाब ज़िन्दाबाद! इन्क़लाब ज़िन्दाबाद! **(पीछे से इन्क़लाब जिन्दाबाद के नारे सुनाई पड़ते हैं।)** हम लोग शहर का चक्कर लगाते हुए कचहरी पहुँच गये। वहाँ पुलिस के सैकड़ों सिपाही बन्दूक़ लिए हम लोगों का इंतज़ार कर रहे थे। एक लमहे को हमारा जुलूस थम गया। **(पीछे से इन्क़लाब जिन्दाबाद के नारे रुक जाते हैं)** नारे रुक गये। क्या हम लोग ज़ालिमों की गोली से डर जायेंगे? क्या सरफ़रोशी की तमन्ना सिर्फ़ तक़रीर की है? क्या आज हम इस कर्बला से भाग निकलेंगे? **(पीछे से जुलूस की आवाज़-जिन्दाबाद!)** वह नारा अकेले मैंने नहीं लगाया था। वह हम दोनों की आवाज़ थी। मेरी और अनवर की। हमारी आवाज़ सुनते ही हज़ारों गलों से नारों का रुका हुआ बाँध फूट पड़ा। **(पीछे से नारों की आवाज़)** जुलूस पुलिस की दीवार को तोड़ता हुआ-पहाड़ी नदी-सा कचहरी पर उमड़ पड़ा। तब ही मैंने देखा-अंग्रेज़ पुलिस कप्तान अपने रिवाल्वर से मेरी तरफ निशाना साध रहा है। मैंने कमीज़ के बटन तोड़कर सीना तान दिया। तब ही किसी ने मुझे धक्का दिया। मैं ज़मीन पर गिर पड़ा। रिवाल्वर से गोली छूटने की आवाज़ के साथ ही कोई खून से लथपथ मेरे ऊपर गिर पड़ा। मैंने जानना चाहा-कौन है वह! **(आंसूओं का बाँध फूट पड़ता है, जिन्हें रोकने की कोशिश करता है। कुछ देर बाद उसके रुंधे गले से स्वर फूटता है।)** वह...वह...वह...अनवर था। मुझे धक्का देकर उसने गोली अपने सीने पर झेल ली थी।

(बाँये कमरे का प्रकाश धीरे-धीरे समाप्त हो जाता है। तभी मंच के दूसरे कोने पर प्रकाशवृत्त में गायकदल (कोरस)* उद्भासित होता है, जो गा रहा है—)

---

* गायकदल के लिए अतिरिक्त कलाकारों की आवश्यकता नहीं है। डॉक्टर और यासीन का अभिनय करने वाले अभिनेताओं के अतिरिक्त, अन्य सब अभिनेता/अभिनेत्रियाँ तथा उपलब्ध नेपथ्यकर्मी, सफ़ेद शॉल ओढ़कर गायक दल बन सकते हैं।

सरफ़रोशी की तमन्ना अब हमारे दिल में है,
देखना है ज़ोर कितना बाजुए क़ातिल में है।
जान अपनी कुर्बां वतन पे कर देंगे हम,
लेके रहेंगे आज़ादी पीछे न हटेंगे हम,
वक़्त आने पे बता देंगे तुझे ए आस्मां,
हम अभी से क्या बताएं क्या हमारे दिल में है।

ऐ शहीद-ए-मुल्कों मिल्लत तेरे ज़ज्बों पे निसार,
तेरी कुर्बानी की तमन्ना अब हमारे दिल में है,
सरफ़रोशी की तमन्ना अब हमारे दिल में है,
देखना है ज़ोर कितना बाज़ुए क़ातिल में है।

(अन्तराल अंधकार)

(दाँया कमरा)

(बायें कमरे में उगते सूरज की किरणें। यासीन पलंग पर सो रहा है। नेपथ्य से वृन्दगान के स्वर सुनाई पड़ते हैं–''उठ जाग मुसाफ़िर''। भीतर से गेसू चाय की ट्रे लिए बायें कमरे से होकर दायें कमरे में आती है। ट्रे में एक गुलाब के फूलों का गुच्छा भी है। यासीन को सोता देखकर, ट्रे को मेज़ पर रख देती है तथा कमरे में निगाहें दौड़ाती है। फूल गुलदान में लगाती है। तभी वह मेज़ पर रखी यासीन की डायरी देखती है। वृन्दगान बन्द होता है। वह यासीन को जगाने के लिए हाथ बढ़ाती है, फिर शर्माकर हाथ खींच लेती है।)

गेसू : **(डायरी से पढ़ते हुए)** गुलाब के फूलों-सी खुशनुमा और नाजुक, गुलाबी जिस्म वाली, जिसके बंद होंठों में गुलाब की पंखुड़ियां हैं, और मुस्कराने पर जिसके गालों से हज़ार गुलाब खिलते हैं-कहती है, गुलाब की इज़्ज़त करना सीखो। उस मुजस्सिम गुलाब को देख, इज़्जत तो दूर, कौन इबादत न करने लग जाएगा। **(शर्माकर)** हाय अल्लाह! क्या शायरी है! **(यासीन के बिस्तर के पास आकर कन्धा पकड़कर जगाते हुए)** मैंने कहा, हुजूरे

आला, सुबह हो गयी। मशरिक़ में आफ़ताब अपने पूरे जलाल के साथ रौशन है। अगर हुज़ूर के दुश्मनों की तबियत नासाज़ न हो, तो ख़्वाबों के महल छोड़कर, इस ग़रीबख़ाने में तशरीफ़ लाइए। ख़िदमत में चाय हाज़िर है।

(यासीन आँख खोलकर एक हाथ गेसू की तरफ़ ऐसे बढ़ाता है, जैसे बाँह में लेना चाहता है।)

गेसू : **(एकदम पीछे हटकर)** हुजूर कितने ही बड़े शायर क्यों न हों-हुज़ूर की बेहतरी के लिए नाचीज़ की सलाह यही है कि हुजूर हद में ही रहें, और हुज़ूर के हाथ भी।

यासीन : **(उठकर गाउन पहनते हुए)** मेरी हद क्या है?

गेसू : इन्सान का हौसला ही उसकी हद है।

यासीन : तब मेरे हौसले की बढ़ती हुई बाँहों को तुमने रोक क्यों लगा दी?

गेसू : रोक क्या है? कोई दूसरे को रोक सकता है? रोक तो हर इन्सान खुद अपने ऊपर लगाता है।

यासीन : मैं तुमसे बहस में तो जीत नहीं सकता।

गेसू : **(चिढ़ाते हुए)** बहस का ताल्लुक़ दिमाग़ है। हुज़ूर बहस में जीत सकते हैं बशर्ते...

यासीन : **(बात काटते हुए)** दिमाग़ हो! मुझमें दिमाग़ तो वाक़ई नहीं है। जो थोड़ा बहुत है भी—उस पर दिल हावी हो गया है आजकल।

गेसू : दिल का दिमाग़ पर हावी हो जाना, यह तो ख़तरनाक मर्ज़ है! दिल को इस तरह मनमानी करने देना ठीक नहीं। अगर इस पर शुरुआत से ही 'कंट्रोल' नहीं रखा गया तो...

यासीन : तो?

गेसू : कहीं ले डूबेगा हुज़ूर को।

यासीन : हम तो डूब चुके हैं गेसू।

गेसू : कहाँ?

यासीन : किसी की कजरारी आँखों में।

गेसू : हाय अल्लाह! आपका मर्ज़ तो लाइलाज हो चुका है।

चाय पीजिए। कांटा-कांटे को निकालता है। कलेजे की जलन को गर्म चाय ठंडक पहुँचाएगी। **(मेज़ से चाय का प्याला उठाकर यासीन को देती है।)**

यासीन : तुमने पूछा नहीं, किसकी आँखों में डूबा हूँ मैं।

गेसू : मैं क्यों पूछूं। मैं जानती हूँ।

यासीन : कौन है वह?

गेसू : यह भरी पूरी हस्ती, और यह शायर मिजाज़ी। होगी कोई पाकिस्तान में खुशनसीब, जिसने आपके वजूद को अपनी आँखों के जाम पिलाकर बस में किया होगा।

यासीन : अब तक तो मेरी ज़िन्दगी में कोई लड़की नहीं आई गेसू।

गेसू : ताज्जुब है!

यासीन : पाकिस्तान का बन्द-बन्द माहौल रोमांस के लिए मौजूं नहीं था। तब ही बच सका। लेकिन हाँ, अवध सरताज, लखनऊ की रंगीनी में भी अपने आपको बचा के रख सकूंगा, इसकी गारन्टी में नहीं ले सकता।

गेसू : इसकी गारन्टी आपसे किसने माँगी है?

यासीन : क्या मैं तुमसे कुछ पूछ सकता हूँ?

गेसू : फ़रमाइये।

यासीन : तीखे नक़्श, मरमरी रंग और तराशे जिस्म के हुस्न और शबाव ने कितनो को जख़्मी किया है?

गेसू : किसी को भी नहीं।

यासीन : ताज्जुब है!

गेसू : अगर किसी को ज़ख़्मी किया होता, तो अब तक उसके साथ निकाह पढ़ा के घर बसा लिया होता।

यासीन : चचाजान कुछ न कहते?

गेसू : अब्बा की तरफ़ से पूरी छूट है।

यासीन : यानी आप जिसे पसन्द करेंगी उसी से...?

गेसू : अब्बा ने जब मुझे इजाज़त दी है, तो मैं भी इसका 'मिसयूज़' नहीं करूँगी। मैं अब्बा की राय को अपनी पसन्द से ज़्यादा अहमियत दूँगी।

यासीन : चचाजान की मेरे बारे क्या राय है?

गेसू : क्यों बताऊँ?

यासीन : न बताइए। आप खुदमुख़्तार हैं अपनी मर्ज़ी की।

गेसू : **(मेज़ से यासीन की डायरी, उठाते हुए)** रात के बारह एक बजे तक आपके कमरे में बत्ती जलती रहती है।

यासीन : आप भी जागती हैं तब तक?

गेसू : मेरा ख़्याल था आप रिसर्च की पढ़ाई करते होंगे, पर आप तो अफ़साना-नवीस हो रहे हैं। **(यासीन को डायरी दिखाती है।)**

यासीन : ओह!

गेसू : क्या मैं जान सकती हूँ, यह खुशनसीब कौन है?

यासीन : क्यों बताऊँ?

गेसू : न बताइये, आप खुदमुख़्तार हैं अपनी मर्ज़ी की।

यासीन : **(गुलदान देखकर)** अरे, आपने फूल लगा दिये?

गेसू : आपको एतराज़?

यासीन : **(गुलदस्ते से एक फूल निकालकर)** आपने मुझे फूल की इज़्ज़त करना सिखाया है। मैं इस फूल की इज़्ज़त बढ़ाना चाहता हूँ।

गेसू : कैसे?

यासीन : आपके बालों में लगाकर। **(बालों में फूल लगाता है।)**

गेसू : **(आँख बंद कर, फूल लगवाते हुए)** अब्बा आपको बेहद पसन्द करते हैं। अम्मी तो आपको अभी से दूल्हा मियां कहने लगी हैं।

(तभी ग़फ़ूर बीच के दरवाजे से दायें कमरे में प्रवेश करता है।)

ग़फ़ूर : लाहौल विलाकूवत। **(गेसू और यासीन छिटककर अलग हो जाते हैं।)**

ग़फ़ूर : **(बांये कमरे में आकर)** लन्दन गया, पेरिस गया, बर्लिन गया, मैडरिड गया, सब जगह यही देखा। अब क्या अपने इंडिया में भी यह होने लगा है। **(लौटकर बीच के दरवाजे पर आकर खांसता हुआ)** दूल्हा मियां! अन्दर 'कम' सकता हूँ?

यासीन : आइये, आइये ग़फ़ूर चचा। तशरीफ़ लाइये। **(ग़फ़ूर दाँये**

कमरे में प्रवेश करता है। गेसू बाँये कमरे में होती हुई घर के भीतर चली जाती है।)

ग़फ़ूर : जानते हो, फिरंगी लोग इसे क्या कहते हैं?

यासीन : किसे?

ग़फ़ूर : इसी को, जो तुम लोग अभी अभी 'डूते' थे

यासीन : क्या?

ग़फ़ूर : अभी 'डूते' थे। **(समझाते हुए)** उहँ हँ 'डूते' थे, यानी करते थे।

यासीन : **(शर्माया-सा)** जी-जी।

ग़फ़ूर : जी नहीं, यही! शादी से पहले एक दूसरे के कान में 'स्वीट-स्वीट टॉकना'। महबूब का हाथ लेकर सलो-सलो 'टचना', मोहब्बत की आंहें 'फ़िलना', मोहब्बत निबाहने के 'प्रॉमिस' करना—?

यासीन : मैं तो नहीं जानता।

ग़फ़ूर : तुम विलायत गये हो?

यासीन : जी?

ग़फ़ूर : फ्रांस, स्पेन, जर्मनी—

यासीन : जी नहीं।

ग़फ़ूर : तब जानोगे भी कैसे? इसे कहते हैं 'शिपकोर्ट'।

यासीन : **(हँसी रोककर)** 'शिपकोर्ट'?

ग़फ़ूर : टामस साहब की लड़की भी पहले 'शिपकोर्ट' करती थी। बाद में उसने 'मैरिज' की।

यासीन : **(चापलूसी के स्वर में)** आपने, दुनिया देखी है। तब ही आपके ख़्यालात ज़माने के मुताबिक़ कुशादा हैं।

ग़फ़ूर : टामस साहब के घर के पास ही एक अंग्रेज़ बेवा लिवती' थी। वह मुझसे 'शिपकोर्ट' करने लगी।

यासीन : आपसे ग़फ़ूर चचा!

ग़फ़ूर : हाँ! क्यों नहीं? क्या मैं 'शिपकोर्ट' नहीं कर सकता था? मैं तब जवान था। दाढ़ी-मूछ सफ़ाचट रखता था।

यासीन : फिर क्या हुआ?

ग़फ़ूर : मैं तो साफ़गो आदमी हूँ। मैंने कहा 'मैंन', धोखा देना शरीफ़ों का 'वर्क' नहीं है। इसलिए पहले ही उससे

'क्लीन-क्लीन' कह दिया 'शिपकोर्ट यस, मैरिज नो।'

यासीन : **(आश्चर्य से)** 'मैरिज नो?

ग़फ़ूर : हाँ, 'मैरिज नो'।

यासीन : क्यों?

ग़फ़ूर : फ़िरंगी औरत, शिपकोर्ट-वैरी गुड, मैरिज-नो गुड। इसके ख़िलाफ हिन्दुस्तानी औरत 'शिपकोर्ट नो गुड', मैरिज वैरी गुड'।

यासीन : आपके 'नो' कहने पर वह फ़िरंगी औरत क्या बोली?

ग़फ़ूर : **(कान पर हाथ रखकर)** ऐं?

यासीन : वह क्या बोली?

ग़फ़ूर : वह तो ऐसा बिचकी, ऐसा बिचकी कि मुझे 'सीना' ही छोड़ दिया।

यासीन : 'सीना'?

ग़फ़ूर : 'सीना' मतलब देखना।

यासीन : बेचारे ग़फ़ूर चचा! **(घंटी बजने की आवाज)** चचाजान घंटी बजी!

ग़फ़ूर : ऐं? **(कान पर हाथ रखता है।)**

यासीन : **(जोर से)** कोई आया है। दरवाज़े की घंटी बजी है।

ग़फ़ूर : मैं अभी 'सीता' हूँ। 'हू' है 'देयर'। **(बायें कमरे में जाकर बाहर का दरवाज़ा खोलता है।)**

(बायाँ कमरा)

मिर्ज़ा : **(प्रवेश करके)** मियां कार से मेरा बैग लाइये। **(ग़फ़ूर बाहर जाता है। यासीन वहाँ दाँये कमरे से आता है।)** आज तो कुछ जल्दी उठ गये?

यासीन : मैं बहुत परेशान हूँ अपनी आदत से। कितनी ही कोशिश करूँ, जल्दी उठ ही नहीं पाता।

मिर्ज़ा : अभी तो तुम्हारी उम्र सोने की है। जल्दी क्या है उठने की?

यासीन : आप तो बहुत जल्दी उठ जाते हैं।

मिर्ज़ा : मेरी उम्र पर तुम भी उठने लगोगे। अभी एक मरीज़ देखने गया था। **(स्वर बदलकर)** तुम्हें किसी बात की तकलीफ़ तो नहीं?

यासीन : तकलीफ़!

मिर्ज़ा : लखनऊ में ज़रूर हो, लेकिन मेरे घर में तकल्लुफ़ नहीं चलता।

यासीन : कैसी बातें करते हैं चचाजान! मुझे तो पता ही नहीं चला, हफ़्ता कैसे बीत गया।

मिर्ज़ा : मैं उम्र में तुमसे बड़ा हूँ, लेकिन तुम हर बात बेझिझक कह सकते हो, दोस्त की तरह।

यासीन : मेरी ज़िन्दगी में इतने अच्छे दिन कभी नहीं आये।

ग़फ़ूर : **(डॉ. मिर्ज़ा का बैग और स्टेथेस्कोप लिए बाहर से प्रवेश करता है।)** डॉ. मियां 'हरी' कीजिए। 'बाथ' करके नाश्ता कर लीजिए। अभी कोई दूसरा मरीज़ बुला ले जायेगा, फिर कोई तीसरा। ऐसे ही क्लिनिक का 'टाइम' हो जायेगा और आप बिना कुछ 'ईटे' वहाँ चल देंगे। और हम 'वेटते' रह जायेंगे।

मिर्ज़ा : ग़फ़ूर मियां की नसीहत शुरू हो गयी। **(खड़े होकर)** चलूँ, नहीं तो ग़फ़ूर मियां नाराज़ हो जायेंगे। **(चलते-चलते रुककर)** बेटे, अगले इतवार तुम्हारे गाँव चलेंगे। मुश्किल से सात आठ मील है यहाँ से। वहाँ तुम्हारी पुश्तैनी कोठी है। **(ग़फ़ूर का भीतर प्रस्थान)**।

यासीन : कोठी अभी सलामत है?

मिर्ज़ा : हाँ, सरकार ने उसमें ब्लॉक-आफ़िस खोल दिया है। मैं उसमें तुम्हें वह कमरा दिखाऊँगा, जो तुम्हारे अब्बा का था। मैं भी एक बार गर्मी की छुट्टी में एक हफ़्ते उसमें रहा था। मैं तुम्हें वह कमरा भी दिखाऊँगा, जो तुम्हारी दादी का था। तुम्हारे अब्बा उस कमरे में पैदा हुए थे।

यासीन : जब आपको फुरसत हो, मैं चलने को तैयार हूँ।

मिर्ज़ा : कोठी से कुछ दूर क़ब्रिस्तान है—तुम्हारे ख़ानदान का पुश्तैनी क़ब्रिस्तान। वहाँ तुम्हारे बुज़ुर्गों की कब्रें हैं। वहीं दफ़न है अनवर। **(कुछ रुककर)** और तुम्हारी माँ भी तो। **(जैसे विचारों में खो गया। फिर अपने को सम्हालकर, यासीन की पीठ थपथपाकर अन्दर चला जाता है।)**

(यासीन दायें कमरे में जाता है। उसका दरवाज़ा बन्द करके, मेज़ के नीचे की ड्रार से फ़ाइल निकालता है। उसमें से एक काग़ज़ निकालकर लाइटर से जलाता है। तभी ग़फ़ूर भीतर से आता है। काग़ज जलने की महक को सूंघता हुआ, वह बीच के दरवाज़े पर दस्तक करता है।)

ग़फ़ूर : **(दरवाज़े पर दस्तक देते हुए)** दूल्हे मियां, दूल्हे मियां, मैं 'कम' सकता हूँ?

यासीन : आइये; चचाजान! **(जल्दी से जलता हुआ काग़ज़ बुझाकर, राख समेट कर एक लिफ़ाफ़े में रखकर उसे मेज़पोश के नीचे छिपा देता है। सिगरेट जलाकर कश लेता है। फिर दरवाज़ा खोलता है।)**

(दायाँ कमरा)

ग़फ़ूर : **(दाँये कमरे में प्रवेश करके इधर-उधर शक से देखता है। फिर सूंघते हुए)** अमां, बड़ी देर से दरवाज़ा खोला। कुछ जल रहा है।

यासीन : **(सिगरेट दिखाते हुए)** सिगरेट-सिगरेट।

ग़फ़ूर : **(सूंघते हुए)** यह सिगरेट की महक नहीं है।

यासीन : **(चौंककर)** जी!

ग़फ़ूर : यह काग़ज़ जलने की महक है।

(यासीन चुप रहता है।)

ग़फ़ूर : अच्छा बताओ, मैंने कैसे जाना? **(यासीन चुप रहता है।)** अगर बता सके तो पास, नहीं तो फ़ेल।

यासीन : आप छिपकर कहीं से देख रहे थे।

ग़फ़ूर : नहीं भाई। मैं 'थीवों' वाले काम नहीं करता।

यासीन : तो...

ग़फ़ूर : अरे भाई मैंने तीस साल सिगरेट 'ड्रिंकी है। मैं तम्बाकू की महक 'नोता' हूँ।

(यासीन चुप रहता है। गेसू का बीच के रास्ते से प्रवेश)

ग़फ़ूर : तुम इतनी-सी बात नहीं बता सके। तुम फ़ेल हो गये दूल्हे मियां।

(बायें कमरे से होता हुआ घर के भीतर जाता है।)

गेसू : **(कमरे में आकर यासीन को चिढ़ाते हुए)** तुम फ़ेल हो गये, दूल्हे मियां!

यासीन : ग़फ़ूर मियां ने मुझे फ़ेल कर दिया। तुमने तो मुझे फ़ेल नहीं किया?

(गेसू की तरफ बढ़ता है।)

गेसू : **(पीछे हटते हुए मुस्कुराहट में)** हुज़ूरे आली दूर से...दूर से हज़ूरे आली! **(बाहर घंटी बजने की आवाज़)** कोई आया है। **(गेसू हँसती है और बायें कमरे में जाती है और बाहर का दरवाज़ा खोलती है। यासीन बीच दरवाजे से छिपकर आने वाले को देखता है।)**

(बायाँ कमरा)

किशन : **(आते हुए)** गेसू बेटी! तेरे अब्बा कहाँ हैं?

गेसू : तशरीफ़ रखिये। अभी बुलाती हूँ।

किशन : **(बैठते हुए)** उनको तो बुलाओ ही, लेकिन यह तो बताओ, वह कहाँ हैं अनवर भाई का बेटा!

गेसू : यासीन मियाँ ?

किशन : हाँ, हाँ, पहले यासीन मियां को बुलाओ।

गेसू : बुलाती हूँ। **(गेसू बीच के दरवाज़े की तरफ़ बढ़ती है)**

(दायाँ कमरा)

(यासीन तेज़ी से भागकर पढ़ने की मेज़ पर बैठ जाता है, और किताब खोल लेता है।)

गेसू : **(दाँये कमरे में प्रवेश करके)** यासीन मियां, चचा बुला रहे हैं।

यासीन : कौन हैं यह?

गेसू : चचा। अपने किशन चचा। हम लोगों के पड़ोसी। हम दोनों की दीवार बिल्कुल मिली है।

यासीन : कपड़े बदल लूँ।

गेसू : ऐसे ही चलिए।

यासीन : इन कपड़ों में?

गेसू : हाँ, क्यों? चचा कोई ग़ैर नहीं हैं। बिल्कुल घर जैसे ही हैं।

यासीन : अच्छा चलो। **(यासीन और गेसू बाँये कमरे में आते हैं।**

(बायाँ कमरा)

(किशन लाल यासीन को देखकर देखता रह जाता है।)

यासीन : आदाब अर्ज़ है।

किशन : **(स्वतः)** बिल्कुल वही आवाज़, वही तस्वीर।

गेसू : किशन चचा! यह हैं यासीन मियां।

(कुछ लमहों की ख़ामोशी)

किशन : ऐं... हाँ-हाँ, यासीन मियाँ। बेटे खुश रहो। बड़ी उमर पाओ।

यासीन : आप मेरे अब्बा को जानते थे?

किशन : हाँ, हाँ, खूब जानता था। डाक्टर भाई के साथ मेडिकल कालेज में पढ़ते थे। यहीं, इसी कमरे में उनसे कई बार मिला था। वह मेरे घर भी आते थे। **(कुछ रुककर)** डाक्टर भाई, मुझसे दो-तीन साल ही बड़े हैं। बचपन में हम लोग साथ खेले थे। डाक्टर भाई का हर दोस्त मेरा दोस्त है और मेरे पहचान वाले डाक्टर भाई को जानते हैं। तुम्हारे अब्बा से मेरी मुलाक़ात डाक्टर भाई के ज़रिये ही हुई थी।

यासीन : यहाँ अब्बा को बहुत लोग जानते हैं। अभी कुछ दिन पहले ही कॉरपोरेशन ने फ़ैसला किया है कि एक सड़क का नाम रखा जाये—शहीद अनवर मार्ग।

गेसू : यह तो बहुत अच्छी बात है।

किशन : यह तो बहुत पहले ही करना चाहिए था। अपने देश के लिए हँसते-हँसते सीने पर गोली झेल ले, वह मामूली आदमी नहीं होता। कचहरी में तुम्हारे अब्बा जिस जगह गोली खाकर गिरे थे, वहीं हम लोगों ने आज़ादी मिलते ही तुम्हारे अब्बा की मूर्ति लगवाई थी।

गेसू : अब्बा उसे यासीन भाई को दिखा लाये हैं।

किशन : मैं भी सन् बयालीस के उस जुलूस में था।

गेसू : आप भी थे चचा?

किशन : हाँ बेटी! मैं डाक्टर भाई और अनवर भाई के साथ जुलूस में था। **(मज़ाक में)** लेकिन ज़रा पीछे था।

यासीन : आपके सामने अब्बा को गोली लगी थी।

किशन : हाँ बेटे, मेरे सामने! न याद दिलाओ उस दिन की। आज भी सोचता हूँ उस दिन को, तो रोंगटे खड़े हो जाते हैं। ईश्वर तुम्हें बड़ी उमर दे।

गेसू : आप कहीं गये थे चचा!

किशन : हाँ बेटी, अहमदाबाद गया था।

(डॉ. मिर्ज़ा का प्रवेश। वह क्लीनिक जाने को तैयार हैं।)

मिर्ज़ा : अरे किशनलाल, तुम कब आये?

किशन : बस, थोड़ी देर पहले। आज ही सुबह लौटा हूँ। अहमदाबाद गया था।

मिर्ज़ा : क्यों?

किशन : वही अपनी बिज़नैस के सिलसिले में। जैसे ही पता लगा कि अनवर भाई का बेटा आया है तो अपने को रोक न सका, मिलने चला आया।

मिर्ज़ा : मैं भी यासीन को तुमसे मिलाना चाहता था। मैंने पता लगाया तो मालूम हुआ कि तुम कहीं बाहर गये हो। **(गेसू से)** चचा को एक कप चाय तक नहीं पिलाई?

गेसू : मैं अभी लाई **(भीतर जाती है।)**

किशन : यासीन बेटे, जैसे डाक्टर भाई का घर तुम्हारा घर है, वैसे मेरा घर भी तुम्हारा घर है।

मिर्ज़ा : हम लोगों के घर के बीच की दीवार एक है।

किशन : लेकिन दिलों के बीच दीवार नहीं है।

मिर्ज़ा : हम लोग सौ-डेढ़ सौ साल के पड़ोसी हैं।

किशन : पड़ोसी नहीं एक घर है।

मिर्ज़ा : किशनलाल मेरे सगे भाई की तरह हैं।

किशन : भाई की तरह नहीं, उससे भी बढ़कर हैं।

(दोनों एक साथ हँसते हैं।)

मिर्ज़ा : बहुत खूब किशन लाल। बहुत खूब।

किशन : आज रात को डॉ. भाई आप सब, भाभी, गेसू, यासीन के साथ मेरे यहाँ खाना खायेंगे।

मिर्ज़ा : खाना?

किशन : यासीन अपनी चाची, बहनों, भाईयों से तो मिल ले। ठीक है न डाक्टर भाई?

मिर्ज़ा : तुम कहते हो तो एकदम ठीक है।

किशन : **(यासीन से)** तुम्हें शाम को कहीं जाना तो नहीं है?

यासीन : जी नहीं।

किशन : तब तुम शाम को आ रहे हो।

यासीन : आपका हुक्म बजा लाऊँगा।

किशन : अच्छा बेटे, तुम्हें तो यूनिवर्सिटी जाना होगा। तुम्हें अब पकड़कर बैठाये नहीं रखूँगा। तुम जाकर तैयार हो।

यासीन : आदाब!

किशन : जीते रहो। **(यासीन दायें कमरे में जाता है। अलमारी से तौलिया और कपड़े लेकर बाथरूम जाता है।)**

किशन : **(जाते हुए यासीन को देखते हुए)** एकदम अनवर भाई की तस्वीर है।

मिर्ज़ा : मैंने भी जब पहली बार इसे एयरपोर्ट पर देखा, तो बस देखता ही रह गया। मुझे महसूस हुआ कि अनवर चला आ रहा है।

किशन : मुझे भी ऐसा ही लगा।

मिर्ज़ा : किशनलाल, सबसे ख़ुशी की बात यह है कि यासीन सूरत में तो अनवर से मिलता है, लेकिन सीरत में भी उसी पर गया है।

किशन : कैसे?

मिर्ज़ा : पूरा 'नेशनलिस्ट' है। बीस साल बाहर रहकर भी उसके ख़्याल में फिरक़ा-परस्त तंगदिली नाम के लिए भी नहीं है।

किशन : ख़ून का असर तो है ही।

मिर्ज़ा : अभी फ़िलहाल दो साल का वीज़ा है—यूनिवर्सिटी में वाजिद अली शाह के ज़माने के उर्दू शायरों पर रिसर्च करने के लिए। लेकिन मुझसे कह रहा था, मैं नहीं जाना चाहता।

किशन : ख़ून और मिट्टी की पुकार है डाक्टर भाई!

मिर्ज़ा : मैंने तय कर लिया है कि उसको इण्डियन सिटीज़नशिप दिलवा दूँगा-गेसू की अम्मी तो बहुत ख़ुश हैं। वह कहती हैं—बेटा नहीं था, ख़ुदा ने बेटा भेज दिया।

किशन : बहुत ही सलीकेदार बच्चा है।

डाक्टर : शायर भी है। उसकी एक किताब भी है।

किशन : गुणी है।

डाक्टर : तब ही तो पाकिस्तान का नफ़रत का माहौल और हिन्दू-मुसलमानों में तफ़रके का प्रोपेगेण्डा उस पर असर नहीं कर सका।

(ग़फ़ूर मियां भीतर से आते हैं।)

ग़फ़ूर : 'ब्रेक-फ़ास्ट' मेज़ पर 'सीटा' है।

मिर्ज़ा : अभी आते हैं।

ग़फ़ूर : 'ब्रेक-फ़ास्ट' करके ही आप घर के बाहर 'गोएंगे'। मैं यह नहीं 'लिसनूंगा' कि क्लीनिक को देर हो रही है। बाद में 'ईटूँगा'।

किशन : **(खड़े होकर)** अब चलूँगा डाक्टर भाई! शाम को खाने पर मिलूँगा।

मिर्ज़ा : अच्छा किशनलाल, ग़फ़ूर मियां का नादिरशाही ऐलान हो चुका है।

किशन : ग़फ़ूर मियां ज़ोर-ज़बर्दस्ती न करें तो आप मरीज़ों में ऐसे व्यस्त रहें कि खाना ही न खायें। **(चलते हुए)** भाभीजान को मेरी नमस्ते कहियेगा।

(किशनलाल जाता है।)

मिर्ज़ा : ग़फ़ूर मियां, ड्राइवर से कहिये, मोटर निकाल दें। **(ग़फ़ूर मियां का घर के बाहर प्रस्थान। डॉ. मिर्ज़ा का घर के भीतर प्रस्थान।)**

(दायें कमरे में यासीन बाथरूम से निकलता है। वह नहाकर कपड़े बदल चुका है। वह जूते पहनता है। बायें कमरे में ग़फ़ूर मियां बाहर से आते हैं। वह भीतर जाने के लिए बढ़ते हैं, वैसे ही बाहर के दरवाज़े पर दस्तक होती है। ग़फ़ूर मियां लौटकर बाहर का दरवाज़ा खोलते हैं।)

हरीश : **(बाहर से)** यासीन साहब हैं?

ग़फ़ूर : यस!

हरीश : मैं उनसे मिलना चाहता हूँ।

ग़फ़ूर : आप 'हू' हैं?

हरीश : मैं उनका दोस्त हूँ।

ग़फ़ूर : घोस्ट!! ओह माई गॉड! भूत!!

हरीश : घोस्ट नहीं, दोस्त! दोस्त!

ग़फ़ूर : यू मीन फ़्रैन्ड।

हरीश : यस! फ़्रैन्ड।

ग़फ़ूर : वैरी गुड। 'इनकम'। इनकम।

हरीश : जी।

ग़फ़ूर : इनकम। **(इशारे से समझाते हुए)** ईन...कम
(हरीश बायें कमरे में आता है।)

ग़फ़ूर : **(हरीश से)** सीटिए। **(हरीश की समझ में नहीं आता)** सीटिए। **(झुंझलाकर)** बैठिए।
(हरीश सोफ़े पर बैठ जाता है। ग़फ़ूर बीच के दरवाज़े पर दस्तक देता है।)

यासीन : कौन है?

ग़फ़ूर : 'योर फ्रैन्ड आया है। **(यासीन उठकर बीच का दरवाजा खोलता है। ग़फ़ूर कमरे में प्रवेश करके)** योर फ्रैन्ड-ग्रीनिश आया है।

यासीन : ग्रीनिश।

ग़फ़ूर : यस ग्रीनिश।

यासीन : मुझे समझने दीजिए। ग्रीन यानी हरा। ग्रीन ग्रीनिश! हरा, हरा हरीश। हरीश?

ग़फ़ूर : यस! **(यासीन बाँए कमरे में जाता है।)**

यासीन : ओह हरीश! आओ। आओ, मेरे कमरे में आओ। **(हरीश को लेकर, बीच के दरवाज़े से दायें कमरे में जाता है। ग़फ़ूर घर के भीतर जाता है।)**

(दायाँ कमरा)

यासीन : **(बीच का दरवाज़ा बंद करते हुए)** तुम पाकिस्तान से कब आए हमीद।

हरीश : ख़बरदार यह नाम ज़बान मत लाना। मेरा नाम हरीश है हमीद नहीं।

यासीन : **(बीच का दरवाज़ा बंद करके)** तुम्हें यह मकान ढूंढने में मुश्किल तो नहीं हुई?

हरीश : डॉ. मिर्ज़ा का मकान कौन नहीं जानता। **(बीच के दरवाज़े की दरार से बायें कमरे में झांककर अपना हैण्डबैग खोलता है। फिर उसमें से रुपयों की गड्डियां तथा तीन-चार पिस्तौलें निकाल कर देते हुए)** इसे तुम रखो।

यासीन : मैं?

हरीश : हाँ तुम।

यासीन : मैं कहाँ रखूँगा?

हरीश : तुम जानो। डॉ. मिर्ज़ा का इतना बड़ा साया तुम पर है, फिर भी पूछते हो कहाँ रखूँगा।

यासीन : यह कैसे रूपये हैं? यह पिस्तौल अब तक कहाँ थीं?

हरीश : यह पिस्तौल जहाँ थीं, वहाँ कभी भी पुलिस छापा मर सकती है, इसलिए वहाँ से हटाना ज़रूरी था।

यासीन : **(कुछ डर से)** यह जगह तो पुलिस की निगाह में नहीं?

हरीश : यह जगह भी पुलिस की निगाह में है। **(यासीन सवाली निगाह से देखता है।)** लेकिन पुलिस की निगाह में इससे ज़्यादा पाक-साफ़ कोई घर नहीं है। यह वह जगह है जिस पर कभी कोई शक नहीं कर सकता।

यासीन : पुलिस कप्तान चचाजान के दोस्त हैं।

हरीश : एक पुलिस कप्तान क्या, सब ही डॉ. मिर्ज़ा के मुरीद हैं। हम लोगों को उम्मीद है कि तुम इस मौक़े का पूरा-पूरा फ़ायदा उठाओगे। ट्रांसमीटर सेट भी जल्दी ही तुम्हारे यहाँ आ जायेगा।

यासीन : कब तक ?

हरीश : **(सोचते हुए)** यह तो इस बात मुनस्सर है... **(तभी उसे भीतर से आती हुई गेसू दिखाई पड़ती है। वह तेज़ी से दौड़कर कुर्सी पर बैठ जाता है।)** वाजिद अली शाह के ज़माने में उर्दू के दो सेन्टर थे-एक दिल्ली और दूसरा लखनऊ। दोनों ज़बान के ही सेन्टर नहीं थे, बल्कि तहज़ीब और कल्चर के भी दो सेन्टर थे। दोनों सेन्टर...

गेसू : **(दायें कमरे में प्रवेश करते हुए) यासीन... (हरीश को देखकर ठिठक जाती है)** मैं फिर आऊँगी।

यासीन : गेसू ये हैं मेरे दोस्त हरीश। लण्डन में मेरे साथ थे। अब यहीं हैं और यह हैं गेसू।

गेसू : **(हरीश से)** आदाब। **(यासीन से)** मैं फिर आऊँगी। **(प्रस्थान-घर के भीतर, बाँये कमरे से होकर।)**

हरीश : डॉ. मिर्ज़ा की लड़की है?

यासीन : हाँ।

हरीश : खूबसूरत है! **(रुककर)** इश्क़ की इब्तदा हुई?

यासीन : हाँ, किसी हद तक।

हरीश : शादी मुमकिन है।

यासीन : चचीजान तो अभी से ही मुझे दूल्हे मियां कहती हैं।

हरीश : गुड! डॉ. मिर्ज़ा का दामाद क्या नहीं कर सकता? हम लोगों का ख़्याल बिल्कुल ठीक निकला। **(यासीन उत्तर नहीं देता।)** हम सबको तुमसे यही उम्मीद थी। मुल्क के 'टॉप' के सिंयासी लीडरान डॉ. मिर्ज़ा के दोस्त हैं। डॉ. मिर्ज़ा के होने वाले दामाद के लिए उनसे रब्ज-ज़ब्त बढ़ाना बहुत ही आसान है। बड़े फ़ौजी अफ़सरों से भी डॉक्टर मिर्ज़ा के ताल्लुक़ गहरे हैं। अगर तुम अक़्लमंद होगे, तो वे सब तुम्हारे भी दोस्त होंगे।

यासीन : डॉ. मिर्ज़ा ने मुझे सिटीज़नशिप दिलवाने का वादा किया है।

हरीश : गुड! डॉ. मिर्ज़ा के लिए यह क़तई मुश्किल नहीं है। आगे चलकर सियासी और फ़ौजी इंटेलीजेंस के लिए तुम्हीं हमारे ख़ास 'सोर्स' होगे।

यासीन : मैं पूरी कोशिश करूँगा। **(बाहर मोटर रुकने की आवाज़। यासीन बीच का दरवाज़ा थोड़ा-सा खोलकर झाँकता है।) (बाँयें कमरे में डॉ. मिर्ज़ा भीतर से आते हैं और बाहर दरवाज़े की तरफ बढ़ते हैं। उनके पीछे ग़फ़ूर उनका बैग और स्टेथोस्कोप लिए हुए आता है। जैसे ही डॉ. मिर्ज़ा बाहर का दरवाज़ा खोलते हैं, तो पुलिस कप्तान शर्मा उनको दिखाई पड़ते हैं।)**

यासीन : पुलिस कप्तान शर्मा। **(फुर्ती से कुर्सी पर बैठकर मैगज़ीन के पन्ने पलटने लगता है)**

(बायाँ कमरा)

मिर्ज़ा : ओह शर्मा! आओ, आओ।

शर्मा : (प्रवेश करके) माफ़ कीजियेगा, डॉ. साहब, इस वक़्त आने के लिए।

शर्मा : बैठो तो, फिर बात करना।

शर्मा : इधर से गुज़र रहा था, सोचा दो मिनट आपसे मिल लूँ। **(दायें कमरे में यासीन और हरीश इस तरह बीच के दरवाज़े में छिपकर खड़े होते हैं, जिससे बायें कमरे की बातचीत सुन सकें।)**

मिर्ज़ा : हर वक़्त वर्दी कसे रहते हो। कभी तो भले आदमी की तरह सादी पोशाक में दिखाई पड़ा करो।

शर्मा : क्या बताएं डॉ. साहब, काम बहुत बढ़ गया है। मैं बहुत परेशान हूँ आजकल।

मिर्ज़ा : काम तो होता ही रहता है, इससे परेशान नहीं होना चाहिए।

शर्मा : शहर में 'स्पाईनेज एक्टीविटीज़' बहुत बढ़ गयी हैं। हम लोगों की आप कुछ मदद कर सकते हैं।

मिर्ज़ा : मुझसे जो हो सकता है मैं बेशक करूँगा।

शर्मा : इधर ख़बर मिली है कि बाहर का एक बहुत ही 'हाई लेविल' का जासूस लखनऊ आया है, उसका पता लगाना है।

मिर्ज़ा : **(हँसकर)** एक शख़्स तो हाल ही में मेरे यहाँ बाहर से आया है। उससे आपको मिलाए देता हूँ। **(पुकारते हुए)** यासीन, यासीन! **(अपनी पढ़ने वाली मेज़ के सामने जाकर यासीन कहता है-आया चचाजान!)** अमां यहाँ तो आना।

(बीच के दरवाज़े से यासीन बायें कमरे में आता है। शर्मा उसे देखते ही उठ खड़ा होता है।) बेटे, यह हैं मिस्टर शर्मा, यहाँ एस.एस.पी. हैं।

यासीन : आदाब! (**शर्मा जवाब नहीं देता। उसे एकटक देखता है।)**

शर्मा : शर्मा, यही बाहर से आया है। लेकिन ख़्यालात और हरकतों से सोलह आना हिन्दुस्तानी। (**शर्मा धीरे-धीरे यासीन के पास जाता है। उसे देखता है जैसे पहचानने की कोशिश कर रहा हो। दृश्य जड़ जो जाता है। प्रकाश धीरे-धीरे समाप्त हो जाता है। तब मंच के दूसरे कोने पर गायकवृन्द उद्भासित होता है।)**

वृन्दागान : *देश के ग़द्दारो, हो जाओ ख़बरदार,*
मुल्क बचाने आये हैं वतन के पहरेदार
ख़बरदार, ख़बरदार, ख़बरदार, ख़बरदार
दहशत फैलाकर तुमने किया देश बदनाम
आज़ाद मुल्क में अब भी, हम लोग हैं गुलाम
ख़बरदार-ख़बरदार-ख़बरदार–

(प्रथम अंक समाप्त)

दूसरा अंक

समय : **दोपहर, दूसरे अंक से क़रीब एक महीने का फ़र्क़ है।**

स्थान : **मिर्ज़ा के मकान के दो कमरे, पहले और दूसरे अंक की तरह।**

(दायाँ कमरा)

यासीन और हरीश दोनों रेडियो सुन रहे हैं। रेडियो स्वर; ''और अन्त में मुख्य समाचार सुनिये। लखनऊ में कल रात से हो रहा साम्प्रदायिक दंगा अभी पूरी तरह से नियंत्रण में नहीं आ रहा है। दंगाग्रस्त इलाकों में चौबीस घंटे का क़र्फ्यू लगा दिया गया है। हमारे संवाददाता के अनुसार दंगे में अब तक ग्यारह लोगों के मारे जाने की ख़बर है। सैंतीस लोग जख़्मी हुए हैं। इसी के साथ यह समाचार बुलेटिन समाप्त होता है। नमस्कार।''

हरीश : **(रेडियो बन्द करते हुए)** मुबारक।

यासीन : **(हाथ मिलाकर)** शुक्रिया। शुक्रिया।

(अचानक पीछे की गली में सैंकड़ों लोगों के भागने की आवाज़। भीतर से ग़फ़ूर, अम्मी और गेसू भागकर बायें कमरे में आती हैं। गेसू बाहर का दरवाज़ा खोलकर बाहर देखती है।)

(बायाँ कमरा)

गेसू : लोग तेज़ी से भाग रहे हैं।

अम्मी : **(घबराकर)** क्या करती है लड़की! बन्द कर दरवाज़ा, बन्द कर।

(गेसू दरवाज़े बन्द करती है।)

गेसू : अम्मी! लगता है सड़क पर कुछ हुआ है।

ग़फ़ूर : **(गेसू से)** किसी से कुछ 'आस्को।'

अम्मी : आपकी अक़्ल तो चरने चली जाती है, ग़फ़ूर मियां! वह लड़की किससे पूछेगी?

ग़फ़ूर : कुछ पता तो लगना चाहिए, 'व्हाट' हुआ।

अम्मी : होगा क्या? वही हुआ होगा जो कल रात को हुआ था। किसी शोहदे ने किसी को छुरे से मार दिया होगा, या किसी की दुकान पर दियासलाई लगा दी होगी।

ग़फ़ूर : **(बाहर का दरवाज़ा खोलते हुए)** अभी 'कमता' हूँ!

अम्मी : क्या ग़ज़ब करते हैं ग़फ़ूर मियां?

ग़फ़ूर : अभी 'कमता' हूँ।

अम्मी : बाहर ख़तरा है।

ग़फ़ूर : आप 'वरी नॉट'। 'आउट साइड' गली में समथिंग 'नॉट' है। वहाँ तो लोग सिर्फ़ 'रनते' हैं।

अम्मी : फिर भी ग़फ़ूर मियां...?

ग़फ़ूर : अगर 'समथिंग मस्ट' सड़क पर हुआ है। मैं वहाँ नहीं 'गोऊँगा'।

(बाहर जाता है)

अम्मी : **(दौड़कर बाहर का दरवाज़ा अन्दर से बन्द करती है।)** इस ज़ईफ़ी में ग़फ़ूर मियां दिलेरी दिखा रहे हैं।

गेसू : **(खिड़की से हटते हुए)** लोग सर पर पैर रखकर भाग रहे हैं।

अम्मी : अल्लाह ख़ैर करे। मेरा दिल बहुत कमज़ोर है। जब से यह दंगा शुरू हुआ, न मुझे खड़े चैन, न बैठे।

(हरीश और यासीन का बायें कमरे में दाँये कमरे से प्रवेश)

हरीश : नमस्कार चची!

अम्मी : हरीश मियां, तुम यहीं हो?

हरीश : यासीन ने रोक लिया। बोला, चचाजान नहीं हैं...

अम्भी : अच्छा किया। वैसे हम लोगों को किसी क़िस्म का डर नहीं है। क्या हिन्दू, क्या मुसलमान, सब ही गेसू के अब्बा की बराबर से इज्ज़त करते हैं।

हरीश : फिर भी चची, ऐसे वक़्त में आदमी की नीयत का क्या भरोसा...

अम्मी : हाँ, कोई पागल ही हो जाए...दहशत ही सवार हो जाए-किसी पर, तो बात और है...

हरीश : इसीलिए तो चचीजान, एहतयात बहुत ज़रूरी है।

अम्मी : गेसू के अब्बा यहाँ होते तो मुझे ज़रा भी फ़िक्र न होती। **(कुछ रुककर)** ग़फ़ूर मियां को देखो। कब से बाहर गये हैं।

यासीन : मैं जाता हूँ चची। (बाहर जाने को बढ़ता है।)

अम्मी : होशियारी से जाना मेरे बेटे! (यासीन जैसे ही बाहर का दरवाज़ा खोलता है, ग़फ़ूर मियां उससे भीतर घुसते हैं।)

ग़फ़ूर : लाहौल विला कूवत...

अम्मी : मैं तो घबरा रही थी...

गेसू : क्या हुआ?

ग़फ़ूर : बिना टॉक का टकंगड़, यानी बिना बात का बतंगड़...

अम्मी : लोग क्यों भाग रहे थे?

ग़फ़ूर : कहा न बिना 'टॉक का टंकगड़'। सड़क पर एक बैल चला जा रहा था; किसी लड़के ने शैतानी से उसकी पसली पर 'स्टिक' कोंचा, तो बैल भड़क उठा। तो लड़का 'रना'। उसको 'रनता' देख, और लोग 'रने'। उनको 'रनता' देखकर और लोग भी 'रने'। बस देखते ही देखते पूरा 'सिटी रनने' लगा। **(हँसकर)** 'मैडपन' है—एकदम 'मैडपन'।

हरीश : कुछ और वजह भी तो हो सकती है?

ग़फ़ूर : **(बिगड़कर)** आप 'रूम' में बैठकर दुनिया का हाल जान गये?

हरीश : मेरा मतलब है...।

यासीन : आप ठीक कह रहे हैं ग़फ़ूर मियां।

ग़फ़ूर : मैंने 'वर्ल्ड' देखी है। मैंने तजुरबे से जाना है, जो सतह पर दिखाई दे, असलियत नहीं है। उसे जानने के लिए 'इनसाइड' जाना पड़ता है। तहक़ीक़ात करनी पड़ती

है। 'वाट' समझे? अपने 'रूम' में बैठे-ही-बैठे कह दिया कोई और बात हो सकती है।

अम्मी : अल्लाह सबको समझ दे। दरियादिली दे।

गेसू : अब तो बिल्कुल ख़ामोशी है। **(खिड़की के दरवाजे थोड़े से खोलकर बाहर झांकती है।)** गली में एकदम सन्नाटा है। एक भी आदमी दिखाई नहीं पड़ता।

अम्मी : सब अपने-अपने घरों में होंगे-दहशत से सताये, दरवाज़े से कान लगाये।

(गेसू खिड़की बंद करती है।)

ग़फ़ूर : बड़ी मुश्किल से दिन-भर बाद दो-चार दुकानें खुली थीं।

अम्मी : सैंतालीस के झगड़ों के बाद अमन था। सोचती थी, झगड़े नहीं होंगे। लेकिन फिर से आदमियों पर वहशत सवार हो गयी।

हरीश : **(होंठों पर उँगली रखकर, खामोश रहने का इशारा करता है।)** शी...

गेसू : क्या है? **(हरीश बाहर गली की तरफ इशारा करता है।)**

अम्मी : **(घबराकर, धीमे स्वर में)** क्या है?

हरीश : बाहर लाठियों के पटके जाने की आवाज़ है। **(सबके चेहरों पर दहशत लिख जाती है। सब पीछे की दीवार से कान लगाकर बाहर की आवाज़ सुनने की कोशिश करते हैं।)**

अम्मी : **(घबराकर)** यासीन मियां।

यासीन : ऐसा लगता है कि भारी जूते पहने आदमी बाहर इकट्ठे हो रहे हैं।

गेसू : लगता है कुछ लोग...लाठी लिए...

अम्मी : या खुदा!!

अम्मी : हमारे घर ये लोग क्यों आयेंगे?

हरीश : आदमी की नीयत का क्या ठीक।

अम्मी : गेसू के अब्बा होते तो...

हरीश : कोई हथियार है?

अम्मी : हथियार?

हरीश : जब तक चचीजान हम लोग हैं...मैं और यासीन, तब

तक आपको घबराने की क़तई ज़रूरत नहीं। फिर भी, अगर हथियार होता तो अच्छा था।

गेसू : हरीश भाई, पहले देख तो लीजिए, बाहर कौन है? **(दरवाज़ा खोलने को बढ़ती है।)**

हरीश : **(रास्ता रोकते हुए)** क्या ग़ज़ब करती हैं, आप? **(तभी फ़ायर बिग्रेड की आवाज़ सुनाई पड़ती है। सबका ध्यान उस ओर जाता है।)**

यासीन : लगता है कहीं आग लग गयी।

अम्मी : आदमी की अक़्ल पर शैतान ने क़ब्ज़ा कर लिया है।

हरीश : लाठी की आवाज़ बाहर बरामदे से आ रही है। लगता है वह लोग बरामदे पर चढ़ आए।

(सब डरे से एक-दूसरे को देखते हैं।)

गेसू : **(दरवाज़े पर जाते हुए उपेक्षा के स्वर में)** बाहर तो किसी औरत की आवाज़ है। **(एकदम दरवाज़ा खोलती है। दरवाज़ा खोलते ही चमेली धाय प्रवेश करती है। उसकी आयु पचास के आसपास है।)**

चमेली : **(प्रवेश करके)** पहचाना मुझे बिटिया रानी? **(अम्मी से)** बन्दगी बेगम साहेब!

अम्मी : **(चैन की सांस लेते हुए)** यह तुम हो चमेली अन्ना?

चमेली : गाँव से आई थी, मिलने चली आई।

गेसू : अम्मी, बाहर गली में तो गश्ती पुलिस वाले हैं।

अम्मी : हम तो घबरा रहे थे-बदमाश तो नहीं आ गये?

चमेली : आप लोगों की बहुत याद आती थी, सो देखने चली आई।

गेसू : हरीश भाई तो तिल का ताड़ बना देते हैं।

ग़फ़ूर : हरीश भाई तो 'रूम' में बैठे-बैठे' 'वर्ल्ड' का हाल जान जाते हैं।

अम्मी : सन् सैंतालीस में तो हम लोगों ने कभी हथियार नहीं लिया...

यासीन : एहतियात में कोई बुराई नहीं चचीजान!

अम्मी : **(अनिच्छा से)** ठीक कहते हो। एहतियात ही में तो तुम लोगों के कहने पर छत पर ईटें, रोड़े जमा किये हैं।

(अपने आपसे) पता नहीं गेसू के अब्बा क्या कहेंगे? **(बैठते हुए चमेली से)** तुम इस वक़्त कहाँ निकल पड़ीं?

चमेली : बेगम साहेब, मैं तो कल शाम को ही आने वाली थी, तो मारकाट फैल गयी। अब क्या कहें हैं उसे—मुआ कारफ़ू लग गया। वह जइसे ही हटा, सो मैं सीधी भागी चली आई।

(यासीन के इशारे पर, हरीश यासीन के साथ दायें कमरे में जाता है। वहाँ दोनों पास-पास बैठकर फुसफुसाहट में बात करते हैं। उनके चेहरों से लगता है कि बात गम्भीर है।)

अम्मी : अभी लगता है कहीं आग लगी है।

चमेली : बेगम साहेब, जो दोनों भइया यहाँ खड़े रहे, उसमें यासीन कउन है।

अम्मी : यासीन, वह जो यहाँ खड़ा था।

चमेली : हाय, कितना बड़ा होय गये हैं। हमार बलदेव की पूरी सकल है। काल जब सुना, यासीन भइया आए हैं, तब ही से आने को बेकल हो रही थी। कारफू लग गया तो बड़ा छटपटाई। आज कारफू हटते ही भागी चली आई बेगम साहेब।

अम्मी : दो एक दिन बाद आती, तब तक यह फ़साद भी ख़त्म हो जाता। बेकार यह ख़तरा उठाया।

चमेली : कोख में नाही लिया तो क्या, दूध की भी ममता होती है, बेगम साहेब! जस हमारे बलदेव, तस यासीन भइया। फिर कल-परसों गाँव भी जाय का है। बलदेव की दुल्हन की गोद भराई की सायत बताई है पंडित ने।

गेसू : बड़ी हिम्मत की तुमने चमेली! यहाँ तो कमरे में ही हरीश भाई का बुरा हाल है।

चमेली : बिटिया, यासीन भइया को बिना देखे चली जाइत तो हमेस पछतावा रहत **(अम्मी से)** हमार बलदेव पहलवानी में अब्बल है। आज तक कोनो उसे आसमान न देखाय सका। ऐसा ही मजबूत यासीन निकले हैं। चमेली धाय का दूध अइसा ही है बेगम साहेब!

अम्मी : यासीन से मिलोगी?

चमेली : काहे नाहीं? बेगम साहेब, और कोनो ख़ातिर नाहीं आए।

अम्मी : गेसू! ज़रा यासीन को बुला लाओ।

(गेसू उठकर दायें कमरे में जाती है। वहाँ यासीन से कहती है–"आपको अम्मी बुला रही है।" गेसू के पीछे-पीछे यासीन बायें कमरे में आता है। दायें कमरे में हरीश बैठा चिन्तामग्न सिगरेट फूंकता है।)

चमेली : **(मुग्ध दृष्टि से यासीन को देखती हुई)** बिल्फुल हमार बलदेव जस है। राम लखन की जोड़ी लागे।

अम्मी : **(यासीन से)** यह चमेली अन्ना है। तुम्हारी अम्मी की मौत के बाद तुम्हारी ख़ाला ने इसी को रखा था, तुम्हें दूध पिलाने के लिए।

चमेली : नन्हा-सा रहा, गुलाब का फूल अस। देखत ही हमें रुलाई छूट पड़ी। हाय भगवान की क्या लीला है। नन्हें से बच्चे की अम्मी उठा ली। करेजे से लगावा, तो दूध उमड़ आया।

अम्मी : **(यासीन से)** चमेली जल्दी ही गाँव जाने वाली है। इसने सुना कि तुम आए हो, तो दंगे-फ़साद के बावजूद तुमसे मिलने चली आइ।

चमेली : तुमसे मिलकर बेटवा कलेजे को ठंडक मिली। जान का कौन भरोसा? कौन जाने कब मौत आ जाए। तुम्हें देखकर बेटवा बस अइसा लागा, जस हमार बेटवा बहुत दिन बाद घर लौटा हो।

अम्मी : चमेली, तुम्हारा यासीन विलायत में प्रोफ़ेसर है। बड़ा क़ाबिल है। बड़ी शोहरत है।

चमेली : जस लायक बाप, तस लायक बेटवा।

यासीन : **(चमेली से)** आपको इस वक़्त नहीं आना चाहिए था।

चमेली : अरे बेटवा, अभी तू क्या जानो बेटा की ममता। जब तुम्हार सादी हुई जाइ, तुम्हारे बेटबा हुई जाई, तब तू समझौ का होता है बेटवा। तब तू बेटवा की खातिर भागा चला जाओ, बखत अखत नाहि दिखवो।

अम्मी : तुम्हारे बाहर चले जाने के बाद तुम्हारा हाल पूछने चमेली यहाँ आई थी।

चमेली : बेगम साहेब, चली। बेटवा को देख लिया। भगवान बेटवा को खूब तरक्की दें। नाम दें। बुढ़ापा दें। बेटे-पोते दें। **(चलने को उठती है।)**

यासीन : **(रुपये निकालकर)** यह आप रख लीजिए।

चमेली : **(दृढ़ स्वर में)** नाही बेटवा, नाहीं।

यासीन : सुनिए तो...

चमेली : हमें रुपये पैसे नाहीं चाही। हम तुम्हें देख लिया, हमें खजाना मिल गया। तू अच्छा रहो।

अम्मी : रख लो चमेली, तुम्हें यासीन खुशी से दे रहा है। बेटे से रुपये ले लेने चाहिए।

चमेली : बेगम साहेब, लेबे काहे नाहीं। लेबे, मगर यासीन के बियाह में लेबे, लहंगा और दुपट्टा। हाँ, अभी से बताय दें हम।

अम्मी : वह तो लेना ही, लेकिन यह रुपया तो रख लो।

चमेली : **(हाथ जोड़कर)** नाहीं, बेगम साहेब! **(अनुनय से)** अब पता नाहीं, कब गाँव से आईं। हम तुम्हें खत लिखाय के भिजवइये- जवाब में यासीन का कुसल-मंगल लिख भेजयो। रोज-रोज नाहीं, साल छटे महीने में एक बार। तुम्हारी बड़ी मेहरबानी हुइये, बेगम साहेब।

अम्मी : हाँ, हाँ, जरूर जवाब दूँगी।

चमेली : यासीन का हाल जानने की हमार जी लगा रहिये। **(गेसू से)** बिटिया एक कागज में अपना पता लिखि के देओ।

अम्मी : लिखकर दे दे बेटी। **(गेसू उठती है)** हिन्दी में लिखना।

चमेली : साफ़-साफ़ लिखियो। बड़ा-बड़ा। हमार बलदेव बहुत पढ़ा नाहीं है। बस चिट्टी' पत्री लिखित है। **(गेसू भीतर जाती है।)**

(तब ही बाहर के दरवाजे से कोई बाहर से दस्तक देता है। यासीन दरवाज़ा खोलता है।)

यासीन : **(बाहर देखकर)** आदाब! **(अम्मी से)** शर्मा अंकल हैं ...एस.एस.पी. साहब। **(अम्मी घूंघट खींचती हुई भीतर**

चली जाती है। चमेली भी उनके पीछे साथ ही भीतर जाती है।) आइये, आइये। **(पुलिस कप्तान शर्मा का बाहर से प्रवेश)** तशरीफ़ रखिये।

शर्मा : डॉ. मिर्ज़ा पीलीभीत से कब तक आयेंगे?

यासीन : तीन-चार दिन में आ जाना चाहिए।

शर्मा : सब ख़ैरियत है?

यासीन : अभी तक तो सब ठीक है।

शर्मा : इधर घबराने की कोई बात नहीं है। अगर कोई बात हो तो कोतवाली टेलीफ़ोन करना। मैंने वहाँ कह दिया है। अगर मैं 'राउण्ड' पर भी रहा, तो तुम्हारा 'मैसेज' मुझे वायरलेस से मिल जायेगा।

यासीन : जी, शुक्रिया। **(गेसू घर के भीतर से बाँये कमरे में आती है। उसके आते ही हरीश बीच के दरवाज़े के पास दाँये कमरे में छिपकर खड़ा होता है, जिससे वहाँ से बायें कमरे में होने वाली बातचीत छिप के सुन सके।)**

गेसू : अंकल, आदाब!

शर्मा : खुश रहो बेटा। डॉक्टर साहब नहीं हैं, लेकिन मैं हूँ। तुम लोग बिल्कुल मत घबराना।

गेसू : हम लोगों को कोई ख़तरा नहीं है

शर्मा : मैं हूँ। तुम लोग बिल्कुल मत घबराना।

गेसू : हम लोगों को कोई ख़तरा नहीं है। हमारे मोहल्ले में अमन है।

यासीन : क्या आज कहीं आग लगी है?

शर्मा : मामूली-सी आग। पोस्ट आफ़िस तो आज बन्द है। किसी ने एक जलता हुआ कागज़ का टुकड़ा खिड़की से एक पोस्टआफ़िस में डाल दिया। बस!

गेसू : पोस्ट आफ़िस जलाने से क्या फ़ायदा?

शर्मा : 'मिसचीफ़'। गुण्डों का काम है।

गेसू : यह तो ठीक है अंकल। लेकिन आग लगने की ख़बर से 'पैनिक' बहुत फैलता है।

शर्मा : इसका भी इंतज़ाम हो रहा है। कल तक पी.ए.सी. की तीन कम्पनियां और आ जायेंगी।

यासीन : कहाँ से?

शर्मा : **(यासीन को ग़ौर से देखकर)** कानपुर से। (टेलीफ़ोन लिए ग़फ़ूर का भीतर से प्रवेश)

ग़फ़ूर : **(शर्मा से)** आपका टेलीफ़ोन है।

शर्मा : **(टेलीफ़ोन)** हाँ...हाँ, मैं शर्मा बोल रहा हूँ...बस! मैं पहुँच रहा हूँ। पाँच मिनट में पहुँच रहा हूँ। वहीं सीधा पहुँचूगा। तुम भी वहाँ फौरन पहुँच जाओ। एक प्लाटून लेकर। एक सेक्शन आर्म्ड पुलिस और दो सेक्शन पुलिस लाठी 'स्क्वेड' के। हाँ...हाँ...ठीक है। **(टेलीफ़ोन रखकर तेज़ी से टोपी लगाता हुआ उठ खड़ा होता है।)** अब मैं चलता हूँ।

यासीन : कोई ख़ास बात?

शर्मा : एक 'स्टेबिंग' केस की रिपोर्ट है। **(प्रकट विचार)** चौबीसों घंटे करफ़्‌यू लगाये रहो तो पब्लिक को तकलीफ़ होती है। 'पब्लिक कन्वीनियेन्स' के लिए दो घंटे को करफ़्‌यू हटाओ, तो 'स्टेबिंग' शुरू हो जाती है। **(यासीन और गेसू से)** तुम लोग घबराना मत। **(प्रस्थान बाहर)** **(शर्मा के जाते ही, अम्मी और पीछे पीछे चमेली घर के भीतर से आती हैं।)**

अम्मी : क्या कह रहे थे? क्या कुछ वारदातें हो गयीं?

यासीन : हाँ, एक आदमी ज़ख़्मी हुआ है।

अम्मी : क्या होने को है!

ग़फ़ूर : मैडपन है, एकदम मैडपन!

गेसू : चमेली, तुम किस तरह जाओगी?

यासीन : (घड़ी देखकर) करफ़्‌यू डेढ़ घंटे बाद लग जायेगा।

चमेली : पास ही तो है।

अम्मी : तो ख़ुदा के लिए जल्दी जाओ। ख़तरा उठाना ठीक नहीं।

गेसू : यह लो पता।

चमेली : जीओ बेटी! हमार बलदेव छठा तक पढ़ा हैं। उसी से चिट्‌ठी लिखाऊँगी।

अम्मी : अब जाओ चमेली। ख़ुदा ख़ैर करे।

चमेली : बन्दगी बेगम साहेब! **(चलते-चलते)** हम चिट्ठी लिखवे। छटे छमाही यासीन भइया का हाल लिखियो।

अम्मी : हाँ, हाँ, ज़रूर लिखूँगी। गेसू दरवाज़ा खोल दो। **(गेसू बाहर का दरवाज़ा खोलती है। चमेली बाहर जाती है।)**

चमेली : **(बाहर से)** बेगम साहेब बन्दगी!

अम्मी : बन्दगी!

चमेली : **(बाहर से)** बिटिया बन्दगी!

गेसू : बन्दगी! **(गेसू जाती हुई चमेली को थोड़ी देर देखती है, फिर दरवाज़ा बन्द करती है।)**

अम्मी : ज़माने को आग लगी है और चमेली जान की परवाह न करके यहाँ चली आई। **(उठकर अन्दर जाती है। गेसू खिड़की की चटखनी बन्द करके भीतर जाती। यासीन दायें कमरे में जाता है।)**

(दायाँ कमरा)

(हरीश जो कि बीच के दरवाजे के पास छिपा बायें कमरे की बातचीत सुन रहा था, यासीन के पास आता है।)

हरीश : रंग आ रहा है, अफ़साने में। यह तो इब्तदा है।

यासीन : आगे आगे देखिए होता है क्या!

हरीश : हम इस मुल्क में आग लगा देंगे। इसको तबाह कर देंगे। हर शहर, हर बाज़ार, हर दफ़्तर, हर इमारत में बॉम ब्लास्ट होंगे। इसकी इकोनोमी बरबाद कर देंगे। जाली नोटों से मुल्क पाट देंगे। सभी बड़े लीडर्स हमारी गोली के निशाने पर होंगे।

यासीन : अभी एक 'स्टेबिंग' केस और हो गया।

हरीश : मैंने सुना। कहाँ तक रोकेंगे। मैं कहता हूँ यासीन, पुलिस कम पड़ जायेगी। हर गली में, हर मकान में, फ़साद होगा। क्या हर घर के भीतर एक सिपाही तैनात होगा। **(उठते हुए)** अब चलूँ। नहीं तो करफ़ू में यहीं रह जाऊँगा।

यासीन : होशियरी से जाना।

हरीश : शायर मियां, तुम मेरी फ़िकर मत करो। मैं अपनी हिफ़ाज़त करना जानता हूँ। **(चलते हुए)** ख़ुदा हाफ़िज़।

यासीन : ख़ुदा हाफ़िज़। **(हरीश बीच के दरवाजे से होता हुए बाँयें कमरे में जाता है, लेकिन फिर लौटकर दायें कमरे में आता है।)**

हरीश : आज की ख़बर भी चली जानी चाहिए।

यासीन : सिर्फ़ एक ही तो 'स्टेबिंग केस' हुआ है।

हरीश : एक नहीं इक्कीस। **(रहस्यमयी मुस्कान में)** समझे, इककीस! **(हँसकर बायें कमरे होता हुआ बाहर चला जाता है। यासीन आकर दरवाज़े की चटख़नी लगाता है। फिर वह दायें कमरे में अपनी मेज़ पर बैठता है। ड्रार से डायरी निकालकर कुछ लिखता है। तब ही बाहर कोई घंटी बजाता है। वह डायरी ड्रार में रखकर बायें कमरे में जाता है।)**

(बायाँ कमरा)

(गेसू भीतर से आकर बाहर का दरवाज़ा खोलती है।)

गेसू : **(प्रवेश करके)** अब्बा!

(दरवाज़ा खुलते ही गेसू डॉ. मिर्ज़ा से लिपट जाती है। गेसू की लाड़ से पीठ थपथपाते डॉ मिर्ज़ा का प्रवेश)

यासीन : आदाब अर्ज़ चचाजान!

मिर्ज़ा : **(दूसरे हाथ से यासीन को अपने सीने से लगाते हुए)** उम्र दराज़ हो। खुदा का करम हो तुम पर। सब ख़ैरियत तो है।

यासीन : ख़ुदा की इनायत है। चचीजान आपका बेहद इन्तज़ार कर रही थीं। वह आपके बिना बहुत घबरा रहीं थीं।

मिर्ज़ा : कल रात जैसे ही मैंने दंगे की ख़बर रेडियो पर सुनी तो मैंने टेलीफ़ोन करना चाहा। लेकिन बेहद कोशिश करने के बाद भी टेलीफ़ोन नहीं मिला। घंटों बैठा रहा तो आज सुबह कार से चल दिया। **(अम्मी भागती हुई भीतर से आती हैं।)**

अम्मी : **(आटे से सने हाथ दिखाते हुए)** आटा गूंथ रही थी।

मिर्ज़ा : **(हँसकर)** बेगम साहिबा, तो जाइये, हाथ धो आइये। **(चिढ़ाते हुए)** इस उमर में भी बेताबी! ये बड़े-बड़े बच्चे क्या कहेंगे।

अम्मी : अल्लाह, आपको बात करने का सलीका कभी नहीं आयेगा।

मिर्ज़ा : **(रोमांस से)** तुमसे सीख लूँगा।

अम्मी : यहाँ तो दंगे-फ़साद में जान की मुसीबत थी। हाल-चाल कुछ न पूछा, लगे मज़ाक करने। **(बनावटी क्रोध से)** मैं जाती हूँ। **(अन्दर प्रस्थान)**

मिर्ज़ा : सुनो तो... **(अम्मी चली जाती है।)** अपना घर तो अपना घर। जो चैन और सकून अपने घर में मिलता है, अपने बच्चों में मिलता है, वह कहीं नहीं।

गेसू : हम लोग आपको बहुत याद कर रहे थे।

मिर्ज़ा : ज़रा सोचो, उनके घर वालों पर इस समय क्या बीत रही होगी, जो इस दंगे-फ़साद में मारे गये होंगे।

गेसू : शर्मा अंकल आये थे।

मिर्ज़ा : कौन शर्मा?

यासीन : एस.एस.पी.।

मिर्ज़ा : क्या कह रहे थे?

गेसू : हम लोगों की ख़ैरियत लेने आये थे। कह रहे थे—तुम्हारे अब्बा नहीं हैं, तो क्या, मैं तो हूँ। किसी बात की ज़रूरत हो तो मुझको फ़ोन करना।

मिर्ज़ा : बड़ा ही भला आदमी है। मुझसे बहुत मोहब्बत करता है। **(यासीन से)** तुम्हारे अब्बा को भी जानता था। तभी तो पहली बार तुम्हें देखने पर, तुमको देखता ही रह गया था।

गेसू : बेचारे बहुत परेशान थे। मुश्किल से दो मिनट बैठे होंगे, तभी टेलीफ़ोन पर 'स्टेबिंग' की ख़बर मिली। फ़ौरन भाग गये।

मिर्ज़ा : कुछ समझ में नहीं आता। इतने सालों की ख़ामोशी के बाद, यह फ़िरक़ा-परस्ती का ज़हर क्यों फैला रहा है? यह तफ़रक़े की आग कौन लगा रहा है?

ग़फ़ूर : **(भीतर से प्रवेश करके)** डाक्टर मियां सलाम।

मिर्ज़ा : सलाम वालेकुम ग़फ़ूर मियां, ख़ैरियत तो है?

ग़फ़ूर : ख़ैरियत कहाँ है। दंगे-फ़साद के बारे में नहीं सुना?

मिर्ज़ा : सुना तो...

ग़फ़ूर : एकदम 'मैडपन' है। करफ़्यू हटते ही लोग झुण्ड के झुण्ड 'रोडों' पर खड़े होते हैं। लेकिन दहशत से फुसफुसाकर 'टॉकते' हैं। फिर जहाँ कोई शोर सुना, या किसी को 'रनते' देखा, तो सब घरों में घुस जाते हैं।

मिर्ज़ा : 'टेनशन' हैं। सब घबराये हैं।

ग़फ़ूर : हम लोगों का इन्तज़ाम पक्का है।

मिर्ज़ा : इन्तज़ाम! **(अम्मी का घर के भीतर प्रवेश)** कैसा इन्तज़ाम?

ग़फ़ूर : अपने बचाव का इन्तज़ाम। पूरी तैयारी है। एकदम 'अलर्ट'।

मिर्ज़ा : मैं समझा नहीं।

ग़फ़ूर : छत पर ईंट, रोड़े, फूटी बोतलें, डंडे बग़ैरह सब इकट्ठे हैं।

मिर्ज़ा : क्यों?

ग़फ़ूर : कोई हमें ईंट मारे तो हम पत्थर से जवाब देंगे। मुहल्ला ठीक नही है। पड़ोस के घर से कोई चढ़ आये तो...

मिर्ज़ा : **(क्रोध दबाते हुए)** किसके कहने पर यह सब किया है?

ग़फ़ूर : बेगम साहिबा का 'आर्डर' था।

मिर्ज़ा : **(कठोरता से)** गेसू की अम्मी...तुमने?

अम्मी : **(सफाई में)** मैं क्या करती? सबने कहा तो मैंने भी कह दिया।

मिर्ज़ा : किस सबने?

अम्मी : यासीन और हरीश ने।

मिर्ज़ा : हरीश? **(यासीन)** से वही तुम्हारा दोस्त? **(यासीन स्वीकार से सिर हिलाता है।)** वह आदमी ठीक नहीं लगता। (अम्मी से) यासीन बीस साल पाकिस्तान में रहा है। वहाँ के 'प्रोपेगेण्डे' का कुछ तो असर होगा ही उस पर। ऐसे हालात में उसका बर्ताव समझ में आता

है, जो किसी हद तक माफ़ भी किया जा सकता है। **(दुख से)** लेकिन गेसू की अम्मी, तुमको क्या हो गया?

अम्मी : सबने कहा...।

मिर्ज़ा : सबने कहा? क्या तुम्हारे दिमाग़ नहीं है? **(ग़फ़ूर से)** किशनलाल को बुलाकर लाओ। कहो फ़ौरन बुलाया है। **(ग़फ़ूर का बाहर प्रस्थान)** सबने कहा। सब कहें तो कुएं में कूद पड़ोगी?

यासीन : चचाजान! एहतियात बरतने में कोई बुराई नहीं है।

मिर्ज़ा : है बुराई...

यासीन : सिर्फ़ एहतियात में?

मिर्ज़ा : हाँ, जब तुम एहतियात बरतते हो, तो इसका मतलब है—तुम अपने पड़ोसी से, अपने हम—वतन से, अपने भाई से, ख़तरा महसूस करते हो। बस, उसी वक़्त तुम दोनों के बीच दरार पड़ जाती है। फिर वह फ़ासला बढ़ता ही जायेगा। दोनों ओर हथियारों की होड़ लग जाएगी। एक दूसरे से ख़तरा बढ़ता जायेगा। वह भी एहतियात में हथियार इकट्ठे करेगा। दोनों ओर हथियारों की होड़ लग जाएगी। इसका ख़ात्मा जानते हो, किसमें होगा?

यासीन : किसमें?

मिर्ज़ा : इसी तरह के दंगों में, एक दूसरे को छुरा मारकर, एक दूसरे का गला काटकर। मेरी समझ में नहीं आता बेगम, तुमको क्या हो गया? चार-पाँच पुश्तों से हम इस मोहल्ले में हैं—हमने अब तक एहतियात नहीं बरती। आज क्या हो गया?

यासीन : चचाजान, ग़लती मेरी है।

मिर्ज़ा : **(एकटक देखकर)** यासीन, तुमने अपनी ग़लती महसूस की, मुझे खुशी है। **(गर्व से)** इधर आओ **(पीठ थपथपाते हुए)** यह अनवर का बेटा है अनवर का खून!

अम्मी : मैं दिल ही दिल जानती थी कि आप पसन्द नहीं करेंगे, लेकिन कुछ बातों में आ गयी।

मिर्ज़ा : लोग जब बीमार पड़ते हैं तो अच्छे से अच्छे डॉक्टर के पास जाते हैं, चाहे वह हिन्दू हो या मुसलमान।

मुक़दमा लड़ते हैं, तो अच्छे से अच्छा वकील खोजते हैं, चाहे वह हिन्दू हो या मुसलमान। मोटर बनवाते हैं, तो अच्छे से अच्छे मिस्त्री के पास जाते हैं। तब कोई मज़हब नहीं देखता।

यासीन : दुरुस्त है।

मिर्ज़ा : लेकिन जब मतलब होता है, तो हिन्दू-मुसलमान के नारे लगाये जाते हैं। शिया-सुन्नी का फ़र्क़ देखा जाता है। हम बरहमन और ठाकुर बन जाते हैं। क्यों? अवाम को बेवक़ूफ़ बनाकर अपना उल्लू सीधा करने के लिए। लेकिन हम यह भूल जाते हैं कि खुदा की निगाह में कितना बड़ा गुनाह कर रहे हैं। कुफ़्र बांट रहे हैं। **(किशनलाल को साथ लिए ग़फ़ूर मियां का बाहर से प्रवेश)**

किशन : डाक्टर भाई, आप कब आए?

मिर्ज़ा : अभी ही आया हूँ।

किशन : ग़फ़ूर मियां ने कहा-फ़ौरन बुलाया है। बस, मैं जैसा था वैसा ही भागा चला आया। ख़ैरियत तो है?

मिर्ज़ा : हाँ, ख़ैरियत है।

किशन : यहाँ तो बड़ा झगड़ा चल रहा है।

मिर्ज़ा : **(गम्भीर स्वर में)** किशन लाल, हम लोगों को तुमसे ख़तरा हो गया है।

किशन : **(अजीब आश्चर्य से)** क्या कहा डाक्टर भाई?

मिर्ज़ा : मुझको नहीं, तुम्हारी भाभी को। **(अम्मी अपने होंठ काटती है।)**

किशन : **(अम्मी को देखकर, मिर्ज़ा से)** क्यों?...मैंने तो कुछ नहीं किया।

मिर्ज़ा : **(तसल्ली से)** तुमने कुछ नहीं किया। लेकिन फिर भी तुमसे ख़तरा हो गया है। मेरी ग़ैर-हाज़िरी में छत पर ईंट, रोड़े, पत्थर जमा किये गये हैं।

किशन : जी!

मिर्ज़ा : तुमसे एहतियात बरती गयी। तुमसे ख़तरा है। तुम्हारी नीयत पर शक है। **(अम्मी आंचल से आंसू पोंछती है।)**

मिर्ज़ा : बोलो, तुम्हारी भाभी को क्या सज़ा दी जाए?

अम्मी : **(एकदम रोकर)** भाई, माफ़ कर दो मुझे। **(आंचल से मुँह बन्द करती है।)**

किशन : **(रुलाई के रुंधे गले से)** डाक्टर भाई!

मिर्ज़ा : **(आश्चर्य से)** तुमको क्या हुआ।

किशन : डाक्टर भाई, मुझे भी माफ़ कर दो। **(मिर्ज़ा का पैर पकड़कर)** मुझे माफ़ कर दो। मैंने भी अपनी छत पर ईंट, पत्थर, इकट्ठे किये हैं। मुझे माफ़ कर दो डाक्टर भाई।

मिर्ज़ा : **(किशन लाल को उठाकर)** किशनलाल! **(गले से लगाता है।)**

किशन : **(गले से लिपटते हुए)** डाक्टर भाई!

मिर्ज़ा : यह कैसा ज़माना है? यह हमें क्या हो गया है?

(प्रकाश धीरे-धीरे समाप्त होता है, साथ ही वृन्दगायक उद्‌भासित होते हैं)

(वृन्दगान)

इलाही आज का यह दौर कितना बदल गया
इक दूजे के खून का प्यासा इंसा बन गया
इलाही वो भी तो एक दौर था
जब चारों ओर यह शोर था
मेरी मिट्‌टी, मेरा वतन
मन में न कोई चोर था
इलाही आज का यह दौर कितना बदल गया
इक दूजे के खून का प्यासा इंसा बन गया।

(अन्तराल अंधकार)

(बायाँ कमरा)

(कमरे में टेलीफ़ोन बीच की मेज़ पर रखा है और टेलीफ़ोन की घंटी बज रही है। ग़फ़ूर आकर टेलीफ़ोन उठता है।)

ग़फ़ूर : **(टेलीफ़ोन पर)** हलो...हलो। **(इअर-फोन को ग़ौर**

से देख कर रखते हुए) जोक करता है। **(टेलीफ़ोन रखकर भीतर को चलता है। वैसे ही घंटी बजती है। दुबारा टेलीफ़ोन उठाता है।)** यह...कौन...मिस बालटीवाला ? यहाँ बालटीवाला नहीं है। ...कहाँ मिलेंगी ...जी ? अपने घर में मिलेगी।...वहाँ नहीं हैं? **(तैश में)** तो साहब कुएं के भीतर मिलेंगी। वहाँ भी नहीं है?...तो बर्तन की दुकान में मिलेंगी। **(झटके से फोन रख देता है, फिर जैसे भीतर जाने को बढ़ता है, वैसे ही टेलीफ़ोन की घंटी बजती है। वितृष्णा से टेलीफ़ोन उठाकर)** वहाँ भी नहीं है, तो जहन्नुम में ढूंढिए।... ओह हरीश साहब आप? मैं समझा मिस बालटीवाला के लवर-कड़छीवाला। बार-बार परेशान कर रहा है। जी जी हाँ, रोंग नंबर। जी जी, यासीन मियां! वह तो नहीं हैं।...ऐं...कल 'आफ़्टरनून' से ही नदारद है। ज़माने का यह हाल है...हफ़्ता गुज़र गया 'मैडपन' में और यासीन मियां का 'नो एड्रेस' है। ...नाइट भर' वापस नहीं आए ...अच्छा अच्छा, अच्छा 'होल्ड' कीजिए। गेसू बिटिया को 'कॉलता हूँ। **(टेलीफ़ोन रखकर भीतर जाता है।)**

(थोड़ी देर पश्चात ग़फ़ूर मियां गेसू के साथ आते हैं।)

गेसू : **(टेलीफ़ोन पर)** भाई जान आदाब। मैं गेसू बोल रही हूँ ...जी हाँ, कल तीसरे पहर से लापता हैं...अस्पताल से कहीं चले गये हैं। बस, ड्राइवर से कहते गये।...आपको नहीं मालूम? कल करफ़्‌यू हटने के बाद चचा किशनलाल के साथ यासीन मियां कहीं जा रहे थे। तब ही यासीन मियाँ पर किसी गुण्डे ने छुरे से हमला करना चाहा। चचा ने इत्तफ़ाक़ से देख लिया। उन्हें बचाने चचा दौड़े तो जख़्मी हुए... रात भर अब्बा उन्हीं के पास अस्पताल में रहे।...**(अम्मी का भीतर से प्रवेश)** ...जी? गुण्डा हिन्दू था या मुसलमान? हरीश भाई! गुण्डे का भी मज़हब होता है?...अच्छा ख़बर करूँगी...। कह दूँगी। आदाब ...**(टेलीफ़ोन रखती है।)**

अम्मी : किसका फ़ोन था?

हरीश : हरीश भाई का। यासीन भाई को पूछ रहे थे।

अम्मी : जाने कहाँ गया होगा बेचारा। मुझे तो कल रात भर नींद नहीं आई।

गेसू : **(शिकायत के स्वर में)** जाना था, तो बता के जाते। हम रोक लेते क्या?

अम्मी : लाला किशनलाल की चोट से उसको सदमा पहुँचा है।

गेसू : अस्पताल से कहीं, बिना किसी को कुछ बताये ही चले गये।

अम्मी : यह तो ख़ुदा का शुक्र है कि जाते वक़्त ड्राइवर से कह गया, कि कल दोपहर तक आएगा, वरना हम लोगों की तो जान ही निकल जाती।

गेसू : लेकिन वह गये कहाँ?

अम्मी : अब दोपहर तक इंतज़ार कर लिया जाये। कह गया है तो ज़रूर आ जायेगा। नहीं तो पुलिस को ख़बर करनी पड़ेगी।

गेसू : यह दंगा तो ख़त्म होने का नाम ही नहीं लेता। रह-रहकर भड़क उठता हैं

ग़फ़ूर : अब ख़बरों में भी कोई ताज़गी नहीं रह गयी है। **(प्रस्थान-अन्दर)**

अम्मी : ख़बर सुनने में तो बड़ा मज़ा आता है, लेकिन जिसके अज़ीज़ के छुरा लगता है, उसके दिल से पूछिये। लाला किशनलाल की बीवी का ग़म मुझसे देखा नहीं जा रहा था। ऐसा लगता था, जैसे कलेजा फट जायेगा।

गेसू : **(आशंका से)** अगर कहीं छुरा चचा को न लगकर...

अम्मी : गेसू, सोच-सोचकर अपना दिमाग़ न ख़राब कर। ख़ुदा पर भरोसा रख।

(तब ही बाहर के द्वार की घंटी बजती है। तेज़ क़दमों से बढ़कर गेसू बाहर का दरवाज़ा खोलती है। रात भर के थके टूटे डा. मिर्ज़ा प्रवेश करते हैं।)

मिर्ज़ा : **(सोफे पर थकान से बैठते हुए)** अल्लाह! **(गेसू से)** यासीन आया?

गेसू : अभी तक नहीं। **(मिर्ज़ा आँख बन्द करके सोफ़े पर पसर जाते हैं)**

अम्मी : गेसू के अब्बा!

मिर्ज़ा : **(चौंककर जागते से)** हाँ...**(रुककर)**

अम्मी : कैसी तबियत है लाला किशन लाल की?

मिर्ज़ा : इस वक़्त तो अच्छी है। सो रहा है। ब्लड प्रेशर नार्मल है। 'हार्ट' भी ठीक है। लेकिन कल रात को तबियत बहुत ख़राब हो गयी थी।

अम्मी : शाम को जब मैं अस्पताल से आई थी, तब तो ठीक थे।

मिर्ज़ा : हाँ, लेकिन रात को अचानक हालत बिगड़ने लगी। एक बार तो ऐसा लगा...हमने खो दिया किशनलाल को...

अम्मी : हाय अल्लाह...

मिर्ज़ा : मगर खुदा का करम। हम लोग मौत के पंजे से छुड़ा लाये उसे।

अम्मी : खुदा, लाला की बीबी-बच्चों पर मेहरबान हो। लाला की बीवी का सुहाग बना रहे।

मिर्ज़ा : मुझसे किशन लाल की बीवी का ग़म देखा नहीं जाता। कैसे फटी-फटी दहशतज़दा आँखों से देखती है—**(सोचते हुए)** अगर किशन लाल की जगह मैं होता...।

अम्मी : ऐसा न कहो।

मिर्ज़ा : तुम्हारी भी वही हालत होती।

अम्मी : कम्बख़्त, मज़हब का नाम लेकर गुण्डागर्दी करते हैं। बेड़ा ग़र्क हो उनका। खुदा का क़हर हो उन पर।

मिर्ज़ा : अगर किशनलाल को कुछ हो गया तो—**(गला रुंध जाता है।)**

गेसू : अब्बा! आप आराम कीजिए। रात भर के जागे हैं।

मिर्ज़ा : **(गहरी सांस)** कैसा आराम!

गेसू : बहुत थक गये होंगे।

मिर्ज़ा : **(विचलित)** इस ज़हर में कोई कैसे आराम कर सकता है। ज़रा उसकी सोचो-जिसका बेटा चला गया। उस औरत की सोचो जिसका ख़ाविन्द हलाक़ हो गया। उसके नन्हे-नन्हें बच्चे किसे अब्बा कहकर पुकारेंगे? किससे खिलौने माँगेंगे? किससे लाड़ करेंगे?

गेसू : अब्बा!

अम्मी : मत सोचिये, यह सब। थोड़ा आराम कीजिए।

मिर्ज़ा : मैं भी नहीं सोचना चाहता। लेकिन **(विवशता से)** मैं सोचना रोक नहीं पाता बेगम। मैं क्या करूँ? **(उठकर खड़े होते हुए)** एक मिनट को आँख लगती है, वैसे ही अजीब डरावने ख़्वाब दिखाई देते हैं, और मैं चौंककर उठ जाता हूँ।

अम्मी : लाला किशन लाल के हादसे से आपको बहुत चोट लगी है।

मिर्ज़ा : किशन लाल बच जाता तो उसकी जगह यासीन होता। दोनों ही तो अज़ीज़ हैं, दोनों ही अपने हैं। कुछ समझ में नहीं आता। क्या इसी दिन के लिए अनवर ने अपने सीने पर गोली झेली थी? क्या इसी दिन के लिए?

अम्मी : सब खुदा की कुदरत है।

मिर्ज़ा : बेगम, खुदा की नहीं, खुद हमारी हरकत है। **(कमर पर हाथ रखकर पीछे ऐंठते हुए)** बहुत थक गया हूँ। **(सोफ़े पर बैठ जाता है।)**

अम्मी : आपने सुबह से कुछ खाया?

मिर्ज़ा : किशन लाल की बीवी अकेली है। तुम जल्दी तैयार होकर वहाँ चली जाओ।

अम्मी : मैं जाती हूँ...लेकिन आप कुछ देर आराम कर लीजिए। खुदा चाहेगा तो सब ठीक हो जायेगा।

मिर्ज़ा : खाना लेने ड्राइवर को भेज देना। उसके पास करफ़्यू पास है...बस तुम फ़ौरन तैयार हो जाओ।

अम्मी : मुझे तैयार क्या होना है, ऐसे ही चली जाऊँगी। बस बुरक़ा ले लूँ। **(गेसू से)** बेटी, ज़रा अम्मी का बुरक़ा तो ला दे।

(गेसू भीतर जाती है।)

मिर्ज़ा : उस बेचारी को तुम्हारी मौजूदगी से थोड़ी राहत मिलेगी। मेरे पैरों पर पड़ गयी। बोली—अपने छोटे भाई को बचा लीजिए।

अम्मी : छोटे भाई तो हैं ही। हमारी हर मुसीबत, ज़रूरत में आगे रहते हैं। यासीन नहीं आया अब तक।

मिर्ज़ा : उसकी तरफ़ से भी परेशानी। दोपहर तक आने को कह गया था। तब तक इंतज़ार कर लिया जाये। **(गेसू बुरक़ा लेकर आती है)**—लो, बुरक़ा आ गया। अब तुम फ़ौरन जाओ। कोई ज़रूरत हो तो मुझे फ़ोन करना।

बेगम : **(नक़ाब पहनकर)** आप अराम ज़रूर कर लीजिए।

मिर्ज़ा : शाम को मैं अस्पताल आ जाऊँगा। तब तुम घर वापस आ जाना। जाओ! **(बेगम बाहर जाती है। बाहर मोटर स्टार्ट होने की आवाज़ सुनाई पड़ती है।)**

मिर्ज़ा : बेटी, एक कप कॉफ़ी पिला दे।

गेसू : अभी लाई अब्बा। **(गेसू भीतर जाती है। तब ही टेलीफ़ोन की घंटी बजती है।)**

मिर्ज़ा : **(टेलीफ़ोन पर)** हलो...हलो। हाँ, मैं डा. मिर्ज़ा बोल रहा हूँ। ...हाँ, हाँ, शर्मा बोलो।...क्या? मेरा पता मिला है? ...शायद मेरी कोई पेशेन्ट होगी।...लेकिन मेरे पास इस समय कोई कार नहीं है।...अच्छा...अच्छा आता हूँ। **(टेलीफ़ोन रखकर, परेशान-सा कमरे में टहलता है।)**

मिर्ज़ा : **(पुकारते हुए)** गेसू!

गेसू : **(भीतर से)** जी आई। **(गेसू की थोड़ी देर में आती है)**

मिर्ज़ा : मैं कोतवाली जा रहा हूँ—

गेसू : आप रात भर के जगे हैं अब्बा!

मिर्ज़ा : एक औरत की लाश मिली है। छुरे से जख़्म हैं उसके ज़िस्म पर। उसके पास मेरा पता मिला है।

गेसू : आपका पता!

मिर्ज़ा : शायद मेरी कोई पेशेन्ट होगी। शर्मा कह रहा था कि थोड़ी देर को चला आऊँ, शिनाख़्त करने। वह जीप भेज रहा है।

गेसू : आप इतने थके हैं...

मिर्ज़ा : शिनाख़्त हो जाए तो लाश ही बेचारी के घर वालों को मिल जाएगी।

गेसू : उस बेचारी औरत को क्यों मारा? उसका क्या क़सूर हो सकता है।

मिर्ज़ा : **(दार्शनिक-सा)** उसका क़सूर यह था कि वह बेक़सूर

थी। इस दंगे में सिर्फ़ बेगुनाह और मासूम ही हलाक़ हो रहे हैं।

गेसू : कैसा बुरा लगता है सुनकर।

मिर्ज़ा : उसकी औलाद और ख़ाविन्द पर क्या बीतेगी, इसका अंदाज़ा भी नामुमकिन है।

(बाहर जीप रुकने की आवाज़)

मिर्ज़ा : देखो, क्या जीप आ गयी?

गेसू : **(खिड़की खोलकर देखती है)** जी हाँ।

मिर्ज़ा : कह दो, मैं आता हूँ।

गेसू : **(खिड़की से बाहर, ड्राइवर से)** ठहरो, अब्बा अभी आ रहे हैं। **(मिर्ज़ा से)** एक मिनट रुकिए। मैं अभी कॉफ़ी लाई।

(घर के भीतर जाती है। थोड़ी देर में कॉफ़ी का प्याला लिए गेसू का भीतर में प्रवेश)

गेसू : लीजिए अब्बा। **(कॉफ़ी देती है।)**

मिर्ज़ा : **(कॉफ़ी पीते हुए)** मैं जल्दी ही आ जाऊँगा। यासीन की तरफ से भी परेशानी है। अगर घंटे दो घंटे में नहीं आता तो पुलिस के ज़रिये उसको ढुँढ़वाना पड़ेगा। पता नहीं कहाँ चला गया। जज़्बाती है। सदमा बर्दाश्त नहीं कर पा रहा था। **(अपने आप से)** पता नहीं कौन बेचारी ज़बह हुई?

गेसू : कब तक वापस आइएगा?

मिर्ज़ा : जल्दी आऊँगा... यही आधे घंटे में, कोई ज़रूरत हो तो कोतवाली में एस. एस. पी. के यहाँ फ़ोन कर देना। **(प्रस्थान)**

(गेसू दरवाज़ा अन्दर से बन्द करके भीतर जाती है। थोड़ी देर सन्नाटा रहता है। तब ही बाहर कोई कॉल-बेल बजाता है। ग़फ़ूर मियां भीतर से आकर बाहर का दरवाज़ा खोलते हैं।)

ग़फ़ूर : **(दरवाज़ा खोलकर)** यासीन मियां! कमवेल! कमवेल! कहाँ चले गये थे? **(यासीन बाँये कमरे में बाहर से प्रवेश करके, अपने कमरे की तरफ बढ़ता है।)**

ग़फ़ूर : वाह! वह! एक तो कल रात कहीं 'नोएड्रेस' रहे—अब बात का जवाब दिये बिना 'रन' कर रहे हैं।

(यासीन रुककर प्रश्न-सूचक निगाह से देखता है।)

ग़फ़ूर : **(सहानुभूति से)** कहीं रास्ता 'लूज़' हो गया था?

यासीन : नहीं। **(दायें कमरे में जाने को मुड़ता है।)**

ग़फ़ूर : फिर 'रन' करने लगे। **(यासीन रुक जाता है।)** क्या किसी फ्रेण्ड के यहाँ चले गये थे?

यासीन : नहीं।

ग़फ़ूर : **(बिगड़कर)** नहीं, नहीं, नहीं। हम सब लोग जनाब के लिए रात भर 'वरी' रहे। कल रात को न मैंने खाना 'कुका और न किसी ने 'ईटा'। आपके लिए 'वरी' में मुब्तिला रहा। ठीक से सो भी न सका। लेकिन मेरे लिए सिर्फ़ नहीं। अच्छा बुलाता हूँ गेसू बिटिया को। उससे तो 'स्पीकेंगे', मैं सुन लूँगा।' **(पुकारते हुए)** गेसू! गेसू बिटिया! **(पुकारता हुआ घर के भीतर जाता है और थोड़ी देर बाद गेसू आती है।)**

गेसू : **(चिन्ता से सहसा मुक्त)** खुदा का करम। तुम आ गये। मैं कितनी परेशान थी। कैसे बुरे-बुरे ख़्यालात सताते थे। **(भावुकता से)** अल्लाह मेरी जान ले ले और तुम्हें सलामत रखे।

(ग़फ़ूर घर के भीतर जाता है।)

गेसू : अब्बा और अम्मी भी तुम्हारे लिए बेहद परेशान थे। एक तो किशन चचा की यह हालत और तुम भी चल दिये कहीं।

यासीन : कैसी हालत है चचा की?

गेसू : कल रात बहुत ख़राब हो गयी थी। अब्बा कल रात एक लमहे को भी नहीं सोये। आज कुछ बेहतर हैं।

(यासीन चुप रहता है। बोझिल ख़ामोशी)

गेसू : **(यासीन की बाँह पकड़कर)** तुम कैसे हो?

यासीन : मैं? **(अपने को छुड़ाकर अनिश्चित कदमों से दाये कमरे में जाता है, और वहाँ हथेलियों पर अपना माथा टिकाकर बैठ जाता है।)**

(गेसू यासीन की रुखाई देखकर रोने लगती है। आंचल से आंसू पोंछती है। कॉफ़ी का प्याला लिए ग़फ़ूर मियां का भीतर प्रवेश। वह रुककर रोती गेसू को देखता है और बाये कमरे में जाता है।)

(दायाँ कमरा)

ग़फ़ूर : मिस्टर यासीन, कॉफ़ी तैयार है। ख़ाना भी तैयार है। **(स्वर बदलकर)** हालैण्ड गया। स्काटलैंड गया। पोलैंड गया। ग्रीनलैंड गया, मतलब कि कहाँ नहीं गया। ऐसा 'शिपकोर्ट' कहीं नहीं देखा। यह यहाँ सिर झुकाए बैठे हैं और वह वहाँ अश्कों से पल्लू भिगो रहीं हैं। **(यासीन प्रश्न-सूचक दृष्टि से ग़फ़ूर को देखता है)**

ग़फ़ूर : मुझे क्या 'लुक' करते हैं जनाब। जाकर 'लवटॉक' से उसे मनाइये। वह 'पुअर' लड़की कल से आपके लिए 'वरी' है। मैं आपका खाना लगाता हूँ। **(चलते हुए)** पता नहीं-कल से कुछ 'ईटा' भी या सिर्फ़ 'एयर' ही हज़म करते रहे। **(बाँई ओर के कमरे से होता हुआ घर के भीतर आता है)**

(यासीन कुछ देर बैठा रहता है, फिर भारी कदमों से बाँये कमरे में रोती हुई गेसू के पास जाता है।)

(बायाँ कमरा)

यासीन : गेसू, मुझे माफ़ कर दो।

(गेसू उत्तर नहीं देती, वैसे ही रोती रहती है।)

यासीन : चुप हो जाओ गेसू। **(गेसू जवाब नहीं देती। एकदम झुंझलाहट से)** मैं कहता हूँ चुप हो जाओ। गेसू! मेरी जिन्दगी में बहुत ग़म हैं। उन्हें और न बढ़ाओ।

(गेसू आंसू पोंछकर यासीन के पास जाती है।)

गेसू : **(हमदर्दी से)** चचा की तबीयत अब पहले से अच्छी है।

यासीन : एक चचा ही नहीं और भी बहुत कुछ है।

गेसू : और क्या ग़म है तुम्हें। बताओ मुझे। **(यासीन जवाब नहीं देता।)** मुझे नहीं बताओगे तो किसे बताओगे?

(यासीन उठकर दायें कमरे में जाने लगता है, तो गेसू सामने आ जाती है।)

गेसू : मैं तुम्हें इस तरह भागने नहीं दूँगी। मेरी बात का जवाब दो। मुझे बताओ कहाँ रहे तुम कल रात? तुम्हें क्या ग़म है?

यासीन : मैं नहीं चाहता कि तुमको अपने साथ कांटों में खींचूं। गेसू, मेरी ज़िन्दगी में सब कुछ इतना उलझ गया है...मैं नहीं चाहता, मेरे ग़म का साया भी तुम पर पड़े।

गेसू : अगर तुम मेरे हो, तो तुम्हारा ग़म भी मेरा है। मैं तुम्हारे हर ग़म को, तुम्हारी हर उलझन को अपना समझूंगी। **(टेलीफ़ोन की घंटी बजती है।)** हैलो! हलो! गेसू बोल रही हूँ। मेरी 'हैंड-राइटिंग' में पता है। **(आत्मविश्वास से)** मैंने तो किसी को पता नहीं दिया था...**(अचानक)** हाँ, हाँ, याद आया। याद आया अब्बा। चमेली को पता दिया था...चमेली अन्ना...चमेली अन्ना। यासीन मियां की बचपन की अन्ना। वह कुछ दिन पहले आई थीं। वह कहती थीं यासीन मियां का हाल जानने के लिए कभी-कभी ख़त लिखेंगी, और मुझसे हम लोगों का पता ले गयी थी...जी हाँ, मैंने लिखकर दिया था...तो बेचारी चमेली...? अल्लाह बड़ी नेक औरत थी!...जी हाँ, यासीन मियां आ गये हैं। बड़े परेशान हैं। अच्छा... जी हाँ, आदाब।

(फ़ोन रखकर यासीन को देखती है।)

यासीन : चमेली अन्ना-?

गेसू : मर गयीं...मार दी गयी। किसी ने छुरा मार दिया।

यासीन : या खुदा। **(उमड़ते हुए दुख को दबाने को आँख बन्द करता है।)**

गेसू : खुदा को यही मंजूर था।

यासीन : गेसू, मेरे चारों तरफ़ मौत का ख़ौफ़नाक साया है। वह सबको निगल जाएगा, जो भी मेरे पास आयेगा।

गेसू : कैसी बेसिर पैर की बातें करते हो। चमेली अन्ना के लिए तुम कैसे ज़िम्मेदार हो।

यासीन : पैदा होने से पहले अब्बा चल बसे, पैदा होते ही अम्मी चली गयीं। जिस अन्ना ने दूध पिलाया, वह भी आज चल बसी।

गेसू : **(पकड़कर बैठाते हुए)** तुम थक गये हो, थोड़ा आराम करो।

यासीन : गेसू, मेरे इतने नज़दीक न आओ। मैं बहुत ख़तरनाक आदमी हूँ। मैं सब कुछ वीरान कर दूँगा।

गेसू : अब कुछ देर के लिए ख़ामोश रहो। **(यासीन को ज़बर्दस्ती सोफे पर बैठाती है।)**

यासीन : जानती हो, गेसू, कल रात मैं कहाँ गया था?

गेसू : कहाँ?

यासीन : अपने गाँव। अपने ख़ानदानी क़ब्रिस्तान। वहाँ अब्बा की क़ब्र थी। पास ही अम्मी की, दादाजान, दादीजान की। और उनके भी अब्बा और अम्मी वहाँ पर सोये हुए थे। कल रात मैं उन्हीं के बीच रहा। कितना सुकून था वहाँ। मैं सोचता रहा...

गेसू : तुम्हें क्या हो गया है?

यासीन : ज़िन्दा और मुर्दे में फ़र्क कितना कम है। अब्बा मरकर भी ज़िन्दा हैं और मैं ज़िन्दा रहते हुए भी मर गया हूँ।

गेसू : क्यों कोसते हो अपने आपको? अपने अब्बा की तरह तुम भी सुर्ख़रू होंगे। नाम कमाओगे।

यासीन : कितनी मासूम हो तुम। **(अचानक खड़े होकर)** गेसू, क्या यह मुमकिन नहीं कि तुम अपनी ज़िन्दगी के चन्द हफ़्ते जिनमें मैं हूँ, नोंचकर फेंक दो। भूल जाओ यासीन नाम के आदमी को।

गेसू : क्यों? क्यों भूल जाऊँ उसको?

यासीन : क्योंकि उसकी ज़िन्दगी ऐसी है कि उसे भूल जाना ही चाहिए।

गेसू : क्या गुनाह है जिसका बोझ उसके सिर पर है। जो उसे बेचैन किये है। **(फ़ोन की घंटी)** हलो...हाँ आ गये हैं। टेलीफ़ोन देती हूँ। **(यासीन से)** हरीश भाई का फ़ोन है। **(यासीन को टेलीफ़ोन देती है।)**

यासीन : हलो...हाँ कल अपने गाँव चला गया था...(**वह कुछ देर फोन सुनता है। फिर उसे मेज़ पर रखकर, विचलित सा पीठ फेरकर खड़ा हो जाता है और आँख बन्द करता है। गेसू जाते हुए यासीन को देखती है, फिर फोन उठाकर स्वयं सुनती है।**)

गेसू : मैंने तुम्हारा टेलीफ़ोन सुना।

यासीन : (**चौंककर**) क्या?

गेसू : वह बार-बार कह रहे थे, तुम अपने फ़र्ज़ को अन्जाम नहीं दे रहे हो। (**रुककर**) क्या है तुम्हारा फ़र्ज़? क्या है तुम्हारा फ़र्ज़?

यासीन : सुनोगी तुम?

गेसू : तुम्हें ये पूछना चाहिए?

यासीन : मेरा एक दोस्त है। मेरा बहुत अज़ीज़ मेरे बचपन का दोस्त। आजकल वह भी यहीं आया हुआ है।

गेसू : मुझे नहीं बताया था तुमने अब तक।

यासीन : उसने मना किया था। वह 'आई.एस.आई.' का जासूस है।

गेसू : क्या?

यासीन : उसका काम है हिन्दुस्तान में मज़हबी दंगे करवाना ताकि हिन्दुस्तान का सेकुलरिज़्म का दावा झूठ साबित हो।

गेसू : क्यों?

यासीन : यह जानने के लिए पीछे जाना पड़ेगा।

गेसू : कितना पीछे?

यासीन : सन् 1857। तब हिन्दू और मुसलमानों ने एकजुट होकर आज़ादी की पहली लड़ाई लड़ी। अंग्रेजों के दाँत खट्टे कर दिये थे।

गेसू : तो?

यासीन : वह लड़ाई अंग्रेज़ जीत गये। लेकिन उन्हें हमेशा दहशत रहने लगी कि कभी भी 1857 दोहराया जा सकता है। अपनी हुकूमत मज़बूत करने के लिए उन्हें सिर्फ़ एक तरीका नज़र आया।

गेसू : क्या?

यासीन : हिन्दू-मुसलमानों में तफ़रक़े पैदा करके हिन्दुस्तानी ताक़त को कमज़ोर करने का। इसके लिए उन्होंने हिन्दू और मुसलमानों को समझाया-हिन्दू और मुसलमान दो अलग-अलग क़ौमें हैं। इस बहकावे में तमाम मुसलमान आ गये। कुछ हिन्दू भी आ गये। मगर कुछ मुसलमान ऐसे भी थे-जो हिन्दू मुसलमानों को एक क़ौम समझते थे। जैसे डॉ. मिर्ज़ा, मेरे अब्बा, मौलाना आज़ाद। उन्होंने इस मुल्क के लिए अपनी ज़िन्दगी कुर्बान कर दी। अगर हिन्दुस्तान का 'सेकुलरिज़्म' का दावा सही साबित होता है, तो उनकी जड़ें हिल जायेंगी, जो 'टू नेशन थ्योरी' में यक़ीन करते हैं।

गेसू : इसमें तुम्हारा फ़र्ज़ क्या है?

यासीन : मेरा दोस्त आजकल जासूसी के फ़रायज़ का अंजाम नहीं दे रहा है, क्योंकि उसकी निगाह हिन्दुस्तान आकर खुल गयी है। वह असलियत और प्रोपेगेण्डा में फ़र्क़ करने लग गया है।

गेसू : तो?

यासीन : हरीश भी जासूस है। वह चाहता है कि मैं अपने दोस्त को रास्ते पर लाऊँ।

गेसू : तुमने क्या फ़ैसला किया है?

यासीन : मैं तुमसे फ़ैसला चाहता हूँ।

गेसू : मुझसे?

यासीन : तुम्हारा फ़ैसला मेरे लिए आख़िरी लफ़्ज़ होगा।

गेसू : इसमें फ़ैसले के लिए है ही क्या? एक तरफ दो मज़हबों के सकून से रहने की बात है तो दूसरी तरफ नफ़रत और ख़ूरेंज़ी की आग है। एक तरफ ज़िन्दगी है, मोहब्बत है, तो दूसरी तरफ वीरानगी है, लूटते हुए सुहाग और उजड़े हुए घर हैं।

यासीन : मैं अपने दोस्त से क्या कहूँ?

गेसू : उससे कहो कि ज़िन्दगी चुने। अपने आपको क़ानून के हवाले कर दें।

यासीन : **(सोचते हुए)** अगर वह जासूस मैं हूँ तो?

गेसू : क्या?

यासीन : मिसाल के तौर पर कहता हूँ, अगर वह जासूस मैं हूँ तो...

गेसू : ऐसी बात मिसाल में भी नहीं कहते।

यासीन : तब भी तुम्हारा फ़ैसला यही है?

गेसू : मुझसे मत पूछो।

यासीन : तुमको जवाब देना होगा। तुम्हारा फ़ैसला मेरा अपना फ़ैसला होगा। मेरी ज़िन्दगी तुम्हारे हाथों में है। वह जासूस मैं खुद हूँ।

गेसू : नहीं...नहीं...

यासीन : **(सबल स्वर में)** हाँ, वह जासूस मैं हूँ। बोलो, मेरे लिए क्या फ़ैसला है?

गेसू : नहीं...

यासीन : मैंने तुमसे मोहब्बत का नाटक किया, लेकिन क़िस्मत का मज़ाक, मैं तुमसे सचमुच मोहब्बत करने लगा। मैं जिस मुल्क में आग लगाने आया, उसमें अपनापा ढूँढ़ने लगा। मरहूम अब्बा और अम्मी ज़िन्दा होकर मेरी ज़िन्दगी का रास्ता मोड़ने लगे। लेकिन मैं तो तुम्हारा फ़ैसला चाहता हूँ।

गेसू : **(रुंधे गले से)** मैंने यह ख़्वाब में भी न सोचा था...

यासीन : **(बाँहों में पकड़कर)** आओ गेसू, हम लोग इस मुल्क से भाग चलें। गेसू, मैं तुमसे मोहब्बत करता हूँ। बेइन्तिहा मोहब्बत करता हूँ। तुम्हारे बिना मैं ज़िन्दा नहीं रह सकता। **(गेसू की उंगलियाँ अपनी आँखों पर लगाते हुए)** गेसू, मेरी गेसू, मैं बहुत परेशान हूँ। तुम्हारा साथ मेरे सब ग़म दूर कर देगा। मुझे बचा लो। आओ, कहीं भाग चलें।

गेसू : **(हाथ पकड़कर)** मुझे सोचने दो यासीन। मुझे सोचने दो। **(घर के अन्दर भाग जाती है।)**

(बाहर से घंटी बजने की आवाज़। यासीन बाहर का दरवाज़ा खोलता है। हरीश का प्रवेश। यासीन दरवाज़ा बन्द करता है।)

हरीश : डॉ. मिर्ज़ा घर में हैं?

यासीन : नहीं।

हरीश : आओ मेरे साथ। **(यासीन की बाँह पकड़कर दायें कमरे में ले जाता है।)**

(दायाँ कमरा)

हरीश : इस सबके क्या मायने हैं।

यासीन : किसके?

हरीश : यही, परसों से तुमने ख़बर नहीं भेजी। **(रुककर)** कल कहाँ चले गये थे?

यासीन : अपने गाँव।

हरीश : मुझे मालूम है। लेकिन क्यों?

यासीन : मेरा मन हुआ।

हरीश : मन हुआ। तुम इतने में आज़ाद नहीं। तुम्हारी ड्यूटी है। फरायज़ हैं।

यासीन : मुझे मालूम है।

हरीश : ख़ाक मालूम है। हेडक्वार्टर बेहद नाराज़ है। मुझे तुम्हारी कितनी वकालत करनी पड़ी-जानते हो। अगर एक दिन और तुमने अपनी मनमानी की, तो वह तुम्हें ग़द्दार समझ बैठेंगे।

यासीन : ग़द्दार!

हरीश : आख़िर तुम्हें क्या हो गया है। पहले तो तुम कितने मुस्तैद और अलर्ट थे। तुम्हारी हैडक्वार्टर वाले कितनी तारीफ़ करते थे। लेकिन अब तो तुम उससे बिल्कुल उल्टे हो।

यासीन : हरीश! मैं एक शायर भी तो हूँ।

हरीश : तो?

यासीन : तुम उसे नहीं समझोगे।

हरीश : **(चिढ़कर)** क्योंकि मैं शायर नहीं हूँ, इसलिए? खुदा का शुक्र है कि मैं शायर नहीं हूं। लेकिन हेडक्वार्टर वालों को क्या समझाओगे?

यासीन : जब से होश सम्भाला तब से यही सुना, हिन्दुस्तान में

मुसलमानों के साथ जुल्म-ज़्यादतियाँ होती हैं। उनके घर जला दिये जाते हैं। वे भूखों मरते हैं, और भी न जाने क्या-क्या। लेकिन आकर देखा तो यहाँ कुछ और ही है। यहाँ हिन्दू-मुसलमान भाई-भाई हैं। मुसलमान सुप्रीम कोर्ट का चीफ़ जस्टिस और हिन्दुस्तान का प्रेसीडेण्ट होता है। उसे सब तरह की आज़ादी है। मेरे दिल ने सवाल किया-क्या जो कुछ सुना था, वह झूठ था?

हरीश : **(नफ़रत से)** तुम्हें कितना मिला?

यासीन : क्या?

हरीश : हिन्दुस्तानी जासूसों ने तुम्हें किस क़ीमत पर ख़रीदा?

यासीन : मुझे समझने की कोशिश करो हमीद। जब मैं यहाँ आया तो मेरे सामने मंज़िल साफ़ थी। लेकिन यहाँ आकर मेरे सामने उस मंज़िल को ले जाने वाले रास्ते धुंधले पड़ गये। उसमें अगर मैं भटक गया और अपनी ड्यूटी उस मुस्तैदी से अंजाम नहीं दे सका, तो इसमें ताज्जुब क्या?

हरीश : बताते क्यों नहीं, तुम कितने में बिके?

यासीन : हमीद मेरी बात समझो? मैं जिस एक रास्ते पर चल रहा था, उस जगह अचानक दो रास्ते हो गये। मैं दोराहे पर खड़ा हूँ। मेरी समझ में नहीं आ रहा है कि किधर क़दम बढ़ाऊँ।

हरीश : क्या इसकी ख़बर हैडक्वार्टर को दे दी जाये?

यासीन : मौत की बात करना आसान है, सामने मौत को देखना उतना ही मुश्किल है। फिर मैं तो शायर हूँ।

हरीश : लानत है ऐसी शायरी पर, जो आदमी को निकम्मा बना देती है। मैं तुम्हारा दोस्त हूँ। तुम्हें आगाह करना मेरा फ़र्ज़ है। अगर तुम ठीक रास्ते पर नहीं आये तो...

यासीन : तो?

हरीश : तुम्हें गोली मार दी जायेगी।

यासीन : मुझे मौत की धमकी मत दो। मैं पिछले तीन दिनों से मौत से आँख-मिचौनी खेल रहा हूँ।

हरीश : अब भी वक़्त है। ठीक रास्ते पर...

यासीन : ठीक रास्ता! इस दोराहे पर खड़ा यही तो सोच रहा हूँ, ठीक रास्ता क्या है। मैं मौत से नहीं डरता। लेकिन हमीद मैं ज़िन्दा रहना चाहता हूँ। हर मामूली इन्सान की तरह मेरी ख़्वाहिश है कि मेरा छोटा-सा घर हो, बीवी और प्यारे-प्यारे बच्चे हों...

हरीश : यह सब होगा, अगर तुम अपने फ़र्ज़ पर डटे रहे।

यासीन : मुझे सोचने दो। मुझे सोचने दो हरीश। **(दोनों हाथों से माथा पकड़कर बैठ जाता है।)**

(गेसू भीतर से आकर बायें कमरे से होती हुई दायें कमरे में जाती है।)

गेसू : यासीन मियां...! **(हरीश को देखकर लौटती है।)**

यासीन : आया। **(एकदम उठकर गेसू के पीछे बायें कमरे में जाता है।)**

(बायाँ कमरा)

गेसू : मैंने फ़ैसला कर लिया।

यासीन : क्या तुम मेरे साथ चल रही हो?

(गेसू उत्तर नहीं देती)

यासीन : मैं जानता हूँ, तुम मेरे साथ चल रही हो। तुमने मुझे बचा लिया गेसू। **(गेसू का हाथ पकड़कर आँखों से लगाते हुए)** गेसू तुम मेरी गेसू। **(गेसू हाथ खींच लेती है।)**

गेसू : नहीं। मैंने अपना फ़र्ज़ निभाया। मैंने पुलिस को फ़ोन कर दिया है।

(कुछ क्षणों का मौन)

यासीन : तुम्हारा यह फ़ैसला मेरे सर आँखों पर। मुझे ज़रा भी गुरेज़ नहीं।

गेसू : एस. एस. पी. किसी भी वक़्त यहाँ पहुँचते होंगे।

यासीन : तुमने मेरी सारी मुश्किलें आसान कर दीं। दिल का सारा बोझ एक साथ ही उतार दिया।

गेसू : कोतवाली में अब्बा भी थें

यासीन : उन्होंने क्या कहा?

गेसू : वह बोले-अगर यासीन जासूस है तो वह अनवर का बेटा नहीं है।

यासीन : मैं उनके दोस्त अनवर का ही बेटा हूँ। गेसू, उनसे कह देना, वक़्त आने पर साबित कर दूँगा। तुम भी मुझे माफ़ कर देना।

गेसू : (टूटकर) तुम मुझे माफ़ कर देना। **(आँसू रोकती हुई अन्दर जाती है।)**

(यासीन जाती हुई गेसू को देखता है। फिर कुछ देर खड़े होकर दायें कमरे में जाता है।)

(दायाँ कमरा)

हरीश : क्या कह रही थी?

यासीन : मोहब्बत की वही बातें।

हरीश : ओह!

यासीन : यही कि मेरे सरताज मैं तुम्हारे बिना ज़िन्दा नहीं रह सकती। अब्बा से कहो, जल्दी से हम दोनों की शादी कर दें।

हरीश : यह तो हमारी प्लान है।

यासीन : हमीद, तुम चेहरा बनाये क्यों बैठे हो? खिड़की खोलो। ताज़ी ख़ुशगवार हवा आने दो। **(बढ़कर पीछे की खिड़की खोलता है।)**

हरीश : तुम्हारा तो मिज़ाज ही बदल गया।

यासीन : हमीद, तुमने अगर किसी से मोहब्बत की होती तो जानते। मैंने फ़ैसला कर लिया है।

हरीश : गुड। क्या फ़ैसला है तुम्हारा?

यासीन : **(अचानक)** क्या तुम रूह में यक़ीन करते हो?

हरीश : कैसी रूह?

यासीन : मरने के बाद की रूह।

हरीश : **(सोचता सा)** मैं...

यासीन : अभी कुछ देर पहले गेसू मुझसे बातें कर रही थी। उसके जाने के बाद मुझे लगा, मेरे पास, बिल्कुल मेरे पास अब्बा खड़े हैं। वह मेरे कन्धे पर हाथ रखकर कह

रहे हैं...जैसे कहना चाहते हैं, बेटा यह तुम्हारा इम्तहान है। घबराना मत। **(बोलते-बोलते स्वर में उदासी भर जाती है।)**

हरीश : यह क्या, तुम्हारी आँखों में आंसू!

(बाहर कोई कॉलबेल बजाता है।)

यासीन : शायद वह लोग आ गये। **(आंसू पोंछता है।)** खुशी के आंसू हैं।

(हरीश के कंधे पर हाथ थपथपाकर उसे आश्वस्त करता है। फिर अचानक तेज़ क़दमों से बढ़कर बाँये कमरे में आता है, और तेज़ी से बीच का दरवाज़ा बन्द करता है। हरीश दायें कमरे में क़ैद हो जाता है। वह पिस्तौल निकालता है।)

(बायाँ कमरा)

(यासीन बाहर का दरवाज़ा खोलता है। एस.एस.पी. के साथ डॉ. मिर्ज़ा का प्रवेश।)

यासीन : चचाजान मैं आपके दोस्त अनवर का ही बेटा हूँ। **(दोनों हाथ बढ़ाकर)** शर्मा साहब, मुझे गिरफ़्तार कीजिए।

(दायें कमरे में, बीच के दरवाज़े से झांकता हरीश पिस्तोल निकाल का यासीन पर निशाना साधता है।)

शर्मा : यासीन, तुम्हें अपनी सफ़ाई में कुछ कहना है।

यासीन : हाँ, मैं कहना चाहता हूँ, बन्दे मातरम!

(यासीन के 'वन्दे मातरम' कहते ही नेपथ्य के सब कलाकारों का 'वन्दे मातरम' 'वन्दे मातरम' गाने का सम्मिलित स्वर सुनाई पड़ता है। गाते हुए वे सब कलाकार रंग-मंच पर आ जाते हैं और एक पंक्ति में खड़े होकर 'बन्दे मातरम' का गायन करते हैं। डॉ. मिर्ज़ा, शर्मा, यासीन और हरीश भी कलाकारों साथ पंक्ति में खड़े होकर, 'वन्दे मातरम्' गायन करते हैं।)

वन्दे मातरम्, वन्दे मातरम्......................
क़ौम के ख़ादिम की है जागीर वन्दे मातरम!
मुल्क के ही वास्ते, इकसीर वन्दे मातरम्-2

सूरज भी हिल जायेगा, आया की दो ही रोज़ में
गर दिखा जाये कभी तासीर वन्दे मातरम्
वन्दे मातरम्...................वन्दे मातरम्
वन्दे मातरम्, वन्दे मातरम्

(गायन जब चरम पर पहुँचता है तो सब हाथ जोड़कर नमस्कार करते हैं।)

(पटाक्षेप)

इति

इतिहास-चक्र
(1972)

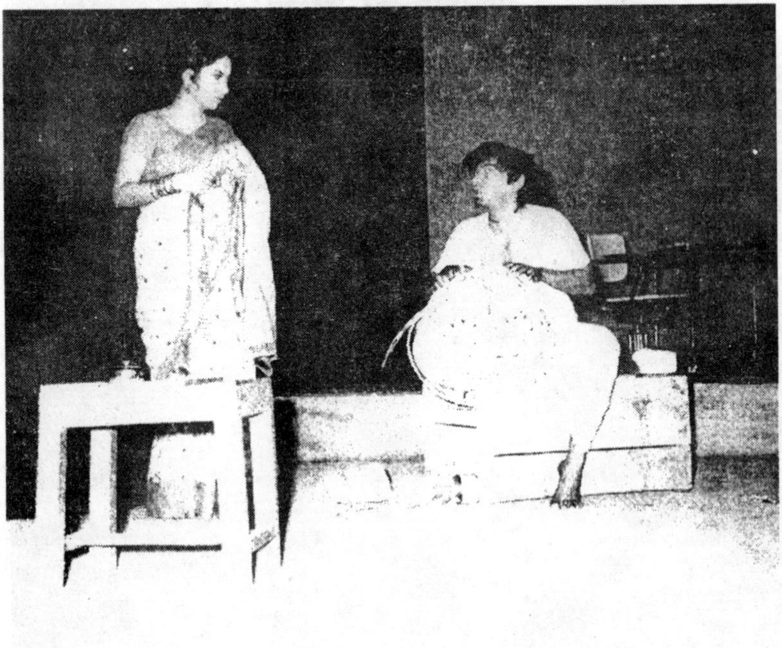

मैं कदाचित पाँच-छह वर्ष का था जब अपने पिता श्री अयोध्या नाथ सिन्हा को, उत्तर-प्रदेश के उस छोटे से नगर फ़र्रूखाबाद में द्विजेन्द्र लाल राय के नाटक "चन्द्रगुप्त" में चाणक्य की भूमिका अभिनीत करते देखा था। उनके अभिनय के कुछ सजीव दृश्य आज भी स्मृति में अक्षुण्ण और सुरक्षित हैं। उन्हीं दृश्यों को समर्पित हैं यह नाटक।

–दया प्रकाश सिन्हा

कुछ प्रश्न-नाटकीय

पाठकों, अभिनेताओं, निर्देशकों और नाट्य-अध्येताओं के सम्मुख यह नाटक प्रस्तुत करते समय कुछ प्रश्न उठ रहे हैं, जो आज के नाटक और रंगमंच के सन्दर्भ में अर्थपूर्ण हो सकते हैं।

क्या जिस नाटक में जीवन का यथार्थवादी चित्रण हो, वह श्रेष्ठ होता है? यथार्थवादी-चित्रण, जीवन को दर्पण की भाँति प्रतिबिम्बित करने वाली क्षमता ही क्या नाटक की श्रेष्ठता का प्रमाण है?

अथवा नाटक तब श्रेष्ठ होता है, जब उसमें यथार्थ का चित्रण साधारण फ़ोटो-चित्र न होकर, आधुनिक 'एब्स्ट्रेक्ट' चित्रकला की भाँति विकृत, व्याकृत एवं विरूप होता है?

या फिर नाटक की श्रेष्ठता उसकी सहज बोधगम्यता में निहित होती है? नाटक के प्रारम्भ में चरित्रों से परिचय, कथानक की निश्चित अन्त की ओर प्रगति, सस्पैन्स, कथानक का चरम और अन्त। एक सुनियोजित 'कर्व' में चलती हुई कथा?

या फिर वह नाटक जिसकी कथा एक क्रम में नहीं चलती? नाटक की कथा का विकास-क्रम कुछ इस तरह से टूटा, तोड़ा हुआ, कि बाद की कथा नाटक के शुरू में, और शुरू की कथा नाटक के बाद में? आगे पीछे के क्रम को तोड़ देना ही क्या नाटक की श्रेष्ठता का मापदंड है?

या कि नाटक की श्रेष्ठता शब्दों में है? कवित्वमय? शुद्ध? स्फटिक से उज्ज्वल? वज़नदार? अर्थपूर्ण? सारगर्भित? विद्वत्तामय? पांडित्यपूर्ण? सहज सरल—रवानगी से भरे? या कि शब्द—कृपणता, शब्दहीनता ही नाटक की कसौटी है?

या फिर रंगमंच में ऐसा कुछ है, जो नाटक को श्रेष्ठ बनाता है? कदाचित् दृश्य-बंध? यथार्थपरक दृश्य-बंध! यदि गाँव का दृश्य हो तो ऐसा लगे कि हम सचमुच गाँव में चले आये हैं। मिट्टी की दीवारों के घर, उन पर असली गाँव से लायी हुई असली खपरेल की छत, एक असली पुआल का ढेर, खूँटे से बंधी

हुई असली गाय, और उससे गिरता हुआ असली गोबर? अब कुछ बात बनी।

या फिर कुछ प्रतीक? पेड़ के स्थान पर कार्ड-बोर्ड को काट कर और रंगकर तैयार किया हुआ शैलीबद्ध वृक्ष, जो पीछे लगे चीड़ के डंडे के सहारे कहीं भी खड़ा किया जा सकता है? और राजमहल की जगह कार्ड-बोर्ड का चित्रित स्तंभ? यथार्थवादी दृश्य-बंध की जगह कुछ प्रतीक रखकर निर्देशक ने मैदान जीत लिया और नाटक को महानता का तमग़ा मिल गया?

या फिर प्रतीकों को भी हटाकर, सूने सपाट रंगमंच पर, काले पर्दे के आगे केवल एक कुर्सी, स्टूल या लकड़ी के क्यूब डालकर नाटक कर लिया और नाटक में क्रान्ति का श्रेय प्राप्त कर लिया?

या फिर नाटककार और निर्देशक की कलाबाजी? पाँच अभिनेताओं द्वारा एक ही चरित्र की भूमिका में अभिनय अथवा पाँच भूमिकाओं में एक ही अभिनेता द्वारा अभिनय? सुनियोजित परम्परागत नाटक में मुख्य-पात्र द्वारा प्राक्कथन–बोरे में मखमल के पैबन्द-सा, या सिल्क की साड़ी में टाट की झालर-सा! या फिर बीच-बीच में पात्रों द्वारा स्वगत-भाषण अथवा दर्शकों को संबोधन? या फिर दर्शकों और अभिनेताओं के बीच सुनियोजित संवाद? या फिर जापानी लोकमंच की रूढ़ि के अनुसार पात्रों का प्रेक्षागृह से मंच पर प्रवेश और वापसी? कुछ नहीं मिला तो एक अदद सूत्रधार?

या फिर नाटक की सफलता का रहस्य प्रेक्षागृह में दर्शकों के बैठाने की योजना में है? यदि दर्शक मंच के सामने बैठते हैं, तो वह हीन नाटक? यदि वह मंच के तीन तरफ बैठते हैं, तो वह साधारण नाटक? और मंच के चारों ओर बैठते हैं, तो वह श्रेष्ठ नाटक?

यह सब कुछ नहीं तो स्लाइड द्वारा चित्रों के प्रदर्शन से अत्याधुनिक नाटक का दर्जा मिल सकता है? एक तो करेला, उस पर नीम चढ़ा! स्लाइड चित्रों का ऊट-पटांग संयोजन, जैसे गांधी जी के चित्र के साथ बंडे, टिंडे, घिया, अरबी बैंगन, फिर ताजमहल के साथ डस्टबिन। हो गया न काम? या काम तमाम?

शायद मैं गलत हूँ? मेरी खोज ही ग़लत है। मेरी तलाश की दिशा ही उल्टी है। मैं सार्थक, सफल और श्रेष्ठ नाटक की खोज, नाटक और रंगमंच के तत्वों में–संवाद, कथानक, दृश्यबंध, संगीत, रूप-सज्जा, समूहन इत्यादि में कर रहा था, जब कि वह कुछ ज्यादा पढ़े-लिखे समालोचकों के अनुसार इनमें है ही नहीं? कुछ वैसी ही बात हुई जैसी कि अंधे द्वारा अंधेरे कमरे में उस काली बिल्ली की तलाश, जो कि वहाँ नहीं है। उनके अनुसार श्रेष्ठता और सार्थकता रंगमंच में नहीं, अपितु इंगलेण्ड और अमेरिका में है, या उन यूरोपीय नाटकों

में है जो अंग्रेजी के माध्यम से हमें प्राप्त होते हैं? जो हिन्दी नाटक समकालीन एंग्लो-अमेरिकन नाटकों और नाट्य-आंदोलनों को जितना अधिक ग्रहण करता है, वह उतना ही अधिक श्रेष्ठ होता है? अगर पश्चिम में 'एब्सर्ड' नाटक का बोल है, हम भी वही ढोल बजायें? उनके पास 'न्यू-वेव' है, तो हमारे नाटक भी उससे भीगे हों। यदि वहाँ मानसिक ग्रन्थियों का विमोचन हो रहा है तो हमारे नाटकों में भी मनोचिकित्सक दिखाई दें। तो यह है, नाटकों की श्रेष्ठता का राज—पश्चिमी नाटकों का प्रभाव या नक़ल?

या फिर नाटक को श्रेष्ठ बनाने का सबसे सस्ता, सुगम नुस्खा नाटककार के हाथ में है? उसने नाटक को रूढ़िगत दृश्यों और अंकों में विभाजित न करके, खण्डों और अध्यायों में विभाजित करके लीक से हटा, परम्परा से विद्रोही, युग-प्रवर्तक नाटक सृजित कर दिया?

या फिर कोई तत्व, कोई भी रूढ़ि, कोई भी योजना, परम्परा या उनसे विद्रोह अपने आप में नाटक की श्रेष्ठता का प्रमाण नहीं है? केवल वही नाटक श्रेष्ठ है, जिसका मंचाभिनय सृजन के उस चरम-बिन्दु का स्पर्श करता है, जहाँ अभिनेता और प्रेक्षक सृजनानुभूति में बराबर की भागेदारी अनुभव करते हैं?

मेरी विनम्र आशा है कि यह प्रश्न, मेरे ही नहीं, अपितु अन्य नाटककारों के नाटकों के भी उचित मूल्यांकन में सहायक होंगे।

दया प्रकाश सिन्हा

दिल्ली
दिसम्बर, 1972

द्वितीय संस्करण की भूमिका

इतिहास-चक्र एक युद्ध विरोधी नाटक है। राजा, कुबेर, मोहिनी, पत्रकार, सेनापति आदि के सांकेतिक चरित्रों के माध्यम से यह उन कारणों का अन्वेषण करता है, जिनके कारण समय-समय पर युद्ध होते रहते हैं।

हर व्यक्ति जीना चाहता है। भरपूर जीना चाहता हैं जीने की अदम्य इच्छा उसे हर पल प्रेरित करती है। फिर क्यों अचानक आनन्दकामी ओर सुखकामी व्यक्ति मौत का सौदागर बन कर युद्ध की विभीषिका से मानवता पर मृत्यु की स्याही बिखेरने लगता है? इसके अनेक कारण हैं : क्लिष्ट और संश्लिष्ट। फिर भी इतिहास-चक्र अकादमिक, पांडित्यपूर्ण, विवेचना और विश्लेषण के बोझ से मुक्त है। मैंने अमूर्ति सत्य और तर्कों को सरल, सहज और बोधगम्य नाटकीय मुहावरे के माध्यम से खोजने का प्रयत्न किया है। मुझे प्रसन्नता है कि मेरी बात दर्शकों तक पहुँच सकी और उन्होंने इसको सराहा।

नाटक का साहित्य और रंगजगत, दोंनो ही में भरपूर स्वागत हुआ। मुझे देश के रंगकर्मियों के नाटक को अपने नगर में मंचस्थ करने की स्वीकृति माँगते हुए अनेक पत्र प्राप्त हुए। एक अपरिचित पाठक ने मेरा नाटक 'कन्नड़' में अनुवाद करके और प्रकाशित करके मुझे भेजा। मारिशस गया तो पता लगा कि मैं वहाँ अपरिचित नहीं हूँ। मेरे छह नाटक वहाँ प्रस्तुत किये जा चुके हैं। विनय दसोई से परिचय हुआ। उन्होंने 'इतिहास-चक्र निर्देशित किया था। वह नाटक की प्रशंसा करते थकते नहीं थे।

यह मेरी अपनी उदासीनता थी जिसके कारण दूसरा संस्करण इसके पहले प्रकाशित नहीं हो सका। व्यक्तिगत जीवन मे आई आंधियाँ और तूफानों के बीच जमीन पर पैर टिकाए रखना मुश्किल हो गया था, उसमें रचनात्मकता कहाँ से लाता। कुछ नहीं लिखा, बरसों-बरसों तक। विमोह और उदासीनता ने घेर रखा था। फिर भी, इस सबके बीच, राख के ढेर के नीचे, कहीं जिजीविषा की हल्की सी चिन्गारी बराबर जीवित रही। वह बुझ न सकी। तब ही इतने वर्षों बाद इतिहास-चक्र की भूमिका लिख रहा हूँ।

नाटक सामान्य (वेलमेड) नाटक की श्रेणी में नहीं आता। इसमें कथ्य और संरचना दोंनो में ही प्रयोग हैं। और यह प्रयोग सफल हुआ, क्योंकि मैंने स्वयं इसे निर्देशित करके, इसे मंच पर जाँचा परखा है। इसकी प्रथम प्रस्तुति में, मैं सूत्रधार की भूमिका में भी था।

आज जब विश्व में एक बार पुनः युद्ध के बादल गरज रहे हैं, आतंकवाद का ताण्डव विश्व में विनाश लीला रच रहा है और "सभ्यता का संघर्ष" घटित होता दिखाई पड़ रहा है, तब इतिहास-चक्र जैसे युद्ध-विरोधी नाटक की पहले से अधिक सार्थकता है।

दिल्ली **दया प्रकाश सिन्हा**

2-5-2004

यह नाटक सर्वप्रथम 'शतरूप' द्वारा फाइन आर्ट्स थियेटर, नयी दिल्ली में 11 तथा 12 अक्तूबर, 1972 को मंचित किया गया, जिसमें निम्नांकित रंगकर्मियों ने भाग लिया—

पत्नी	**कंचन लता**
मोहिनी	**रश्मि दर**
राजा	**ज्वालाप्रसाद वर्मा**
कुबेर	**वैकुण्ठनाथ चतुर्वेदी**
पत्रकार	**जीत शर्मा**
अनामी	**अमर स्नेह**
बाबू	**राजेश रायजादा**
सूत्रधार	**दयाप्रकाश सिन्हा**

निर्देशन
दया प्रकाश सिन्हा

इतिहास-चक्र

पात्र

राजा

कुबेर

मोहिनी

पत्रकार

बाबू

पत्नी

अनामी

सूत्रधार : जो अपनी भूमिका के अतिरिक्त, अखबार वाले, पत्रकार के मैनेजर, कुबेर के चपरासी, राजा के सचिव, रेडियो-उद्घोषक, बेयरा, सेनापति आदि की भी भूमिकाएँ निबाहता है।

इतिहास-चक्र

समय : वर्तमान
स्थान : सर्वदेशीय
मंचसज्जा :

मंच तीन स्तरों में विभाजित है। गगनिका (साइक्लोरामा) के निकट मंच का सबसे ऊँचा स्तर है, जिस पर ठीक बीच में राजा की ऊँची पीठ की कुर्सी रखी है। कुर्सी के पीछे झंडे का डंडा लगा है। झंडा नहीं है। कुर्सी के पास एक छोटी मेज़ पर एक फौजी अफसरों वाली टोपी रखी है।

सबसे ऊँचे स्तर के आगे मिला हुआ मंच का मध्य स्तर है, जिस पर एक तरफ कुबेर की मेज़ और घूमने वाली कुर्सी पड़ी है। पास ही मोहिनी की कुर्सी भी पड़ी है। तथा दूसरी तरफ पत्रकार की छोटी मेज़ और एक कुर्सी है।

इसके आगे दर्शकों के निकट, मंच का सबसे नीचा स्तर (जोकि मंच का मौलिक स्तर है) स्थित है। इस पर एक तरफ पार्श्वक (विंग) के निकट एक चीड़ का बक्स रखा है, जिस पर एक अधबिनी डलिया रखी है। यह चीड़ का बक्स अनामी के बैठने का स्थान है। इसी तल पर दूसरी तरफ के पार्श्वकों के निकट दो बेंत की कुर्सियाँ बाबू तथा उसकी पत्नी की अभिनय-इकाई इंगित करती हैं।

राजा, कुबेर, पत्रकार, बाबू और अनामी की अभिनय इकाइयों को पृथक करने वाली दीवार नहीं है। इनकी पृथक सत्ता अभिनय और प्रकाश परिचालन द्वारा स्थापित होती है।

इन पांचों इकाइयों में एक समय में केवल एक में अभिनय होता है। उस समय अन्य इकाइयों में अभिनेता ऐसे जड़

(फ्रीज) हुए दिखाई देते हैं, कि एक रोचक जड़-चित्र प्रस्तुत करते हैं । सूत्रधार इन पाँचों अभिनय-इकाइयों को एक सूत्र में पिरोता हुआ, उनमें सामंजस्य स्थापित करता है। साथ ही अखबार वाले, मैनेजर ,कुबेर के चपरासी तथा बेयरा, राजा के सेक्रेटरी, रेडियो-उद्घोषक, सेनापति आदि का भी अभिनय करता है।

कोई भी अभिनेता मंचोपकरण अथवा व्यक्तिगत उपकरणों का प्रयोग नहीं करता। इनकी उपस्थिति और प्रयोग मूक-अभिनय द्वारा स्थापित होते हैं।

प्रारम्भ : गगनिका पर नीली आभा।

दर्शकों की तरफ पीठ किये समस्त अभिनेता एक पंक्ति में बीच मंच पर खड़े हैं। पूरे मंच पर अंधकार है, सिवाये एक प्रकाश के वृत्त के, जो दर्शकों के निकट, मंच पर, एक कोने में 'विग्स' (पार्श्वक) के पास खड़े सूत्रधार को उद्भासित करता है। सूत्रधार के हाथ में पुस्तक है, जिसको वह पढ़ रहा है। उसके सामने एक छोटा-सा स्टूल रखा है, जिस पर स्प्रिंगदार घंटी रखी है, जिससे टेलीफोन की घंटी बजाने का ध्वनि-प्रभाव उत्पन्न किया जा सकता है।

पुस्तक पढ़ते हुए सूत्रधार उसका पन्ना पलटता है, तब ही उसकी निगाह दर्शकों पर जाती है। वह पुस्तक समाने स्टूल पर रखकर बीच मंच पर आता है। मंच का आगे का आधा भाग प्रकाशित हो जाता है।

सूत्रधार : नमस्कार! मैं सूत्रधार हूँ। नाटक अब प्रारंभ होने जा रहा है, इसलिए प्राचीन भारतीय नाटकों की परम्परा में मैं शिव की प्रार्थना करूँगा। **(हाथ जोड़कर आँख बन्द करता है, किन्तु तुरन्त ही आँख खोल देता है)** क्षमा कीजियेगा। मैं भूल ही गया। समय के अन्तराल से मनुष्य के मूल्य परिवर्तित हो जाते हैं। संभव है, आप लोग में से बहुत से लोग शिव पर विश्वास न करते हों। वे लोग किसी अन्य देवता में विश्वास कर सकते हैं, या किसी भी देवता में नहीं। वे केवल स्वयं पर विश्वास करके मनुष्य की शक्ति प्रतिष्ठित कर सकते है। तो आइये, हम सब अपनी-अपनी आस्थानुसार एक क्षण आँख

बन्द कर उस शक्ति का स्मरण करें, जो हमें जीवन संघर्ष में बल देती है **(सूत्रधार हाथ जोड़कर आँखें बन्द करता है।)**

(नाटक के सब पात्र अपनी ही जगह घूमकर, दर्शकों की तरफ मुख करते हैं, फिर एक साथ पंक्तिबद्ध हो दो कदम आगे बढ़ते हैं, और प्रकाश-वृत्त में आ जाते है। केवल पत्नी तथा अनामी के अतिरिक्त, अन्य सब पात्र मुखौटे पहने हुए दिखायी पड़ते है। राजा के मुखौटे पर ऐंठी हुई मूंछें, तथा राज-मुकुट है। कुबेर के मुखौटे में व्यवसायी की पगड़ी और कुटिलता है। पत्रकार के माथे पर गिरे बालों में सफेदी तथा बौद्धिक व्यक्ति की दाढ़ी तथा चश्मा है। बाबू के मुखौटे से ताश के गुलाम का आभास होता है। मोहिनी के मुखौटे से नगरवधू का चरित्र उजागर होता है। मुखौटे पात्रों के आन्तरिक चरित्र को अतिरंजित करते हैं, साथ ही यह भी प्रतिष्ठित करते हैं कि अनामी और पत्नी के अतिरिक्त अन्य सब पात्र अपने चरित्र और व्यवहार में दोहरे व्यक्तित्व के हैं। अपने शब्दों तथा व्यवहार से जो वह प्रकट करते हैं, वह असत्य है, बनावटी है। उनकी वास्तविकता कुछ और ही है।)

सूत्रधार : **(आँख खोलकर)** यह नाटक किसी देश-विशेष की कहानी नहीं है। **(मुखौटा लगाये पात्र, अपने-अपने मुखौटे उतारकर हाथ में लेते हैं)** यह कहानी है मनुष्य की, जिसने अपनी सुविधा और स्वार्थ के लिए विश्व, महाद्वीप, देश आदि में विभाजित कर दिया। **(दर्शकों की ओर घूमकर, उनके हाथ से मुखौटे लेते हुए)** यह हैं नाटक के अभिनेता, जो अपने अभिनय-चातुर्य से और आप की जीवन्त उपस्थिति के सहयोग से नाटककार की क्षुद्र कल्पना को साकार रूप प्रदान करेंगे। पहले आप को इनका परिचय दे दूँ। यह है–

राजा : मैं? **(घूम कर राजा की कुर्सी के पास जाकर खड़ा होता है। फिर सिकन्दर की मुद्रा में मुट्ठी ऊपर तानता हुआ)** मैं राजा हूँ।

(अन्य अभिनेता राजा के दोनों ओर दरबारियों की भाँति हाथ बांध कर खड़े होते हैं।)

सूत्रधार : हाँ यह राजा हैं। इन्हें आप किसी भी नाम से पुकार सकते है। कबीले के सरदार, प्रधान, मुखिया, क्षत्रप, राजा, राना, ज़ार, लुई डिक्टेटर, राष्ट्रपति, प्रधानमंत्री, या कुछ और। कहते हैं राजा के सर पर कांटों का ताज होता है। इनके जीवन में शान्ति नहीं। यह न ठीक से खा पाते हैं न सो पाते हैं। दिन-रात काम और चिन्ता में मग्न रहते हैं। क्यों? किसलिए सहन करते हैं कांटों से भरा जीवन?

राजा : देश के लिए! मानव भविष्य के लिए! विश्व शान्ति के लिए!

सूत्रधार : मैं बताता हूँ। केवल सत्ता के लिए। आत्मगौरव के लिए।

(कुबेर मंचाग्र पर आता है, अन्य अभिनेता अपने स्थानों पर जाते हैं केवल बाबू नेपथ्य में जाता है।)

कुबेर : मैं कुबेर हूँ। **(व्यावसायिक नम्रता से)** आपका सेवक।

सूत्रधार : इनकी बातों में न आइयेगा। यह आपके सेवक नहीं, केवल धन के सेवक हैं। धन वह चाहे रूपया हो, डालर या पाउंड हो, येन या फ्रेंक हो, इनका देवता है। ये लक्ष्मी के मन्दिर के बड़े पुजारी। सोने की चमक से वह जीवन की सार्थकता नापते हैं। ...एक कहानी याद आ गयी। ऐसे ही किरी लक्ष्मी-भक्त की मृत्यु के बाद भगवान ने उससे पूछा—**(कुबेर से)** तुम्हें कहाँ भेज दूँ—स्वर्ग या नरक?

कुबेर : हि हि हि'''जहाँ दो सिक्कों का फायदा हो, वहीं भेज दीजिये।

सूत्रधार : कहते हैं लक्ष्मी का वाहन उल्लू होता है। उल्लू की आँखे अंधेरे में भी देख लेती हैं। इनकी व्यापार बुद्धि, हर स्थिति में देख लेती है—कैसे बनेंगे दो सिक्के।

(कुबेर अपनी कुर्सी पर जाता है। प्रकाश की रेखा मोहिनी पर पड़ती है।)

सूत्रधार : **(दर्शकों से)** इनको नहीं पहचाना?

मोहिनी : मैं मोहिनी हूँ।

सूत्रधार : नारी का यह रूप समुद्र-मंथन में निकला था। अपने रूप की शक्ति से सजग, नारी के इस रूप में विष और अमृत का अभूत पूर्व मिश्रण है। अपने नागिन से चिकने जहरीले सौंदर्य के द्वारा अचेत कर, यह देवासुर संग्राम में किसी को अमृत और किसी को केवल सूखी मुस्कान बाँटती है। राज-सत्ता

और धन-लिप्सा के क्रूर खेलों में यह पुरूषों के साथ खुल कर खेलती है—बुद्धि से नहीं, शौर्य नहीं अपने नयनों के कटाक्ष से, अपने यौवन से, अपने मांसल आकर्षण से। क्या आपने विष-कन्या का नाम नहीं सुना?

(सूत्रधार के इन शब्दों को मोहिनी नृत्य-मुद्राओं से रूपायित करती है।)

(प्रकाश की रेखा मोहिनी से हटकर पत्रकार पर पड़ती है।)

सूत्रधार : कोई साधारण व्यक्ति साधारण मनुष्य के समान जीवन यापन करे, तो इन्हें उसमें कोई रूचि नहीं। कोई साधारण व्यक्ति असाधारण नैतिकता का परिचय दे, तब भी इनको मज़ा नहीं आता। लेकिन अगर कहीं चोरी हो जाये, डाका पड़ जाये, बलात्कार हो जाये,आग लग जाये, किसी की बीवी भाग जाये, कोई कुंवारी माँ बन जाये, भ्रूण-हत्या हो जाये, रात के अंधेरे में—पार्क के कोने में—काम -क्रियामग्न कोई जोड़ा पकड़ा जाये, तो इनकी लार टपक पड़ेगी।

पत्रकार : **(क्रोध से)** आप कैसी बातें करते हैं?

सूत्रधार : क्या मैं झूठ कह रहा हूँ?

पत्रकार : जनता जो चाहती है वह हम देते हैं।

सूत्रधार : राम भजये। भला मेरी इतनी हिम्मत हो सकती है। मैं तो सिर्फ दो ही से डरता हूँ—ऊपर कर्त्तार, नीचे पत्रकार। **(अबोधता से)** इसमें मेरा कोई दोष नहीं। मैं तो नाटककार के दिये शब्द कह रहा हूँ।

पत्रकार : मैं नाटककार को नष्ट कर सकता हूँ।

सूत्रधार : कैसे?

पत्रकार : उसके नाटक की कड़ी आलोचना कर के, उसके व्यक्तिगत जीवन पर कीचड़ उछाल कर या...

सूत्रधार : या?

पत्रकार : उसको'इग्नोर' करके। वह अपने आप ही खत्म हो जायेगा।

सूत्रधार : **(दर्शकों से)** यह तो बहुत ही खतरनाक आदमी हैं।

(प्रकाश की रेखा पत्रकार से हट कर बाबू पर आती है।)

सूत्रधार : आप कौन हैं?

बाबू : मैं एम॰ए॰ पास हूँ।

सूत्रधार : मैंने आपकी शिक्षा नहीं पूछी थी।

बाबू : मैने तीन विषयों में एम॰ए॰ किया है।

सूत्रधार : ओह!

बाबू : हिस्ट्री, फिलोस्फ़ी, और पोलिटिक्स! मेरी समाज-सेवा में भी रूचि है।

सूत्रधार : अच्छा। आपने क्या समाज सेवा की है अब तक?

बाबू : मेरे पास सोशल सर्विस में डिप्लोमा है।

सूत्रधार : बस डिप्लोमा। **(दर्शकों से)** इनके पास डिग्री और डिप्लोमा तो इतने हैं कि एक गधे का बोझ जरूर होगा।

बाबू : मेरी कलम में ताकत है। साँप का काटा बच जाये, मेरी कलम का मारा नही बच सकता।

सूत्रधार : **(दर्शकों से)** कलम की नोंक ज़रा मोथरी पड़ गयी है।

बाबू : मैं मध्यमवर्ग का हूँ। मध्यवर्ग समाज की रीढ़ होता है।

सूत्रधार : **(व्यंग्य से)** बस रीढ़ थोडी़ टेढ़ी पड़ गयी है।

बाबू : समाज का नैतिक स्तर मध्यवर्ग निश्चित करता है। नैतिकता का वह प्रहरी है।

सूत्रधार : कैसे?

बाबू : पड़ोसी से प्रेम करो।

सूत्रधार : **(दर्शकों से)** अर्थात पड़ोसी की पत्नी और बहन से प्रेम करो।

बाबू : ईमानदारी से रहो।

सूत्रधार : रिश्वत लो, लेकिन छिप कर।

बाबू : पत्नी का आदर करो।

सूत्रधार : अगर उसे न मालूम पड़े तो दो एक प्रेमिकायें और चार छै फ़्लर्टेशन जायज है। **(व्यंग्य से)** यह है इनकी नैतिकता। **(बाबू से)** आपने बताया नहीं, आप कौन है?

बाबू : जी?

सूत्रधार : आप क्या काम करते हैं?

बाबू : मैं बड़े दफ्तर में असिस्टैन्ट हूँ।

सूत्रधार : बड़े दफ्तर में छोटा बाबू। लेकिन इन्हें कम न समझियेगा। जितना ही छोटा उतना ही खोटा। राज चाहे गोरों का हो या कालों का हो, भूरे लोगों का, पीलों का, शासन की कठ-पुतली नचाने के लाल फीते इन्हीं की उंगलियों में होते हैं। मिटते

हुए मध्यवर्ग के गिरते हुए प्रतिनिधि, जिनको जली रस्सी में अब भी ऐंठन दिखाई पड़ती हैं।

(प्रकाश की रेखा बाबू से हटकर पत्नी पर जाती है।)

सूत्रधार : आपका परिचय?

पत्नी : **(घबराकर)** जी? **(कंधे पर पड़े पल्ले को सर पर रखती है। साड़ी अपने चारों ओर ठीक से लपेटती है।)**

सूत्रधार : आप अपना परिचय दीजिये।

(पत्नी सूत्रधार को देखकर, उसकी तरफ पीठ करके, सर झुका के खड़ी हो जाती है।)

सूत्रधार : नारी का यह भी एक रूप है। बेजबान। यह पत्नी है। यह माँ है। इसका संसार घर की चहारदीवारी में समा गया है। फिर इन्हें तो आप स्वयं भी अच्छी तरह जानते हैं।

(प्रकाश की रेखा पत्नी से हट कर अनामी पर पड़ती है।)

सूत्रधार : तुम्हारा नाम।

अनामी : **(आश्चर्य से)** मेरा नाम?

सूत्रधार : हाँ, हाँ तुम्हारा नाम। तुम्हें आश्चर्य क्यों हो रहा है? तुम्हारा नाम क्या है?

अनामी : मेरा नाम!

सूत्रधार : क्या तुम्हारा कोई नाम नहीं है?

अनामी : मेरा नाम क्या? जिसने जो चाहा नाम रख दिया।

सूत्रधार : मैं तुम्हें किस नाम से पुकारूँ?

अनामी : जिस नाम से चाहो पुकारो। बचपन में मेरी सूरत बन्दर से मिलती थी, इसलिए अम्मा बन्दर कहती थी। मुझे भूख बहुत लगती थी लोग पेटू कहने लगे। गाँव के लोग 'बड़कू के बिटवा' कहते थे। हमारी घर वाली मुन्ने के बप्पा कहती है। शहर में मजदूरी करता हूँ। तो लोग कहते हैं–ऐय, ओय, ओ आदमी, देहाती। तुम भी कुछ नाम रख लो।

सूत्रधार : तुम्हारा कोई नाम नहीं। मैं तुम्हें अनामी कहूँगा।

अनामी : **(बीड़ी निकालते हुए)** चलो एक नाम और मिल गया। बीड़ी पिओगे?

सूत्रधार : नहीं।

अनामी : तुम बीड़ी क्यों पिओगे। तुम तो सिगरेट पीते हो।

सूत्रधार : बीड़ी पीने वाला वर्ग और सिगरेट पीने वाला वर्ग। दोनों में कितना अन्तर है। **(अनामी से)** अच्छा भाई अनामी। तुम बीड़ी पीने का पैसा कहाँ से लाते हो?

अनामी : **(क्रोध से)** तुम समझते हो—चोरी करता हूँ? अरे बाबू! दिन भर मेहनत मजदूरी करता हूँ, तब बीड़ी पीता हूँ। यह पसीने की कमाई है; हाँ। **(तैश में प्रस्थान)**

सूत्रधार : तो यह हैं हमारे नाटक के पात्र। इन्हें आपने अलग-अलग देखा। किन्तु परिवेश से कटा व्यक्ति संपूर्ण नहीं होता। उसके व्यक्तित्व की समग्रता उसके परिवेश के सन्दर्भ में ही जानी जा सकती है। तो आइये, देखें कहाँ हैं ये लोग...**(प्रस्थान)**

(पत्नी अपने मकान में कुर्सी पर बैठ कर किताब पढ़ती दिखाई पड़ती है। बीच बीच में ऊब प्रदर्शित करने के लिए वह जम्हाई लेती है। राजा अपनी कुर्सी पर जा बैठा है। कुबेर कुर्सी पर बैठा, पास खड़ी मोहिनी द्वारा दिखाये जा रहे हिसाब के कागजों को देख रहा है। पत्रकर हथेली में सिर रखे, मेज पर कोहनी टिकाये बैठा है। अनामी बीड़ी पीता हुआ दिखाई पड़ता है। केवल पत्नी को छोड़ कर अन्य सब दृश्य-इकाइयां जड़ हैं।)

(बाबू नेपथ्य से प्रवेश करके अपने घर में जाता है।)

पत्नी : **(जम्हाई रोकती हुई)** तुम आ गये?

बाबू : **(खीझकर)** तुम्हारा नाम भी लिख लिया जाये?

पत्नी : कहाँ?

बाबू : अंधों की लिस्ट में। दिखाई नहीं पड़ता। **(वितृष्णा से)** चाय लाओ।

पत्नी : लाती हूँ।

बाबू : लाती हूँ। जाने के लिए क्या सायत देखी जायेगी?

पत्नी : **(अनिच्छा से उठते हुए)** उंह! **(नेपथ्य में जाती है और चाय का प्याला लेकर लौटती है।)**

बाबू : **(चाय की चुस्की लेकर)** ज़बान जला दी।

पत्नी : थोडी ठंडी हो जाने दो।

बाबू : शक्कर तो डाली ही नहीं। बुड्ढी होने को आई, लेकिन चाय बनाना नहीं आया। कुत्ते की दुम बारह साल तक ज़मीन में गाड़े रहो, रहेगी साली टेढ़ी की टेढ़ी।

अखबार : **(दर्शकों के बीच से मंच पर चढ़ता है)** अखबार। आज की ताज़ा ख़बर। गर्मागरम खबर। मसालें-दार खबर। कड़ाकेदार खबर। अखबार। अखबार। **(दर्शकों से)** कोई अखबार लेने वाला नहीं। इस मुल्क में कुछ नया नहीं है। सब कुछ बासी हो गया है। किसी को अखबार पढ़ने में मज़ा नहीं आता। **(शिथिल स्वर में आवाज़ लगाते हुए)** अखबार। ताजी खबर। गर्मागरम .ख़बर... **(प्रस्थान नेपथ्य में)**

कुबेर : **(हिसाब की कापी देखते हुए)** क्या देखूँ? सब कुछ गलत-सलत है। **(हिसाब की कापी फेंक कर)** आखिर तुम किस मर्ज की दवा हो। मैं तो सफेद हाथी पाल रहा हूँ। **(सख्ती से)** देखिये मिस मोहिनी। मैं आपका बाप नही हूँ जो हमेशा खिलाता रहूँ। सम्हल जाओ, नहीं तो रास्ता नापती दिखाई पड़ोगी। **(मोहिनी रोती है।)**

कुबेर : **(झुंझला कर)** यह...यह क्या,? टस्सुए निकाल दिये।

मोहिनी : पहले तो तुम मुझसे कभी इस तरह नहीं बोलते थे।

कुबेर : अरे रे, चुप हो जाओ। बिजनेस का हाल देखती हो, साला बाजार तो गेंद जैसा लुढ़कता जा रहा है रसातल को। **(टेलीफोन की घंटी बजती है)** हाँ...हां ठीक है। बेच दो। ...हाँ उसे भी बेच दो। हाँ...हाँ...घाटे पर ही सही। जो भी अभी मिलता है ले लो। कल वह भी नहीं मिलेगा। **(टेलीफोन रख कर)** स्लम्प का यह हाल है। इसमें कोई कैसे दिमाग ठीक रख सकता है। **(अचानक क्रोध से चिल्लाते हुऐ)** मै कहता हूँ, बन्द करो रोना।**(मोहिनी की ओर पीठ मोड़ कर बैठ जाता है। मोहिनी आँखों को आंचल से पोंछती अपनी कुर्सी पर बैठती है। सूत्रधार टेलीफोन की घंटी बजाता है।)**

राजा : **(टेलीफोन उठा कर)** क्या? गया राम फिर गया? **(क्रोध के उबाल में)** बेईमान हैं। स्वार्थी हैं। ...आया राम को बुलाओ। **(आत्मविश्वास से)** जल्दी बुलाओ। ...नहीं आता? **(हताश डूबते स्वर)** नहीं आया? गया राम गया। आया राम नहीं आया। **(स्तम्भित सा कुर्सी पर बैठ जाता है)**

(पत्रकार मेज़ पर बैठा हिसाब में लीन दिखाई पड़ता है। नेपथ्य में टेलीप्रिन्टर चलने की आवाज़ सुनाई पड़ती है)

मैनेजर : जी सर। आपने बुलाया।

पत्रकार : मैनेजर, मैं अखबार के सर्कुलेशन की 'फिगर्स' देख रहा था। पिछले महीने जब हमने सर्कुलेशन बढ़ाने की कोशिश की तो वह बढ़ने की बजाये घट गया।

मैनेजर : सर, अखबार बिकता है .ख़बरों पर। पश्चिम के इस देश में कोई ख़बर नहीं है...

पत्रकार : मत्रिमंडल टूटने वाला है। गया राम गया, आया राम आया नहीं?

मैनेजर : यह भी कोई ख़बर है?

पत्रकार : क्यों?

मैनेजर : यह तो रोज़ ही होता है। लोग आया राम और गया राम दोनों से ही ऊब चुके हैं।

पत्रकार : एक आइडिया है।

मैनेजर : जी?

पत्रकार : तुम्हारी शादी हो गयी?

मैनेजर : होने वाली है।

पत्रकार : किससे?

मैनेजर : जिस लड़की से मैं प्रेम करता हूँ।

पत्रकार : तुम उसे ले कर भाग जाओ।

मैनेजर : जी? उसके माँ बाप शादी को राज़ी हैं।

पत्रकार : **(अपनी धुन में)** तब तो बनेगी .ख़बर!

मैनेजर : इसमें कोई नयी बात नहीं। अक्सर ही प्रेमी प्रेमिका को भगा ले जाते हैं।

पत्रकार : तब तुम किसी...तुम किसी दस ग्यारह साल की लड़की को भगा ले जाओ। मैं धारावाहिक रूप से तुम्हारे अप्राकृतिक प्रेम-प्रसंग को छापूँगा। **(विजय से)** क्यों ठीक है न?

मैनेजर : ठीक तो...लेकिन मैं जेल से डरता हूँ।

पत्रकार : तब मैं ही फांसी लगा लूँगा। तब तो बनेगी .ख़बर?

(मैनेजर दर्शकों के निकट आता है और सूत्रधार की भूमिका में हो जाता है।)

सूत्रधार : पश्चिम के इस देश में कोई ख़बर नहीं। ऐसा कुछ नहीं जिससे जीवन में उत्साह की लहर आये। सब कुछ बुझा-बुझा सा है।

गिरता हुआ व्यापार, बिखरता हुआ शासन-तंत्र, ऊँघता हुआ समाज।

पत्नी : कुछ बात करो।

सूत्रधार : **(दर्शको से होठों पर अंगुली रख कर)** शान्त **(बाबू दंपति की ओर इशारा करके)** उधर बातचीत हो रही है। **(बाबू दंपति को देखता, मंच पर एक कोने में जा बैठता है।)**

पत्नी : कुछ बात करो।

बाबू : अंऽ?

पत्नी : कुछ बात करो।

बाबू : क्या बात करूँ?

पत्नी : तुम्हारे पास कुछ बात करने को नहीं है?

बाबू : मैं क्या कहूँ?

पत्नी : ऐसे चुपचुप अच्छा नहीं लगता।

बाबू : तुम्हीं कुछ बात करो?

पत्नी : मैं क्या बात करूँ?

बाबू : तुम्हारे पास कुछ बात करने को नहीं है?

पत्नी : मैं क्या कहूँ?

बाबू : ऐसे चुपचुप अच्छा नहीं लगता।

पत्नी : मैं तो दिन भर घर पर रहती हूँ। मेरे पास क्या कहने को हो सकता है।

बाबू : **(तल्खी से)** मैं कौन सा दिन भर सैर सपाटा करता हूँ। वही दफ्तर, काम और घर वापिस।

बाबू : **(बीच मंच पर आते हुए)** हद हो गयी। पति-पत्नी के बीच बात करने के लिए कुछ बचा ही नहीं। सब कुछ ख़त्म हो गया। ऐसा लगता है इस देश में सभी चुक गये हैं। खाली बर्तन से हिलते बजते हैं।

अनामी : **(दर्शकों के बीच, प्रेक्षागृह से)** बाबू माचिस है।

सूत्रधार : अरे अनामी तुम? आओ आओ। **(अनामी मंच पर आता है।)** तुमने कुछ कहा?

अनामी : हाँ हाँ तुम्हीं से बाबू! माचिस है?

सूत्रधार : हाँ। **(जेब से निकालकर दियासलाई देता है।)**

अनामी : **(बीड़ी सुलगा कर कश लेते हुए)** मज़ा आ गया बाबू? **(जाकर अपने स्थान पर बैठता है।)**

सूत्रधार : **(आश्चर्य से, दर्शकों से)** इस देश में अब भी एक ऐसा आदमी है जिसे मजा आता है!

अनामी : **(अतीव प्रसन्नता से)** सच बाबू, मज़ा आ गया।

सूत्रधार : बीड़ी में?

सूत्रधार : नहीं।

अनामी : आज धोबियों के मोहल्ले से जा रहा था–

सूत्रधार : तो?

अनामी : वहीं एक गाना सुना। मज़ा आ गया। तुम भी सुनोगे?

सूत्रधार : सुनाओ?

अनामी : **(एक हाथ कान पर रखकर)** तेरे घाट न जाऊँ धोबिन, तेरा फिसलना घाट रे...

सूत्रधार : **(दर्शकों से)** यह पश्चिम का नहीं लगता। इसकी मस्ती इसका विनोदी स्वभाव, इसके अंतरंग से निकली हुई हंसी सब बाहर के प्रतीत होते है। यहाँ तो ऊब सत्य है। हताशा का साम्राज्य है। निराशा की प्रतिष्ठा है। **(नेपथ्य में दूर से तोप छूटने की आवाज़ होती है। उसके साथ ही साहक्लोरामा तमाम अखबरों के चित्रों से भर जाता है।)**

सूत्रधार : सुना आपने? दूर कहीं बहुत दूर, तोप से कुछ गोले छूटे। कुछ बम फूटे। कुछ धर गिरे, कुछ जाने गयीं। उत्तर ने कहा दक्षिण ने पहले आक्रमण किया। युद्ध प्रारम्भ हो गया। **(अख़बार वाले के स्वर में)** अख़बार। अख़बार। आज की ताजा ख़बर। गर्मागरम ख़बर। गर्मागरम ख़बर। उत्तर और दक्षिण में पटका पटकी। मसालेदार ख़बरें...**(बाबू, पत्नी, राजा, कुबेर और मोहिनी अख़बार वाले के पास दौड़ते आते है, और अख़बार लेकर पढ़ते हुए अपने-अपने स्थान पर जाते हैं।)** अरे वाह! **(दर्शकों से)** आज तो सब बिक गये।

पत्रकार : अभी क्या है! अख़बार तो अब बिकेगें। लड़ाई कुछ दिन चलने तो दो। **(प्रसन्नमुख अपनी कुर्सी पर बैठता है।)**
(बाबू दम्पति वार्तालाप में मगन होने का मूक अभिनय करते हैं।)

सूत्रधार : अरे वाह, कहाँ तो इन दोनों में बोल-चाल बन्द थी, अब इस तरह घुट रही है। **(टेलीफोन की घंटी बजाता है।)**

कुबेर : **(टेलीफोन उठाकर)** हाँ, हाँ मैं कुबेर बोल रहा हूँ।... खरीद लो...उसे भी खरीद लो...उसे भी। जो मिले सब खरीद लो.. सब ख़रीद लो। **(टेलीफोन उठा कर)** मोहिनी...मोहिनी डियर!

मोहिनी : कुबेर डार्लिंग।

(दोनों एक दूसरे को मुग्ध दृष्टि से देखते हैं।)

(राजा मंच के मध्य-स्तर पर आ कर खड़ा होता है।)

राजा : **(भाषण के स्वर में)** मेरे अपने भाइयों! **(सब अभिनेता उसके सामने श्रोताओं के समान बैठ जाते हैं।)** आज उत्तर और दक्षिण लड़ रहे हैं। इसका यह मतलब नहीं कि हम ख़तरे से दूर हैं। यह लड़ाई, कभी भी यहाँ, पश्चिम में भी, हमारे घर पर, हमारे दरवाज़े चौखट पर, हमारे चक्की चूल्हे में, आ सकती है। यह ख़तरे का वक्त है। इस समय ज़रूरत है एकता की। अगर आप अपनी ज़िन्दगी चाहते हैं, अपनी स्त्रियों को सिपाहियों के हाथ पड़ने से बचाना चाहते हैं, तो देश की संकट की घड़ी में, देश की रक्षा में, मेरा साथ दीजिये। आपके लिए, देश के लिए मैं वृद्ध सभा भंग करके अपने आपको तानाशाह नियुक्त करता हूँ। **(फौजी टोपी उठाकर पहनता है।)**

(दर्शकों के पीछे से ताली की गड़गड़ाहट सुनाई पडती है। साईक्लोरामा के अख़बारों को काँटेदार तार घेर लेते हैं। दर्शकों के पीछे से जनता का समवेत स्वर सुनाई पड़ता है–राजा जिन्दाबाद।' नारे रुकने पर राजा मूक अभिनय करता हुआ झंडा फहराता है। नेपथ्य से तोपों की सलामी की आवाज़ सुनाई पड़ती है। मार्च-पास्ट करती हुई फ़ौजी टुकड़ी के कदमों की आवाज़ सुनाई पड़ती है। राजा सलामी लेता है। तब ही सायरन बजता है। मंच पर अंधेरा छा जाता है। हवाई ज़हाज़ों के उड़ने की आवाज़ वातावरण को भर देती है। सूत्रधार जहाँ है,वहीं ज़मीन पर लेट जाता है। कुबेर मोहिनी को खींचता हुआ मेज़ के नीच ले जाता है। राजा अपनी कुर्सी पर बैठता है। बाबू दम्पति अपनी जगह लेट जाते हैं। पत्रकार मेज़ के ऊपर लेट जाता है। अनामी खड़े होकर आसमान को देखता

है। स्पाट-लाईट, सर्चलाईट के समान मंच पर इधर-उधर घूमती है। फिर सायरन बजता है। मंच पूर्ववत् प्रकाशित हो जाता है। हवाई जहाज की आवाज़ बन्द हो जाती है। बाबू दम्पति पूर्ववत् बैठ जाते हैं राजा उठ कर कुबेर के कमरे में जाता है और कुबेर, मोहिनी, राजा, तीनों मेज़ के चारों ओर बैठते हैं। पत्रकार फिर से काम पर बैठ जाता है।)

सूत्रधार : **(उठ कर, अनामी से)** तुम जमीन पर क्यों नहीं लेटे?

अनामी : यह सब क्या तमाशा है?

सूत्रधार : सिविल डिफेंस ट्रेनिंग।

अनामी : क्यों?

सूत्रधार : तुम्हें यह भी नहीं मालूम?

अनामी : नहीं।

सूत्रधार : **(दर्शकों से)** पश्चिम में ऐसे भी लोग है। **(अनामी से)** फिर तुम्हें यह भी नहीं मालूम होगा कि आज से नया साल शुरू हो रहा है। **(अनामी अस्वीकार में सिर हिलाता है।)**

(तब ही राजा, कुबेर और मोहिनी ज़ोर से हँसते हुए उठ खड़े होते है। तीनों ने शराब पी रखी है। तीनों के कदम शराब से लड़खड़ा रहे हैं।)

राजा : बहुत पिला दी तुमने कुबेर!

कुबेर : सरकार कुछ भी तो नहीं पी आपने।

राजा : बहुत पिला दी।

कुबेर : **(घड़ी देखकर)** नया साल तो अब शुरू हुआ है। नये साल की खुशी में एक-एक पैग और हो जाये हुजूर।

राजा : **(मोहिनी से)** एक पैग और?

मोहिनी : हाँ, क्यों नहीं।

राजा : **(मोहिनी से)** तुम कहती हो मेरी जान, तो एक पैग और सही।

कुबेर : **(पुकार कर)** बेयरा। **(बेयरा प्रवेश करता है।)** तीन जगह एक एक पैग और लाओ। ह्विस्की और जिन का कॉकटेल।

मोहिनी : एक नहीं, दो दो पैग।

राजा : दो?

मोहिनी : एक नये साल की खुशी में, एक पुराने साल के गम में।

राजा : ही...ही...ही...खूब मेरी बुलबुल खूब! खुशी में भी पिओ, और गम में भी। खूब मेरी मैना।

कुबेर : दो-दो पैग।

बेयरा : जो हुकुम। **(प्रस्थान)**

राजा : **(मोहिनी को देखकर)** मेरी जान को एक में मज़ा ही नहीं आता।

कुबेर : मुझे तो चक्कर आ रहा है।

राजा : घन चक्कर! ही! ही! ही!

(कुबेर पेट पकड़ कर हिचकी लेता है और कुर्सी पर लेट जाता है।)

राजा : मेरी कबूतरी।

(मोहिनी हँसती है।)

राजा : इधर आ मेरी कबूतरी!

मोहिनी : आप कौन हैं? कबूतर!

राजा : अरी आ न, आ चोंचें लड़ाये।

(मोहिनी राजा के निकट धीरे-धीरे आती है, तब ही बेयरा प्रवेश करता है। उसके हाथ में शराब के प्यालों सहित तश्त है। वह राजा और मोहिनी के एकदम बीच में आ जाता है।)

बेयरा : साहब!

राजा : **(क्रोध के विस्फोट से)** साहब का बच्चा! निकल जा **(हाथ मारकर तश्त गिरा देता है। शराब मोहिनी पर उछल कर गिर पड़ती है।)**

मोहिनी : **(उछलकर दूर होती हुई)** उई ममी। **(साड़ी की शराब झाड़ती हुई)** सारी शराब गिरा दी।

राजा : ग़म किस बात का! तुम तो खुद ही शराब हो। **(बेयरा का नेपथ्य में प्रस्थान)** मेरी लाल परी, तुम्हें तो देखकर ही नशा आ जाता है। **(सूंघते हुए)** क्या महक है! शराब की महक है...या शबाब की? नजदीक आओ। और...और... **(मोहिनी धीरे-धीरे राजा के फैले निमंत्रित करते हाथों की ओर बढ़ती है)** और नज़दीक '''आओ न मेरी प्यारी ''''मेरी रानी। **(कुबेर एक बड़ी हिचकी लेता हुआ मोहिनी और राजा के बीच जा खड़ा होता है, और शराब की लम्बी हिचकी लेता है। फिर**

लौटकर अपनी कुर्सी पर लुढ़क जाता है। राजा बाधा से रुष्ट होकर कुबेर को देखता है, फिर अचानक पेट पर हाथ रखकर नेपथ्य में जाता है।)

कुबेर : **(उठकर)** कहाँ गया चपड़कनाती?

मोहिनी : बाथरूम।

कुबेर : **(स्वतः)** पांच मिनट तो बेटा पेट में रख नहीं पाते, बनते हैं तीरंदाज़। **(मोहिनी से)** हरामजादी, आ गयी अपनी जात पर!

मोहिनी : ठीक से बात करो।

कुबेर : गिर पड़ी मुँह फाड़कर। कुतिया कहीं की। **(मोहिनी कुबेर के गाल पर थप्पड़ मारती है। एक क्षण रुक कर कुबेर अपना गाल सहलाता है।)**

कुबेर : बस राजा ने कह दिया मेरी कबूतरी, मेरी बुलबुल, तो निकल आये पंख हमारी छमक छल्लो के। उड़ने लगी आसमान पर। शरम नहीं आती।

मोहिनी : मैं तुम्हारी बीवी नहीं हूँ।

कुबेर : मैं कब कहता हूँ, तू मेरी बीवी है। तू तो मेरी माँ है, तो सुनिये माता जी, वह राजा है राजा। आप जैसी उसके पास सैकड़ों हैं। वह हर रात एक बदलता है।

मोहिनी : **(उपेक्षा से)** उंह!

कुबेर : मेरी सलाह मान। सब कुछ तू पहले ही लुटा देगी तो देगा वह अंगूठा। उसे तो ललचा। कभी डोर खींच तो कभी ढील दे।**(हाथों से पंतग उड़ाने का अभिनटन करते हुए)** ऐसे...ऐसे... हाँ।**(राजा के आने की आहट)** वह शायद आ रहा है। मैं लेटता हूँ। **(पहले के समान वह कुर्सी पर लेट जाता है।)**

राजा : **(विनोद में, कुबेर को इंगित करके)** फिर लुढ़क गया?

मोहिनी : शायद मर गया।

राजा : मर तो हम गये हैं। आज तो नाच दिखाओ मेरी जान। नये साल की खुशी में नाच दिखाओ। सलोमी की तरह नाचो। एक एक कर सात पोशाक उतारो।

मोहिनी : **(आमोदित)** मैं तो सात पोशाकें नहीं पहने हूँ।

राजा : तब तो और अच्छा। मामला जल्दी निपटेगा। ...देखें **(मोहनी की तरफ बढ़ता है।)**

मोहिनी : **(लुभाती हुई)** दूर से सरकार...दूर से...**(मोहिनी राजा को ललचाती हुई, लुभाती, हँसती भागती है। राजा विक्षिप्त सा मोहिनी के पीछे भागता है। कुबेर एक आँख दबाकर स्वीकृति में सर हिलाता है। तब ही राजा गिर पड़ता है लेकिन भागती हुई मोहिनी का पैर पकड़ लेता है। तब ही दृश्य हो जाता है।)**

सूत्रधार : **(प्रवेश करके)** इसमें आश्चर्य क्या! सदा से ही राजाओं के दर्प का मर्दन नितंबिनी के माप 35-22-36 ही करते है।

(कुबेर उठकर नाक की नोक पर चश्मा लगाता है, फिर मोहिनी और राजा के जड़ दृश्य को देखता है। एक क्षण का मौन। फिर राजा उठकर कुबेर से हाथ मिलाकर उसे अपने गले से लगाता है। फिर दोनों मोहिनी के सामने घुटनों के बल बैठ जाते है। मोहिनी अतीव आह्लाद से दोनों की तरफ वरदान देता सा एक-एक हाथ बढ़ाती है। चित्र जड़ हो जाता है।)

सूत्रधार : वाह क्या दृश्य है।**(दर्शकों से)** अब देखना यह है कि मोहिनी किसे अमृत रस देती है और किसे सूखी मुस्कान। **(जैसे अचानक याद आया)** अरे हाँ, आप को जान कर खुशी होगी कि उत्तर को ऊनी कपड़े देने का ठेका सरकार से कुबेर को मिल गया है। दक्षिण को गेहूँ देने का एक मात्र ठेका, वह भी कुबेर को मिल गया है। और...और कुबेर ने अपनी अपार सम्पत्ति का एक नगण्य भाग राजा को भेंट किया जिसे उसने स्वीट्जरलैण्ड के बैंक में अपने भविष्य के बीमे के रूप में जमा कर दिया। ...और मोहिनी, वह तो अब धन और सत्ता दोनों के स्वामियों की महिषी है। ...**(दर्शकों से)** जैसे इनके दिन फिरे, भगवान करे आप सबके दिन फिरें।

(अनामी को खांसी का दौरा आता है। मोहिनी बीच मेज़ पर बैठती है। उसके दोनों ओर कुर्सी पर राजा और कुबेर बैठते हैं।)

सूत्रधार : **(अनामी के पास जाकर)** तुम तो बीमार हो?

अनामी : दो महीने से तबियत ख़राब है बाबू। हल्के-हल्के खांसी आती थी, अब तो बेदम कर देती है।

सूत्रधार : इसका इलाज क्यों नहीं करते?

अनामी : इलाज?

सूत्रधार : हाँ...

अनामी : बाजार में तो जैसे आग लग गयी है। हर चीज़ बाबा मोल हैं। ऐसे में पहले पेट भरें कि इलाज करें? **(खांसी का दौरा)** पेट भी कहाँ भर पाता है।

सूत्रधार : इसकी बात समझ में नहीं आती। जिस गति से कुबेर अपना उद्योग साम्राज्य बढ़ा रहा है, जिस गति से राजा का स्विट्जरलैण्ड में बैंक बैलेन्स बढ़ रहा है, जिस तरह छोटे बाबू के घर में बड़ा रेफ्रीजरेटर, टीवी कार, एसी, आ रहे हैं, उससे तो यही लगता है कि पश्चिम में दूध और घी की नदियाँ बह रही हैं। फिर इसे दो वक्त का खाना नहीं जुट पाता? इसकी बात समझ में नहीं आती!

(बाबू का शराब के नशे में धुत्त 'नजर लागी राजा तोरे बंगले पर' गाते हुए प्रवेश। पत्नी आते हुए बाबू को देखती खड़ी हो जाती है। पत्नी पर निगाह पड़ते ही उसका गाना बन्द हो जाता है।)

पत्नी : आज तुमने फिर शराब पी है?

बाबू : फिर? मैं किस दिन नहीं पीता?

पत्नी : मेरे मना करने पर भी?

बाबू : तू किस दिन मना नहीं करती?

पत्नी : मैंने कहा था कि तुम अगर अब पिओगे तो मैं घर छोड़ कर चली जाऊँगी।

बाबू : धमकी न दें।

पत्नी : यह धमकी नहीं है?

बाबू : अच्छा भला सुरूर था। तेरा चेहरा देखते ही सब बदमज़ा हो गया। जी मचलाने लगा।

पत्नी : तुम सुधर नहीं सकते।

बाबू : क़ै करने की तबियत होती है। **(क़ै करने का अभिनटन करता है।)**

बाबू : जायेगी कहाँ? कौन तेरा आशिक बैठा है।

पत्नी : बेइमानी के पैसे ने तेरी मत भरमा दी है।

बाबू : **(कुर्सी उठाकर मारने को तानते हुए)** हरामी की पिल्ली, खोपड़ी फोड़ दूँगा। बेइमानी का पैसा! तू तो जैस मन्दिर की देवी है। **(कुर्सी ज़मीन पर रख देता है।)**

पत्नी : मैं तुम्हारी तरह बेइमान नहीं हूँ।

बाबू : तूने मेरे साथ बेइमानी का पैसा नहीं खाया? तेरे खून में बेइमानी का पैसा है।

पत्नी : मैंने तुम्हें हमेशा मना किया। मैं अब और नहीं खाऊँगी।

बाबू : नहीं खायेगी तो भूखों मर।

पत्नी : मैं भूखों नहीं मरूँगी। मैं पढ़ी लिखी हूँ।

बाबू : साली पढ़ाई का नक्शा मारती है। मेरे घर में रहना है तो तू नौकरी नहीं कर सकती।

पत्नी : मैं नौकरी करूँगी।

बाबू : तो तुझे यह घर छोड़ना पड़ेगा।

पत्नी : **(दृढ़ता से)** मैं नौकरी करूँगी।

बाबू : तो खड़ी क्यों है? निकल जा मेरे घर से ''निकल'' निकल। **(हाथ पकड़ता हुआ घर से बाहर निकालता है। फिर दरवाज़े बन्द करने का अभिनटन करता है, और वापिस अपनी कुर्सी पर निढाल आकर गिरता है। पत्नी नेपथ्य में चली जाती है। बाबू कै करने का अभिनटन करता है)**

सूत्रधार : पति पत्नी के झगड़े पर कुछ न कहा जाये, तब ही श्रेष्ठ है। बाबू की कै ने वातावरण में दुर्गन्ध भर दी है। **(अनामी खांसता है।)** अनामी की खाँसी बन्द नहीं होगी...देखिये बातों में पता ही नहीं लगता कि समय किस तीव्र गति से बीतता है। आप को अनुभव हुआ कि युद्ध प्रारम्भ हुए दो वर्ष व्यतीत हो गये?

(सूत्रधार टेलीफोन की घंटी बजाता है।)

मोहिनी : **(टेलीफोन उठाकर)** कौन राजा जी?... हाँ हैं, देती हूँ उनको। **(कुर्सी पर सोते हुए राजा को जगाकर)** आप का टेलीफोन।

राजा : **(फोन पर)** हाँ हाँ सेक्रेटरी, वहीं आ जाओ, हमारे महल में। **(राजा चिन्तातुर दिखाई पड़ता है। वह कुबेर और मोहिनी को मूक अभिनटन द्वारा कुछ बताता है। वे भी चिन्तातुर हो जाते है।)**

सूत्रधार : **(दर्शकों से राजा की ओर इंगित करके)** उधर मामला कुछ संगीन लगता है।

(राजा कुबेर के कमरे से चलकर अपने कमरे में आता है)

सेक्रेटरी : **(प्रवेश करके)** मैं आ गया सर।

राजा : सेक्रेटरी, हम एक एक को कुचल देंगे। क्या समझते हैं हमको!

सेक्रेटरी : आपके सबसे अधिक विश्वासपात्र सहयोगी ही विरोधी-दल में जा रहे हैं।

राजा : हमने उन्हें ज़मीन से उठा कर आसमान पर टाँका, और अब हमारे ही ख़िलाफ सिर उठा रहे हैं। हम एक-एक का सिर धड़ से अलग कर देंगे।

सेक्रेटरी : उनका कहना है कि आपके राज में बोलने की स्वतन्त्रता नहीं है। प्रेस आजाद नहीं है।

राजा : एहसान फ़रामोश।

सेक्रेटरी : वह तानाशही हटा कर फिर से प्रजातंत्र स्थापित करना चाहते हैं।

राजा : हमें कोई नहीं हटा सकता।

सेक्रेटरी : उनका चार्ज है कि आपके राज्य में केवल भ्रष्ट कर्मचारी ही पनपे हैं। आपने उनका पोषण किया है।

राजा : झूठ है।

सेक्रेटरी : **(अपनी सफाई में)** यह तो लोग कहते हैं।

राजा : हमसे साफ़ साफ़ बताओ...

सेक्रेटरी : **(संशय से)** जी।

राजा : असली बात क्या है?

सेक्रेटरी : **(निर्बोधता से)** मैं क्या जानूं। मैं तो वही जानता हूँ जो मैं सुनता हूँ।

राजा : तुम छिपा रहे हो।

सेक्रेटरी : भगवान की कसम—नहीं नहीं, आपके कदमों की कसम।

राजा : डरो नहीं। हम सही बात जानना चाहते हैं।

सेक्रेटरी : **(आश्चर्य-चकित सा)** सही बात!

राजा : हाँ! आखिर विरोधी-दल की यह हिम्मत कैसे पड़ी?

सेक्रेटरी : अगर सरकार वाकई सच बात जानना चाहते हैं, तो...

राजा : ...हाँ...हाँ कहो।

सेक्रेटरी : जनता आपके विरुद्ध हो गयी है।

राजा : जनता! यह किस चिड़िया का नाम है?

सेक्रेटरी : एक बहुत ही बेवकूफ जानवर है।

राजा : फिर उससे डर कैसा?

सेक्रेटरी : लेकिन बहुत ही खतरनाक है।

राजा : बेवकूफ भी और खतरनाक भी?

सेक्रेटरी : जब तक जनता सोती है तब तक सब कुछ ठीक है। लेकिन जहाँ एक बार जागी—बाँध तोड़ कर हरहराते पानी को देखा है, उसके सामने जो भी पड़ता है, उसे बहा ले जाता है। कोई उसके आगे नहीं टिक सकता। ऐसी ही है जनता!

राजा : आज तक तो कभी इस जानवर का नाम नहीं सुना।

सेक्रेटरी : **(टटोलते हुए)** कभी नहीं?

राजा : **(सोचते हुए)** कभी नहीं। राजा होने के बाद तो कभी नहीं सुना। पहले शायद सुना हो ...उसका याद नहीं।

सेक्रेटरी : कुबेर ने कभी ज़िक्र नहीं किया?

राजा : **(निश्चय से)** कभी नहीं। न कुबेर ने, न बाबू ने, न मोहिनी ने, और न उस पत्रकार ने। किसी ने ज़िक्र नहीं किया।

सेक्रेटरी : ठीक किया उन लोगों ने। राजा को जनता से क्या मतलब?

राजा : तो यह विरोधी दल के लोग जनता की ही ताकत पर कूद रहे हैं?

सेक्रेटरी : उसकी ताकत क्या कम है?

राजा : आखिर यह जनता है क्या?

सेक्रेटरी : क्यों?

राजा : अगर उसमें इतनी ताकत है तो हम उससे मिलेंगे।

सेक्रेटरी : किस लिए?

राजा : अगर विरोधी दल अपनी तरफ कर सकता है, तो हम उससे मिल कर उसे अपनी ओर कर लेंगे।

सेक्रेटरी : बहुत खूब।

राजा : है न बढ़िया तरकीब?

सेक्रेटरी : क्या कहने हैं। महाराज यह सब आपकी बुद्धि का ही चमत्कार है।

राजा : **(हताश स्वर में)** लेकिन यह जनता मिलेगी कहाँ?

सेक्रेटरी : सब जगह...

राजा : सब जगह?

सेक्रेटरी : जी हाँ। राज महल के बाहर सब जगह।

राजा : **(चिन्ता से)** तो जनता से मिलने हमें राजमहल के बाहर जाना होगा?

सेक्रेटरी : हाँ महाराज

राजा : वहाँ...वहाँ तो सूरज है!

सेक्रेटरी : बड़ा कठिन है उसे सहन करना?

राजा : बिना एयर कंडीशनर के, बेशक।

सेक्रेटरी : बाहर धूल भी है।

राजा : **(जैस दम घुट रहा हो)** मैं साँस कैसे लूँगा?

सेक्रेटरी : **(सहानुभूति से)** नहीं ले पायेंगे साँस।

राजा : हमारी लाश ही गिर जायेगी वहाँ...

सेक्रेटरी : **(काटते हुए)** वहाँ गन्दगी में।

राजा : **(चौंक कर)** क्या वहाँ गन्दगी भी है?

सेक्रेटरी : बेहद। कूड़ा-करकट, कीड़े मकौड़े, सड़ी हुई तरकारियां, फलों के छिलके, गर्द, कीचड़, मल, विष्टा, फुजला...

राजा : नहीं,नहीं हम ऐसी जगह नहीं मरेंगे। हम तो...

सेक्रेटरी : **(नकल करता सा)** राज महल में, राज-सिंहासन पर ही...

(राजा कड़ी निगाह से देखता है। सेक्रेटरी घबराकर चुप हो जाता है।)

राजा : **(निश्चय से)** हम फिर भी राज महल के बाहर जायेंगे।

सेक्रेटरी : **(चपरासी से)** इतिहास लिखेगा कि पहली बार एक राजा राजमहल छोड़कर बाहर आया।

राजा : हमें जनता से मिलना है।

सेक्रेटरी : ठीक ही है।

राजा : **(आशँकित)** 'ही' है? मतलब?

सेक्रेटरी : **(सफाई में)** ठीक है। एकदम ठीक है।

राजा : **(दोहराते हुए)** ठीक ही है! यह 'ही' क्यों?

सेक्रेटरी : अच्छा ही है कि आप जनता से मिलने राजमहल के बाहर जा रहे हैं। अगर जनता राजमहल में घुस आती है तो... **(कहते कहते रुक जाता है।)**

राजा : तो?

सेक्रेटरी : राजा को राजमहल के बाहर जाना पड़ता है—अपनी जान बचाने।

राजा : अगर हम राजमहल के बाहर भी जायें तो जनता को पहचानेंगे कैसे?

सेक्रेटरी : बड़ा आसान है यह तो।

राजा : तुम उसका हुलिया बता सकते हो?

सेक्रेटरी : उसके लाखों मुँह हैं।

राजा : **(विस्मित सा)** अच्छा?

सेक्रेटरी : और करोड़ों हाथ भी हैं।

राजा : हाथ भी?

सेक्रेटरी : पेट उसका फिर भी खाली है।

राजा : क्यों?

सेक्रेटरी : क्योंकि उसके पास खाने को रोटियां नहीं है।

राजा : रोटियां नहीं है, तो चावल खायें, गोश्त खायें, मेवे खायें, फल खायें। कुछ और खायें। इससे उसकी तन्दुरूस्ती अच्छी रहेगी। दूध पियें।

सेक्रेटरी : आप जनता से मिलें, तो उसे जरूर यह सलाह दीजियेगा।

राजा : जनता की कुछ और पहचान बता सकते हो?

सेक्रेटरी : जनता मौसम बिलकुल बर्दाश्त नहीं कर पाती।

राजा : नाज़ुक है?

सेक्रेटरी : बेहद सुकुमार। ज़रा गर्मी ज्यादा पड़ जाये तो वह लू से मर जाती है। ज़रा सर्दी ज्यादा हो जाये, तब भी वह मरने लगती है।

राजा : पहनावा?

सेक्रेटरी : बहुत कम कपड़े।

राजा : 'फैशनेबल' है।

सेक्रेटरी : उसके सिर पर सिर्फ़ तारों भरा आसमान है।

राजा : रोमाण्टिक!

सेक्रेटरी : यहाँ वहाँ वह आँख बन्द किये, कान बन्द किये, भेड़ सी नारे लगाती, कभी इस झंडे के पीछे, कभी उस झंडे के पीछे भागती फिरती है।

राजा : **(विश्वास से)** तब आज से जनता हमारे झंडे के पीछे भागेगी। हमारा झंडा जनता का झंडा होगा। **(दर्शकों की तरफ बढ़ते हुए)** इतिहास, देखो और दर्ज करो अपने रजिस्टर में, हम जनता से मिलने राजमहल के बाहर जा रहे हैं।

सेक्रेटरी : ठहरिये महाराज। **(राजा प्रश्न सूचक दृष्टि से देखता है।)** साउंड इफ़ेक्ट। **(चापलूसी में खींसे निपोरता है।)**

(नेपथ्य से तुरही की आवाज़ आती है, फिर बैंड की। उस पर शैली-बद्ध चाल से चलता राजा, और उसके पीछे चलता सेक्रेटरी राजमहल के बाहर आते है)

राजा : **(अधीरता से)** लो हम तो आ गये राजमहल के बाहर। कहाँ है जनता?

सेक्रेटरी : अभी यहीं आती होगी।

राजा : ओफ़, यह तपीश, यह गर्द-गुबार, यह बदबू। हमसे तो ज्यादा देर नहीं खड़ा रहा जायेगा। यहाँ धूप तो भून ही देगी हमें।

सेक्रेटरी : आप मेरी परछाई में खड़े हो जाइये।

(राजा सेक्रेटरी की आड़ में ऐसे खड़ा होता है, जैसे पेड़ के पीछे शिकार के इन्तज़ार में शिकारी। तब ही अनामी कमज़ोर कदमों से बीच मंच पर आता है।)

सेक्रेटरी : **(फुसफुसाते हुए)** यही है जनता।

(राजा कूद कर उसके सामने आता है। तीव्र स्वर में चीख़ता है–'जनता'। अनामी घबरा कर गिर पड़ता है। सूत्रधार नेपथ्य में चला जाता है।)

राजा : **(जैस रटे शब्दों को तीव्र गति से दोहराते हुए)** हम राजा है। हम तुम्हें जानते है। तुम जनता हो, तुम्हारे करोड़ों मुँह और करोड़ों हाथ हैं, लेकिन पेट खाली है। तुम्हारे पास धूल है, धूप है, गन्दगी है, नंगदी है, बीमारी है, मौत है।

(अनामी पर एक पैर रख कर) हम इन सबके सामने, हम पश्चिमी देश के राजा वादा करते हैं कि तुम को रोटी देंगे, कपड़ा देंगे, फूल देंगे, सुगन्ध देंगे। **(अनुनय से)** तुम मुझे सिर्फ एक चीज़ दे दो। सिर्फ एक चीज़।

अनामी : **(विमूढ़ता)** क्या?

राजा : **(अनामी का कालर पकड़ कर उठाते हुए)** अपनी निशानी।

अपनी यह कमीज़। हम इसे अपने झंडे में लगायेंगे। **(करीब-करीब जबर्दस्ती उतारते हुए)** रोटी देंगे, रोटी देंगे...रोटी देंगे। **(कमीज़ उतारकर भागता हुआ अपने कमरे में जाता है। अपने कमरे में आकर, सफलता से प्रसन्न राजा अपनी कुर्सी में लगे डंडे में अनामी की कमीज़ झंडे की तरह लगाकर कुर्सी पर बैठता है।)**

अनामी : रोटी ओटी तो दी नहीं, एक कमीज़ भी उतार ले गये।

(जाकर अपने स्थान पर बैठता है)

(थोड़ी देर बाद सूत्रधार रेडियो-उद्घोषक की भूमिका में राजा के कमरे के सामने जाता है।)

रेडियो उ. : **(प्रवेश करके)** मैं रेडियो स्टेशन से आया हूँ। सर मैं अन्दर आ जाऊँ।

राजा : हाँ।

(रेडियो-उद्घोषक टेपरिकार्डर मेज़ पर लगाता है।)

रेडियो उ : **(माइक्रोफोन में)** यह पश्चिमी रेडियो है। आज देश की इस संकट की घड़ी पर हम अपने पिता-तुल्य राजा से हाथ जोड़ कर विनती करते हैं कि वह हमारा मार्गदर्शन करें।

(माइक राजा के मुँह के सामने करता है।)

राजा : **(माइक्रोफ़ोन पर)** हमारी जनता को कुछ लोग भड़का रहे हैं। **(अनामी को खांसी का दौरा आता है।)** मैं जानता हूँ कि इसमें हमारे विदेशी दुश्मनों का हाथ है। हम जनता से अपील करेंगे कि अगर वह अपने देश को आज़ाद रखना चाहते हैं, विदेशी दुश्मनों के हाथों अपनी आज़ादी खोना नहीं चाहते, जो किसी भी वक़्त हम पर हमला करने को तैयार हैं, तो अपने हित-चिन्तक राजा को पहचानें। हम जनता के लिऐ ही राजा बने हैं। हम जनता के सेवक हैं। हमारा झंडा जनता का है। हमारा बाना जनता का है। हमारा नारा जनता का है। अपने सेवक को पहचानिये। जय जनता।

(अनामी को खांसी का दौरा आता है। रेडियो-कर्मचारी टेप-रिकार्डर लेकर नेपथ्य में जाता है।)

बाबू : **(चौंककर उठ बैठता है)** क्या? इनक्वायरी! मेरे खिलाफ इनक्वायरी!!

(अनामी खांसता है। नेपथ्य से सेनापति आता है।)

सेनापति : **(राजा के कमरे में प्रवेश कर के)** मुझे बुलाया?

राजा : आओ आओ सेनापति! तुमने सुना, यह सिरफिरे बग़ावत पर उतारू है।

सेनापति : मुझे मालूम है...

राजा : इस मौक़े पर जब कि हमारे दुश्मन हम पर हमला करने वाले हैं।

सेनापति : जनता को दुश्मन के ख़तरे की दुहाई देकर और बेवक़ूफ बनाना मुश्किल है।

राजा : **(कठोरता से)** सेनापति!

सेनापति : कुछ लोगों को कुछ दिन बेवक़ूफ बनाया जा सकता है। सब को सब दिन बेवक़ूफ बनाना आसान नहीं।

राजा : हम चाहते हैं, तुम इस बग़ावत को कुचल दो।

सेनापति : मैं अपनी तरफ़ से कोई कसर नहीं उठा रखूँगा।

राजा : **(एक दम प्रसन्न हो कर, सेनापति से हाथ मिलाते हुए)** गुड। तुम मेरे दोस्त हो। हम हमेशा तो राजा रहेंगे नहीं। हमारे बाद तुम्हीं राजा होना।

(सेनापति की कमर में हाथ डाल कर राजा उसको दरवाज़े तक पहुँचाता है, फिर लौट कर अपनी कुर्सी के पास हवा में दाहिने हाथ की मुट्ठी तान कर खड़ा हो जाता है। नेपथ्य में नारे सुनाई पड़ते हैं–"राजा मुर्दाबाद"! "हमारी आज़ादी वापस दो!" "राजा मुर्दाबाद"! गोली चलने की आवाज़ और भाग-दौड़ का शोर। फिर एकदम शान्ति। राजा विजय की मुस्कान लिए अपनी कुर्सी पर बैठ जाता है।)

सूत्रधार : **(नेपथ्य से प्रवेश कर के)** जनता के विद्रोह को सिपाहियों ने कुचल दिया। सिपाहियों ने नहीं, उनकी गोलियों ने। सिर्फ दस आदमियों की जान गयी और इकसठ घायल हुए।

(बाबू बदहवास सा भागता कुबेर के कमरे पर जाता है। सूत्रधार कुबेर के चपरासी की भूमिका में उसे कुबेर के कमरे में जाने से रोकता है।)

चपरासी : अरे रे, कहाँ घुसे जा रहे हो?

बाबू : मैं बड़े दफ़्तर का छोटा बाबू हूँ।

चपरासी : तुम छोटे दफ़्तर के बड़े बाबू भी हो तो मुझ से क्या!

बाबू : सेठ साहब हैं?

चपरासी : नहीं।

बाबू : **(अनुनय से)** देखो, मुझे उनसे बड़ा जरूरी काम है।

चपरासी : होगा।

बाबू : मैं उनके पास अक्सर आया जाया करता हूँ। मुझे पहचानते होंगे?

चपरासी : मैं किसी मिलने वाले को नहीं पहचानता।मैं तो उनके दिल को पहचानता हूँ!

बाबू : दिल?

चपरासी : यही, कितना बड़ा दिल है। खड़े क्या देख रहे हैं। जाइये साहब। ...न जाने कहाँ से नंगे कंजूस चले आते हैं। जेब में पचास रूपये का नोट भी नहीं और मिलेंगे करोड़पति सेठ से।

बाबू : मेरी जेब में सौ रूपये का नोट...

चपरासी : देखूँ कैसा है। **(बाबू नोट देता है।)** तुम तो बड़े बाबू लगते हो। देखूँ, शायद सेठ साहब घर में ही हों **(दर्शकों से)** माफ़ कीजियेगा। यह रिश्वत नहीं है। बड़ी ड्योढ़ी की छोटी दस्तूरी है। **(चपरासी सेठ के कमरे में जाता है।)**

चपरासी : **(कुबेर से)** बड़े दफ्तर का बड़ा बाबू है।

कुबेर : कह दो, मैं घर में नहीं हूँ।

चपरासी : **(बाहर आकर)** सेठ साहब कहते हैं, कह दो घर में नहीं हूँ।

बाबू : तब?

चपरासी : **(आँख मार कर)** खड़े खड़े मुँह क्या देखते हो। घुस जाओ अन्दर।

(बाबू अन्दर घुसता है।)

चपरासी : **(बाबू को रोकने का नाटक करते हुए)** अरे रे, ज़बर्दस्ती घुस गये।

(कुबेर के सामने बाबू और उसके पीछे-पीछे चपरासी पहुँचता है।)

बाबू : सेठ साहब मैं मर गया। **(दहाड़ मार कर रोता है।)**

(कुबेर और मोहिनी एक दूसरे को देखते हैं)

चपरासी : ज़बरदस्ती घुस आया।

कुबेर : चपरासी तुम बाहर जाओ। **(चपरासी बाहर निकल कर नेपथ्य में चला जाता है।)**

बाबू : सेठ साहब, मेरी बीबी ने आत्महत्या कर ली। मैं भी आत्म-हत्या करने जा रहा हूँ।

कुबेर : क्यों?

बाबू : यहीं, आपके सामने फांसी लगाऊँगा।

मोहिनी : उई ममी, क्या कहते हो?

बाबू : **(रोते हुए)** सेठ जी, जब पूरी ज़िन्दगी आपका नमक खाया, तो मौत भी आपके सामने हो।

कुबेर : आखिर मामला क्या है?

बाबू : सेठ साहब, इनक्वायरी होने जा रही है। कमेटी बैठ गयी है। अब बताइये, बीवी बच्चों के लिए चार पैसे कमा लिए, तो उससे किसी साले का क्या बिगड़ गया! अच्छा, कहा सुना माफ़ कीजियेगा। बहन जी, रस्सी लाइये न।

कुबेर : मैं इसमें क्या कर सकता हूँ?

बाबू : आप कर ही क्या सकते हैं। सब कुछ तो मैंने ही किया है। इनक्वायरी होगी तो क्या वह लोग बचे रह जायेंगे जिनको फ़ायदा हुआ है।

(कुबेर घबरा कर उठ खड़ा होता है।)

बाबू : रिश्वत लेना गुनाह है, तो रिश्वत देने वाले को भी तो सज़ा मिलती है।

कुबेर : यह इनक्वायरी नहीं हो सकती। इनक्वायरी बैठाने वाले भी तो नहीं बच सकेंगे।

बाबू : सेठ साहब, कमा इतना लिया, मगर रहे भोले के भोले। इस इनक्वायरी में हम जैसे छोटे आदमी मारे जायेंगे या आप जैसे पैसे वाले। हुकूमत जिसके पास है उसका कुछ नहीं होगा। आखिर इनक्वायरी करने वाले भी तो आदमी हैं।

कुबेर : **(दृढ़ शब्दों में)** यह इनक्वायरी नहीं होगी। तुम जाओ।

बाबू : जाता हूँ, मगर कहे जाता हूँ कि अगर पकड़ा गया तो इसी कमरे में फांसी लगाऊँगा। बहन जी रस्सी तैयार रखियेगा। फांसी आपके ही हाथों से पहनूंगा।

(कुबेर के कमरे से निकल कर बाबू अपने कमरे में जाता है

और कुर्सी पर निढाल गिर पड़ता है। अनामी को खांसी का दौरा आता है। कुबेर राजा के कमरे में जाता है।)

राजा : क्या कहते हो कुबेर ! इनक्वायरी खत्म कर दूँ?

कुबेर : हाँ सरकार...

राजा : **(विवशता से)** यह नामुमकिन है।

कुबेर : आप तो जानते ही हैं, मैं हर चीज़ की कीमत दे सकते हूँ।

राजा : हमें अफसोस है। जनता को ख़ामोश करने के लिए दो चार कर्मचारियों को बलि का बकरा तो बनाना ही पड़ेगा।

कुबेर : इस क़ुर्बानी में मैं भी शामिल हूँ।

राजा : हमें बहुत अफ़सोस है।

कुबेर : राजा की पालकी जिन कंधों पर है, अगर वह काट दिये गये, तो पालकी गिर पड़ेगी।

राजा : तुम हमको धमकी देते हो?

कुबेर : यह धमकी नहीं है, राजा सच है।

राजा : **(क्रोध से खड़े हो कर)** निकल जाओ।

कुबेर : आप मुझे चार जूते भी मार लीजिये, तब भी मैं मीठा ही बोलूँगा। लेकिन मुझसे दुश्मनी ठीक नहीं।

राजा : कोई है...

कुबेर : मैं खुद ही जाता हूँ **(झुक कर, फर्शी सलाम करता है, फिर अपने कमरे की तरफ़ चलता है।)**

(कुबेर मोहिनी से कान में कुछ कहता है। मोहिनी उठ कर कमरे के बाहर आती है, और इधर उधर ऐसे हल्के कदमों से घूमती और देखती है जैसे किसी को ढूंढ़ रही हो। अचानक उसकी निगाह अनामी पर पड़ती है और वह दौड़कर कुबेर के पास वापिस आती है।)

मोहिनी : **(रहस्य से)** मिल गया।

कुबेर : **(एकदम प्रसन्न होकर)** सच ? मिला गया?

मोहिनी : हाँ, मिल गया।

कुबेर : कहाँ है?

मोहिनी : आओ मेरे साथ। **(दोनों हाथ पकड़कर हल्के कदमों से जाकर अनामी के चबूतरे के सामने जा खड़े होते हैं।)**

कुबेर : **(मोहिनी से)** तू जा।

मोहिनी : तुम ही जाओ।

कुबेर : तू समझती नहीं। तू जा।

मोहिनी : तुम जाओ न। मुझे तो यह फूटी आँख भी नहीं सुहाता। **(सूंघने की गहरी सांस लेती है।)**

कुबेर : मैं कहता हूँ–

मोहिनी : न जाने कब से नहाया नहीं इसने **(अनामी खांसता है)**

कुबेर : वक़्त पर गधे को भी बाप बनाना पड़ता है।

मोहिनी : इसको तो टी.बी. लगती है। न बाबा मैं तो नहीं जाती इसके पास।

कुबेर : अरे जाती कहाँ है? ज़रा अक़्ल से काम ले। ज़माना खराब है। आजकल यही साला सब कुछ है।

मोहिनी : अगर मुझको कुछ हो गया...टी.बी. का इन्फ़ेक्शन बड़ी जल्दी लगता है।

कुबेर : ले, नाक पर रूमाल बाँधे लेता हूँ। **(नाक रूमाल से बन्द करता है। मोहिनी भी अपनी नाक पर रूमाल बांधती है।)** अब आ **(दोनों अनामी के चबूतरे के पास जाते हैं।)**

मोहिनी : राजा! राजा!
(अनामी उन दोनों की तरफ मुँह करके खांसता है। कुबेर और मोहिनी घबराकर बचने को पीछे भागते हैं, तो गिर पड़ते हैं। उठकर फिर अनामी के पास जाते है।)

कुबेर : मालिक! राजा!

अनामी : यहाँ राजा नहीं रहता। **(मुँह फेर लेता है।)**

मोहिनी : सुनो न राजा।

अनामी : कहा न, यहाँ कोई राजा बाजा नहीं है। उसे कहीं और ढूंढो।

मोहिनी : मैं तुमको ही पुकार रही हूँ।

अनामी : **(आश्चर्य से)** मुझको?

मोहिनी : हाँ राजा। तुमको।

अनामी : **(निकट आकर)** क्या तुम सीधे पागलख़ाने से चली आ रही हो? यह कौन है चपड़कनाती?

कुबेर : **(हाथ जोड़कर, सिर झुकाता हुआ)** तुम्हारा दास! तुम्हारा नौकर।

अनामी : **(विमूढ़ सा)** या तो तुम दोनों पागल हो, या फिर मैं ही पागल हूँ।

कुबेर : न मैं पागल हूँ, और न तुम राजा।

अनामी : **(बिगड़ कर)** खबरदार जो मुझको राजा कहा। नाम अनामी है।

मोहिनी : नाम तो हम जानते हैं। लेकिन तुम राजा हो। हमारे राजा। इस देश के राजा।

अनामी : तो फिर वह कौन है—तुम्हारा बाप।

कुबेर : हमारे भाई बाप तो सब कुछ तुम्हीं हो। इस देश के असली राजा तुम हो। वह तुम्हारा हक़ मार कर राजमहल पर क़ब्जा किये है।

(अनामी खांसता है। कुबेर और मोहिनी स्वतः पीछे हट जाते हैं। किन्तु तुरन्त ही सम्हलकर नकली चापलूस मुस्कुराहट लिए उसके पास आते है।)

अनामी : कितनी पी है?

कुबेर : तुम मेरी बात समझो। उस राजा के पास जो कुछ है, कहाँ से आया? सब तुमसे ही तो लिया है।

अनामी : कैसे?

कुबेर : तुमने मेहनत की जमीन तोड़ी, फावड़ा चलाया, तब ही तो सबका पेट भरा। आज तुम्हीं भूखे हो।

मोहिनी : तुमने मेहनत की, मशीन चलाई, फ़ैक्टरी चलाई, तब दौलत आई, लेकिन तुम्हारे पास दवाई के लिए पैसा तक नहीं।

कुबेर : तुमने मेहनत की, धरती के सीने पर कपास उगाई, सारी दुनिया को कपड़ा पहनाया, लेकिन तुम खुद नंगे हो?

मोहिनी : तुमने समुद्र के गर्भ में जाकर मोती चुने, लेकिन तुम्हारे बच्चे भूखे हैं?

कुबेर : तुमने मेहनत की, राजमहल का शिखर आसमान को चूमने लगा, लेकिन तुम्हारे सर पर छत नहीं?

मोहिनी : तुम्हीं ने तो स्कूल बनाया था—

कुबेर : फिर तुम्हारा लड़का उसमें क्यों नहीं पढ़ता?

मोहिनी : तुमने अपनी मेहनत से दिन रात एक कर दिया।

कुबेर : फिर क्यों तुम्हारी बीवी खाली पेट सोती है?

मोहिनी : तुम तेल निकालने ज़मीन के अन्दर गये—

कुबेर : फिर क्यों तुम्हारे घर में अंधेरा है?

मोहिनी : तुमने गन्ने उगाये–

कुबेर : फिर क्यों तुम्हारे बच्चे मिठाई को तरसते है?

मोहिनी : खिलौने को ललचते हैं?

कुबेर : गन्दे हैं?

मोहिनी : भूखे हैं?

कुबेर : घिनौने हैं?

मोहिनी : इधर उधर ठोकर खाते–

कुबेर : कुत्ते जैसे।

मोहिनी : इधर उधर मरते मिटते।

कुबेर : कीड़े मकोड़े जैसे?

अनामी : **(कान बन्द कर, विचलित सा)** बन्द करो बाबू, बस करो। **(खाँसी का दौरा आता है। कुबेर और मोहिनी पीछे हट जाते है।)** क्या चाहते हो?

कुबेर : **(निकट आकर)** हम तुम्हें रोटियां देंगे।

मोहिनी : दो वक्त, भरपेट!

कुबेर : अब तुम्हारी बीवी भूखे पेट नहीं सोयेगी–

मोहिनी : और न बच्चे मिठाई और खिलौनों के लिए तड़पेंगे

अनामी : सच?

कुबेर : एकदम सच। हम तुम्हारे लिए लड़ेंगे।

मोहिनी : तुम्हारे लिए जान दे देंगे।

कुबेर : तुम्हारी बीमारी के लिए दवाई देंगे।

मोहिनी : तुम्हारे बच्चों को पढ़ाई देंगे।

कुबेर : तुम्हारे परिवार के लिए मकान देंगे।

मोहिनी : जिन्दगी में तुम्हें मान शान देंगे।

कुबेर : सिर्फ तुम हमारे साथ हो जाओ।

अनामी : अच्छा हो गये।

कुबेरे : सिर्फ एक चीज तुम दे दो।

अनामी : क्या?

कुबेर : अपनी यह बनियाइन। अपनी निशानी।

अनामी : ले जाओ। लेकिन रोटी...?

मोहिनी : देंगे।

अनामी : कपड़ा?

कुबेर : देंगे।

अनामी : मकान?

मोहिनी : देंगे।

अनामी : तो ले जाओ। **(अपनी फटी छेददार बनियाइन उतार कर देता है।)**

(कुबेर बनियाइन लेकर एक हाथ से हवा में लहराता है। आगे कुबेर पीछे मोहिनी नारा लगाते मंच का चक्कर लगाते हैं।)

कुबेर : हमारा निशान!

मोहिनी : ग़रीब का बाना।

कुबेर : हमारा काम।

मोहिनी : ग़रीब का नारा।

(अपने कमरे में जाकर कुबेर, बनियाइन को डंडे में लगाक अपनी कुर्सी पर अटकाता है। फिर दर्शकों की ओर पीठ करके कुबेर और मोहिनी बातें करते जड़ हो जाते हैं।)

बाबू : **(गुस्से से घूमता, मुट्ठियां तानता)** सब साले बेईमान हैं। खुद चाहे आदमी ही निगल जायें, मगर दूसरे की दो वक्त भरपेट रोटी नहीं देखी जाती।

सूत्रधार : **(प्रवेश कर)** बाबू!

बाबू : बाबू नहीं बकरा कहो, बकरा।

सूत्रधार : बहुत नाराज़ दिखाई पड़ रहे हो।

बाबू : हम तो बेज़बान है। जब चाहो हलाल कर दो।

सूत्रधार : क्यों?

बाबू : सफेद स्याह खुद करें। लाखों करोड़ों बिना डकार के निगल जायें, मगर पकड़े जाने पर सारा दोष हम लोगों का।

सूत्रधार : क्या सोचा है?

बाबू : सोचना क्या है? हम लड़ेंगे।

सूत्रधार : लड़ सकोगे?

बाबू : क्यों नहीं? नहीं लड़ेंगे तो जीने कौन देगा। हम पार्टी बनायेंगे और मुक़ाबला करेंगे। **(अचानक निगाह अनामी पर पड़ती है। आँखों में वहशत भरी चमक आ जाती है।)** मिल गया। मिल गया।

सूत्रधार : कौन?

बाबू : वही। जिसको मैं ढूंढ़ रहा था। मेरी पार्टी बन जायेगी। (**अनामी के पास आ कर**) अपनी निशानी मुझे दे दो।

अनामी : क्या?

बाबू : (**दीनता से**) यह निशानी मुझे दे दो।(**धोती की तरफ इशारा करता हे।**) मेरी पार्टी बन जायेगी।

अनामी : (**घबरा कर**) नहीं।

बाबू : मैं तुम्हें मालामाल कर दूँगा। (**अधिकार से**) यह धोती मुझे दे दो। (**धोती उतारने को हाथ बढ़ाता है।**)

अनामी : (**धोती बचाता**) नहीं। नहीं। (**भागता है। पीछे पीछे बाबू भागता है। दोनों मंच पर एक चक्कर लगाते हैं। अनामी नेपथ्य में भाग जाता है। पीछे-पीछे बाबू भी जाता है।**)

सूत्रधार : (**दर्शकों को**) जायें देखें क्या हो रहा है वहाँ। (**नेपथ्य में प्रस्थान**)

(**पत्रकार उठकर अपने कमरे के सामने आता है। नेपथ्य से हाँफता भागता अनामी आता है, और अचानक पत्रकार से टकराता है। अनामी समझता है कि वह भी उसकी धोती उतार लेगा। मुड़कर वह भागता है।**)

पत्रकार : रुक जाओ। (**अनामी रुक जाता है**) इस तरह क्यों भाग रहे हो?

अनामी : (**कातरता से**) वह, वह मेरी धोती भी उतारे ले रहा है।

पत्रकार : तो उतार लेने दो।

अनामी : (**विस्मित**) क्या?

पत्रकार : उतार लेने दो। फिर मैं तुम्हारी फ़ोटो खींचकर अखबार में छापूंगा।

अनामी : तुम्हें शरम नहीं आती।

पत्रकार : शरम कैसी?

अनामी : धोती उतार के फोटो।

पत्रकार : आजकल तो सब कुछ उतार कर ही फ़ोटो खिंचाने का फैशन है।

अनामी : राम कहो...

पत्रकार : जो जितना बड़ा, वह उतना ही बड़ा नंगा। शरम-वरम तो असभ्य गंवार करते हैं।

अनामी : हम गंवार ही सही। हमारी आंख का पानी नहीं मर गया है अब तक। न नंगेपन का ढिंढोरा पीटते हैं **(जाकर अपने चबूतरे पर बैठ जाता है।)**

पत्रकार : अजीब घामड़ है।

सूत्रधार : **(प्रवेश करके)** भूल गये क्या?

पत्रकार : क्या?

सूत्रधार : कुबेर ने तुम्हें बुलाया है।

पत्रकार : बस जा हर रहा हूँ। **(भागता-सा कुबेर के कमरे की तरफ जाता है। सूत्रधार नेपथ्य में जाता है।)**

पत्रकार : क्या मैं अन्दर आ सकता हूँ।

कुबेर : आओ बैठो पत्रकार।

पत्रकार : आपका संदेशा मिला। मैंने कहा अहोभाग्य। बस भागता चला आया।

कुबेर : तुम्हारे प्रेस की क्या कीमत होगी?

पत्रकार : कुछ भी नहीं सेठ जी। मामूली सा प्रेस है। किसी तरह से रो-धो के अखबार निकाल लेता हूँ।

कुबेर : फिर भी?

पत्रकार : पुरानी मशीन है। आठ-दस लाख की होगी।

कुबेर : और तुम्हारी कीमत?

पत्रकार : जी?

कुबेर : बीस लाख?

पत्रकार : **(विमूढ़ सा)** जी!

कुबेर : पचास लाख? मैंन तुम्हारे प्रेस को खरीद लिया और तुम्हें भी।

कुबेर : पचास लाख नक़द लोगे या चेक से ? चेक में इन्कम-टैक्स का झगड़ा है। पचास लाख रूपया, तुम्हें तुम्हारे घर आज ही मिल जायेगा।

पत्रकार : **(अचानक समझ कर)** बहुत-बहुत शुक्रिया। शुक्रिया बहुत बहुत।**(खड़े हो कर झुकते हुऐ)** बहुत बहुत।

कुबेर : तो खड़े क्यों हो गये? प्रेस के मालिक तुम्हीं रहोगे और एडीटर भी...

पत्रकार : लेकिन छपेगा वही जो आप चाहेंगे। **(चापलूसी में हंसता है।)**

कुबेर : आज से हम तुम दोस्त हैं। हम अपने हर दोस्त को एक तोहफ़ा देते हैं। तुम्हें भी देंगे।

पत्रकार : जी शुक्रिया।

कुबेर : मोहिनी, हमारे दोस्त को जूता दो।

पत्रकार : जूता!! **(मोहिनी नेपथ्य में जाती है।)**

कुबेर : हमारी दोस्ती का प्रतीक।

पत्रकार : क्या! जूता?

कुबेर : हम अपने दास्त को यही देते हैं।

पत्रकार : जूते का तोहफ़ा? **(अपना सर सहलाता है।)**

कुबेर : घबराओ नहीं, जूता चाँदी का है।

(तब ही मोहिनी सोने का एक जोड़ा जूता लिए प्रवेश करती है।)

पत्रकार : **(सोना देख कर)** जी शुक्रिया। **(उत्तेजना में उठ कर)** बहुत बहुत। **(मोहिनी से दोनों हाथों से पुरस्कार की भांति जूता ग्रहण कर माथे से लगाता है।)** सेठ साहब,अगर आप आज्ञा दें तो अपने अखबार का नाम, नहीं नहीं, आपके अखबार का नया नाम रख दूँ—जूता।

कुबेर : बहुत ख़ूब। तुम्हारा तो दिमाग़ चलने लगा? सत्संग से हमेशा लाभ होता है। एक नया अख़बार निकालो। उसका नाम रखो—चाँदी का जूता।

पत्रकार : जी शुक्रिया। बहुत-बहुत शुक्रिया।... **(खड़े हो कर)** बहुत... बहुत।

(कुबेर और पत्रकार जड़-दृश्य प्रस्तुत करते हैं।)

सूत्रधार : **(बीच रंगमंच पर आकर)** इस साल फ़सल अच्छी हुई थी। किसानों ने मंडियों में गल्ला भी बेचा था, फिर न जाने क्या हुआ, सब का सब गल्ला मंडियों से ग़ायब हो गया। वह धरती की किस कंदरा में समा गया, कोई पता नहीं लग सका। राजा के वफ़ादार सेवक भी नहीं। अनाज के अभाव में लोग शहर छोड़ कर गाँव की तरह भागे और गाँव वाले शहर की तरफ, किन्तु कहीं भी अन्न दिखाई नहीं पड़ा। **(कुबेर हंसता है।)** शायद उल्लू हंसा। उल्लू का हंसना अशुभ लक्षण है।

वह होने वाली विनाश लीला का पूर्व संकेत है। **(कुबेर फिर हंसता है।)** उल्लू फिर हंसा।सुना अपने? ...लोगों ने वृक्षों को छाल और पत्तियों से नंगा कर दिया। फिर भी लोगों की भूख नहीं मिटी।

(नेपथ्य में नारे उभरते हैं–...राजा मुर्दाबाद)

सूत्रधार : यह आवाज़ सुनी। यह भूखों नंगों की आवाज़ है। जिस दिन फ्रांसीसी क्रान्ति प्रारम्भ हुई थी उस दिन सोलहवें लुई ने डायरी में लिखा था "आज कोई विशेष घटना नहीं घटी।" सत्य से अनभिज्ञ राजा ने भूखों नंगों की आवाज़ को गोलियों से कुचलने का आदेश दिया। **(राजा आदेश देने का अभिनटन करता है। गोलियों के चलने की आवाज़ सुनाई पड़ती है। किन्तु नारे रुकते नहीं अपितु और सशक्त हो कर सुनाई पड़ते है। राजा भयभीत होकर कुर्सी पर बैठता है और उसे दोनो हाथों से पकड़ता है।)**

सूत्रधार : नारे नहीं रूके। राजा की गोलियां हमेशा की तरह भूखे नंगों की आवाज़ नहीं बन्द कर सकीं। राजा को अपना सिंहासन कांपता लगा। डूबती नाव से सब ही भागते हैं। सेनापति भी अपना पद त्याग कर विरोधी दल में जा मिला। और सुना है, किसी से कहियेगा नहीं, उस दिन उसने भी स्विटजरलैण्ड के बैंक में अपने भविष्य के बीमे की मोटी किस्त जमा की। **(अनामी को खांसी का दौरा)**

सूत्रधार : **(दर्शकों से)** इसने फिर खांसना शुरू कर दिया।

अनामी : **(कराह में)** बाबू!

सूत्रधार : सत्ता के लिए संघर्ष तो सनातन से चलता आ रहा है, चलता रहेगा। अनामी की दशा ठीक नहीं लगती। **(अनामी के पास जाकर)** कैसी तबीयत है?

अनामी : **(रोकर)** बाबू। बाबू पांच दिन से एक दाना पेट में नहीं गया। बहुत भूख लगी है।**(खांसी का दौरा आता है, जिसे वह रोकने का प्रयत्न करता है, उसी मे हिचकी के साथ वह मर जाता है।)**

सूत्रधार : **(पुकारते हुए)** अनामी! अनामी! **(कंधे से हिलाकर)** अनामी! **(दर्शकों से, अति करूणा से)** अनामी मर गया।एक नामहीन

व्यक्ति मर गया। **(दृढ़ता)** किन्तु यह साधारण मृत्यु नहीं है। यह हत्या है—हाँ हत्या। एक नामहीन व्यक्ति की हत्या उतनी ही जघन्य और क्रूर है जितनी ईसा, गांधी, किंग या कैनेडी की। कानून की अंधी अधिष्ठात्री की न्याय दृष्टि में सब व्यक्ति समान है, चाहे वह राजा हो या रंक। सदा का निश्चत नियम है—हत्या का दंड मृत्यु। अनामी कितना ही महत्वहीन व्यक्ति क्यों न हो, इसके हत्यारे को मृत्यु-दंड मिलने पर ही क़ानून की रक्षा होगी। हत्यारे को मृत्यु-दंड मिलना ही चाहिए। **(रुक कर)** अब प्रश्न है—कौन है इसका हत्यारा? कौन है इसका हत्यारा?

सूत्रधार : **(स्वर बदल कर)** मैं जानता हूँ इसके हत्यारे को। मैं बताता हूँ इसके हत्यारे का नाम। इसका हत्यारा है—युद्ध। वह युद्ध, जिसमें मानव-मूल्य विघटित हो गये। किन्तु युद्ध को कैसे सूली देंगे? युद्ध को कैसे फांसी पर लटकाया जा सकता है? **(सोच कर)** युद्ध के लिए उत्तरदायी लोगों को फांसी पर अवश्य लटकाया जा सकता है। अपराधी आप के सम्मुख हाज़िर किये जाते हैं।

सूत्रधार : **(राजा की कुर्सी के पास खड़े होकर, अदालत के चपरासी के स्वर में)** अनामी बनाम राजा हाज़िर हों। अनामी बनाम कुबेर हाज़िर हों। अनामी बनाम मोहिनी हाज़िर हों। अनामी बनाम बाबू हाज़िर हों। **(राजा, कुबेर, मोहिनी, बाबू पत्रकार नाम पुकारे जाने पर आकर एक लाईन में दर्शकों की तरफ पीठ करके खड़े हो जाते है।)**

सूत्रधार : **(जज के स्वर में)** मुलज़िम राजा, कुबेर, मोहिनी, पत्रकार, बाबू, शहादत सबूत से ज़ाहिर है कि तुम लोगों ने एकराय होकर मुसम्मे अनामी वल्द नामालूम, साकिन सब कहीं का खून किया। इस तरह ताज़ेरात हयात के तहत तुम पर दफ़ा 203 का जुर्म साबित होता है। तुम को कुछ उज्र या एतराज़ है? सफ़ाई में कुछ कहना है?

(सब अपराधी अपनी गर्दन झुका लेते हैं।)

सूत्रधार : **(मंच पर आगे आकर, दर्शकों से, सरकारी वकील के स्वर में)** जूरी के ऑनरेबिल मेम्बरान। मुजरिमों की गर्दनें झुक गयीं।

इन्हें जुर्म से इक़बाल है। मेरी सिफ़ारिश है कि इन्हें सज़ाये मौत दी जाये। सज़ाये मौत।

सूत्रधार : **(स्वर बदल कर)** लेकिन ज़रा ठहरिये। इनको फांसी पर लटकाने के पहले एक बार इनको गौर से देखिये। ज़रा गौर से देखिये। इनका वास्तविक रूप मैं आपको दिखाता हूँ।

(मोहिनी, राजा, कुबेर, बाबू, तथा पत्रकार एक साथ घूम कर दर्शकों की तरफ मुँह करते है। गगनिका पर बीहड़ भंयानक जंगल का स्लाइड-चित्र आ जाता है। इस बीच में वह पशुओं के मुखौटे पहन चुके हैं। राजा के चेहरे पर शेर का, कुबेर के चेहरे पर उल्लू का, बाबू चेहरे पर गधे का, पत्रकार के चेहरे पर गीदड़ का और मोहिनी के चेहरे पर लोमड़ी का मुखौटा लगा है। ये सब, अनामी के मृत शरीर के चारों ओर, अमानुषिक ध्वनियाँ करते हुए हिंस्त्र और पाशविक नृत्य करते है। नृत्य की गति धीरे-धीरे तीव्रतर होती जाती है। चरम पर अचानक नृत्य बंद हो जाता है। सब पशु जड़ हो जाते हैं। प्रकाश पशुओं से हट कर, सबसे ऊँचे स्तर पर खड़े सूत्रधार पर पड़ता है।)

सूत्रधार : इन अपराधियों में जब तक यह जानवर जीवित है, यह सभ्य संसार में जंगल के नियम तो प्रचलित करेंगे ही। हिंसा तो अनिवार्य है। युद्ध तो अवश्यंभावी हैं। इनको मौत की सज़ा देने के पहले यह तो सोचिये, यह जानवर आपके अन्दर भी तो है। **(चुनौती से)** तो क्या आपको भी मौत की सज़ा दी जाये? **(स्वर बदल कर)** आइये, हम सब अपने अन्दर के जानवर को, अपने मन की हिंसा को सज़ाये मौत का हुक्म सुनायें।

(इति)

राग बिदेसी
(1973)

नाटक 'राग बिदेसी' पूर्व में 'ओह अमेरिका' नाम से मंचित और प्रकाशित हुआ है। कथानक की सर्वकालिकता को रेखांकित करने की दृष्टि से नाटककार ने इस नाटक का नाम 'राग बिदेसी' कर दिया है। भविष्य में इसी परिवर्तित नाम से प्रकाशित होगा।

—प्रकाशक

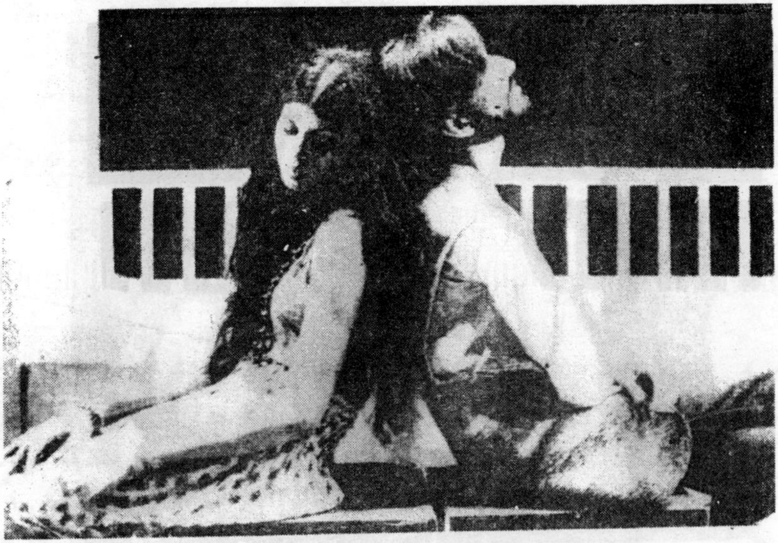

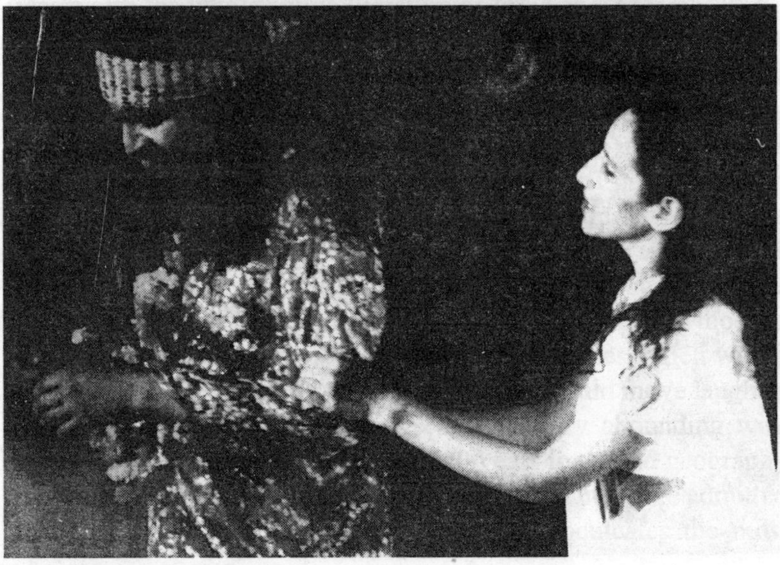

प्रथम प्रस्तुति

'संकेत' लखनऊ द्वारा *'ओह अमेरिका'* (अब 'राग बिदेसी') की उद्घाटन प्रस्तुति 29 अगस्त, 1973 को रवीन्द्रालय, लखनऊ में मंचस्थ की गयी, जिसमें निम्नलिखित कलाकारों ने भाग लिया–

वृद्ध	:	मुमताज अली
चौधरी	:	विजय कपूर
चौधरी की पत्नी	:	नीना सॉलोमन
हक़ीम	:	अजीज़ अहमद
हक़ीम का सहायक	:	अनिल बाँके
विवेक	:	अनिल सक्सेना
जयकिशन	:	कैलाश सक्सेना
पंडित	:	राज नारायण
बहू	:	दीपमाला प्रसाद
श्यामलाल	:	जीत जरधारी
समीर (सैम)	:	अशोक शर्मा
रमेश (रैम)	:	विजय तिवारी
माधुरी (मार्था)	:	मेहरू जाफ़र
जया (जैकी)	:	प्रीता चैटर्जी
हिप्पीदल	:	बाबू, डेविड, अनुप्रिया सक्सेना, शहीन जाफ़र

निर्देशक : के.बी. चन्द्रा

may do good for India are ignorant men indeed. No act of treachery can ever profit a nation. Even should the British leave in consequence of such murderous acts, who will rule in their place? The only answer is the murderers." (Collected Works of Mahatma Gandhi, Vol. 9, page 303).

16. Those who believe that India has gained by Dhingra's act and such other acts in India make a mistake. Dhingra was a patriot but his love was blind. He gave his body in a wrong way. Its ultimate result can only be mischievous. (Mahatma Gandhi [illegible] Chapter XV [illegible])

[illegible]

"It is common [illegible] that [illegible] movement is [illegible] experience [illegible] force. It is my purpose [illegible] unorganised violent [illegible] of the growing party of violence [illegible] Indian revolutionary movement." (Collected Works of Mahatma Gandhi, Vol. [illegible])

[illegible]

[illegible] the govt. [illegible] just [illegible] on [illegible] Govt. [illegible] march on the ground that a satyagrahi did not take advantage of his adversary's weakness. (Tendulkar: Mahatma [illegible] apostle [illegible])

[illegible]

On 8th, 9th & 10th July 1921 [illegible] met in Karachi. Some of the [illegible]

"This meeting of the All India Khilafat Conference declares allegiance of the Muslim population to His Majesty the Sultan

प्रथम संस्करण की भूमिका

अभी हाल ही में 'इतिहास–चक्र' को मंचस्थ किया था। एक बार फिर कान पकड़े और नाटकों की मंच–प्रस्तुति से दूर रहने की वह शपथ जो हर बार हर नाटक की मंच प्रस्तुति के बाद ग्रहण रहता था दोहराई। हर बार नाटक की तैयारी, पूर्वाभ्यास और मंच–प्रस्तुति के दौरान जो कटुता, हताशा, निराशा तिक्तता, चिन्ता, झुंझलाहट आक्रोश, खीझ अनुभव होती थी, उसकी पुनरावृत्ति एक बार फिर हुई। यह अनुभव मेरा अपना अकेला, नहीं है। इस अनुभव से प्रत्येक अव्यावसायिक रंगकर्मी–निर्देशक तथा निर्माता को गुजरना पड़ता है। यह अनुभव अव्यावसायिक रंगमंच का अनिवार्य अंग है। इस असहनीय परिस्थिति में भी अव्यावसायिक संस्थायें नाटक मंचित करती हैं– यह तथ्य अपने आप में एक उपलब्धि है, चाहे नाटक का स्तर कैसा ही हो। इसके लिऐ व्यक्ति नहीं, व्यवस्था उत्तरदायी है।

नाटक के चुनाव के पश्चात ही बाधाओं, समस्याओं और अवरोधों का एक सिलसिला शुरु हो जाता है। पूर्वाभ्यास के लिए स्थान, प्रश्नचिन्ह बनकर पहले उभरता है। लाखों रुपये लगाकर, सरकार ने तथा सेठाश्रित संस्थाओं ने प्रेक्षागृहों का तो निर्माण करवा दिया है (वह भी केवल महानगरों में) किन्तु केवल कुछ हजार लगाकर पूर्वाभ्यास कक्षों के निर्माण का ख्याल किसी को नहीं आया। इसके फलस्वरूप नाट्य-मंडलियों को पूर्वाभ्यास के लिए उपयुक्त स्थान उपलब्ध नहीं होता। विवश होकर किसी स्कूल के कमरे में, किसी दफ्तर में–फाइलों, आफिस फर्नीचर के बीच, गर्मियों में किसी मकान की छत पर पूर्वाभ्यास करना पड़ता है। और उसके लिए कितनों की विनती करनी पड़ती है, कितनों से सिफारिश करवानी पड़ती है, किन–किन क्षेत्रों से दबाव डलवाना पड़ता है, कितनों का एहसान लेना पड़ता है–यह अपने आप में ऐसी जिल्लत और अपमानमपूर्ण परिस्थिति है कि अगर नाटक का जादू सर पर ही न चढ़ा हो, तो कोई आत्मभिमानी इसके लिए तैयार नहीं होगा।

रिहर्सल के पश्चात, प्रेक्षागृह की समस्या मुँह खोले निगलने को तैयार खड़ी

दिखाई पड़ती है। समुचित सुविधा—संपन्न प्रेक्षागृह इतने कम हैं, कि उनको प्राप्त करने के लिए छः महीनों से एक वर्ष पूर्व की अग्रिम योजना आवश्यक है। कोई भी नाट्य—मंडली, यदि वह वास्तविक शब्दों में अमेच्योर या शौकिया है, तो इतनी लंबी अग्रिम योजना नहीं बन सकती। यह तथ्य किसी भी रंगकर्मी के अमेच्योर—ज़ील (शौकिया उत्साह) पर पानी डालने के लिए पर्याप्त है।

प्रेक्षागृहों का किराया भी नजर अन्दाज नहीं किया जा सकता। महानगरों में प्रेक्षागृहों का किराया छः सौ से आठ सौ रुपये तक है, प्रतिदिन एक प्रदर्शन के लिए। उसी दिन अतिरिक्त प्रदर्शन के लिए अतिरिक्त शुल्क होता है। इस प्रकार दो प्रदर्शन और एक रिहर्सल के लिए प्रेक्षागृह के किराये की धनराशि ही हजार रुपये हो जाती है, जबकि नाटकों के टिकट बिकते नहीं। ऐसे में इस राशि का जुटा पाना शौकिया रंगमंच के लिए कितना कठिन है, इसका अनुमान सहज ही हो सकता है। दिल्ली की प्रतिष्ठि नाट्य—संस्थायें भी, जो इस क्षेत्र में दस—पन्द्रह सालों से क्रियाशील है, (कुछ अपवादों को छोड़कर), अपने टिकट नहीं बेच पाती है। उनके प्रदर्शन में टिकट खरीदकर आने वाले केवल तीस-चालीस होते हैं। इस स्थिति में संस्था चलाये रखना केवल जीवट और साहस का काम है—जो सब में नहीं होता।

कुछ संस्थाएं, नाटक प्रस्तुति के अवसर पर, धन संग्रह के उद्देश्य से ब्रोशर अथवा स्मारिका प्रकाशित करती हैं। किन्तु विज्ञापन भी तो अपने आप नहीं मिलते। विज्ञापन प्राप्त करने के लिऐ प्रभाव चाहिए। यह 'प्रभाव' जोड़—तोड़ करके एक बार प्राप्त किया जा सकता है, दो बार प्राप्त किया जा सकता है, उससे अधिक नहीं। 'प्रभाव' भी अधिक उपयोग के पश्चात प्रभावहीन हो जाता है। तब शौकिया संस्थाएं किस तरह चलें? कहाँ से नाटकों के लगातार प्रदर्शन के लिए धन-उपलब्ध हो?

कुछ सरकारी और अर्ध—सरकारी संस्थाएं अनुदान देती है। इन संस्थाओं के पास प्रायः धन की सीमित राशि होती है जिससे सब नाट्य—संस्थाएं लाभान्वित नहीं हो सकतीं। फिर जैसा जीवन के हर क्षेत्र में है, प्रभाव पद, सत्ता, महत्वपूर्ण संबंध, दलवाद इत्यादि यहाँ भी, निर्णायक सिद्ध होते हैं। केवल कुछ संस्थाओं को ही विभिन्न स्रोतों से बराबर लाभ होता है, और अधिकांश संस्थाएं अपने दुर्भाग्य को रोती, कोसती रह जाती हैं।

परिणामस्वरुप शौकिया संस्थाएं, बड़े उत्साह और आशा से स्थापित होती है। दो—एक वर्ष में आयोजकों का स्मारिका के लिए विज्ञापन प्राप्त करने का प्रभाव क्षीण हो जाता है। किसी स्रोत से संस्था को चलाये रखने के लिए अनुदान

मिलता नहीं, टिकट बिकते नहीं, रिहर्सल के लिए स्थान उपलब्ध नहीं होता, और प्रेक्षागृह भी मुश्किल से ही खाली मिलता है। इन सब झमेलों को झेलते-झेलते आयोजक का जीवट बोल जाता है, उत्साह ठंडा पड़ जाता है। कर्ज चढ़ जाता है और तब वह बिल्कुल बैठ जाता है। यही कारण है कि दस–पन्द्रह नाट्य–संस्थाएं प्रतिवर्ष बनती हैं और बिगड़ती हैं।

आज हिन्दी क्षेत्र में एक भी व्यावसायिक नाट्क–मंडली नहीं है, जबकि क्षेत्रीय भाषाओं में इनता अभाव नहीं है। इसका स्पष्ट कारण है कि हिन्दी में शौकिया रंगमंच की शक्ति ही व्यावसायिक रंगमंच को जन्म दे सकती है, और स्तर प्राप्त कर सकती है। शौकिया हिन्दी की रंगमंच की जीवंतता पर हिन्दी रंगमंच का भविष्य निर्भर है। इसके लिए कुछ चुनी हुई संस्थाओं को अनुदान या व्यक्तियों को अध्ययन–वृत्ति या सम्मान अपर्याप्त ही नहीं, अनुपयुक्त भी है। इस पर हमें नये सिरे से सोचना होगा, नये लक्ष्य निर्धारित करने होंगे और उनको प्राप्त करने के लिए नयी राहें तलाश करनी होगी।

क्या यह संभव नहीं कि कला पोषण में संलग्न सरकारी, अर्धसरकारी संस्थाएं नाममात्र के शुल्क पर रिहर्सलकक्ष, शौकिया संस्थाओं के लिए उपलब्ध करें? किसी संस्था को एकमुश्ता अनुदान न देकर, प्रेक्षागृहों के किरायें देखते हुए, विभिन्न शौकिया संस्थाओं की मंच–प्रस्तुतियों पर व्यय किये गये प्रेक्षागृहों के किराये को अनुदान के रूप में दिया जाये? शौकिया नाट्य–मंडलियों की सामग्री इत्यादि रखने के लिए 'स्टोर' की व्यवस्था हो? किसी केन्द्रीय डिपो से वेशभूषा, दृश्य–बंध सामग्री, प्रकाश एवं ध्वनि यंत्र नाममात्र के किराये पर उपलब्ध हों। नाटक और रंगमंच संबंधी राष्ट्रीय संस्था, शौकिया संस्थाओं को पत्राचार द्वारा नाटकों के चयन और मंचन के विभिन्न पक्षों पर मार्गदर्शन करें?

जब तक अधिक से अधिक शौकिया संस्थायें सशक्त और क्रियाशील नहीं होतीं, तब तक हिन्दी का रंगमंच नहीं बन सकता। शौकिया संस्थाओं के द्वारा ही रंगमंच जन–साधारण में प्रवेश नहीं कर सकता है, और जन–रुचि में नाट्य–प्रेम स्थान प्राप्त कर सकता है। उंगलियों पर गिनी जाने वाली संस्थाएं यह कार्य नहीं कर सकतीं। वे विशाल सागर में कुछ चट्टानों या द्वीपों से अधिक नहीं हैं। संपूर्ण के संदर्भ में उनका अस्तित्व महत्वहीन और नगण्य है। यह अर्थपूर्ण रंगमंच जिसकी हिन्दी जगत को तलाश है, तभी अस्तित्वान होगा, जब मन–मानस के स्वीकार की गरिमा से भूषित होगा। इस संदर्भ में निर्णायक भूमिका, शक्तिशाली व्यापक शौकिया रंगमंच आन्दोलन की ही हो सकती है।

प्रथम मंच–उपस्थापन के पूर्व ही नाटक अभिनीत हो चुका होता

है—नाटककार के मस्तिष्क में सृजन के एकांत क्षणों में अपने हर पात्र को स्वयं वह जीता है।

* * *

प्रथम मंच—उपस्थापन के पूर्व ही नाटक अभिनीत हो चुका होता है—नाटककार के मस्तिष्क में सृजन के एकांत क्षणों में अपने हर पात्र को स्वयं वह जीता है। पात्रों की चरित्रगत विशेषताओं और विवधताओं को उनकी गति और समूहन को, उनकी वेशभूषा और 'मैनरिज्म' को, उनकी आपसी टकराहट और प्रतिक्रियाओं को वह पहले स्वयं देखता और अनुभव करता है। उनको संवाद देने के पहले स्वयं बोलता है। दृश्यबंध तथा ध्वनि एवं प्रकाश प्रभावों को भी वह पहले ही निश्चित कर चुका होता है। इस प्रकार नाटककार, जब निर्देशक के रूप में उस नाटक को मंचस्थ करता है, तो प्रायः वही रूप देने का प्रयत्न करता है, जिसकी परिकल्पना उसने रचना के पूर्व की थी। यदि कोई अन्य व्यक्ति उस नाटक का निर्देशक होता है, तब भी नाटककार अपेक्षा करता है कि उसकी कल्पना मंच-प्रस्तुति में मूर्त होगी। कुछ नाटककार तो इसके लिए निर्देशक से आग्रह करते हैं। किन्तु यह आग्रह, असलियत में दुराग्रह ही होता है। नाटककार के पश्चात, निर्देशक एक तरह से नाटक की दुबारा रचना करता है। इस अर्थ में प्रत्येक नाटक 'द्विज' होता है।

* * *

मेरा बाल्यकाल उस समय व्यतीत हुआ, जब भारतवर्ष पराधीन था। अंग्रेजी राज्य में सूरज नहीं डूबता था, और चढ़ती धूप—सा वह सबको चकाचौंध करता था। मुझे याद है कि अगर मेहमान वायदे के अनुसार समय से नहीं पहुँचते थे, तो बड़े लोग यही कहते थे—"हिन्दुस्तानी हैं! समय की पाबन्दी तो बस अंग्रेज जानता है।" एक साहब इंग्लैण्ड से घूम कर वापिस आये, तो उस छोटे शहर में वह अजूबा बन गये थे। रास्ताा चलते लोग उनको प्रशंसा से देखते और बात करते थे। मुझे आज भी याद है कि मैंने उनको किन आश्चर्य मिश्रित श्रद्धालु निगाहों से देखा था।

फिर आज़ादी के बाद, भारतीय मानस पर इंग्लैण्ड का स्थान अमेरिका ने ले लिया। युनिवर्सिटी में एक अध्यापक अंग्रेजी शब्द 'शेड्यूल' को अमरीकी ढंग से 'स्केड्यूल' उच्चारण करके जिस प्रकार गर्वित अनुभव करते थे, वह मैं अब तक नहीं भूल पाया हूँ। उस गर्व की परतों में कितनी दयनीयता रही होगी, इसका अनुमान भी किया जा सकता है।

फिर मुझे एक 'रुरल इण्डस्ट्रीयल प्रोजक्ट' में काम करने का अवसर मिला,

जहाँ अन्तर्राष्ट्रीय संस्था के चार सफेद–चमड़ी के विशेषज्ञ सौभाग्य (?) से मेरे सलाहकार थे। मैंने उनकी कार्य प्रणाली, उनके व्यक्तित्व, उनके आदर्शों, मूल्यों और व्यवहार को अत्यन्त निकट से जितना ही देखा, उतना ही आश्चर्यचकित हुआ। अयोग्यता, आपसी विद्वेष, व्यवहारिक तुच्छता और मूल्यहीनता में वह किसी भी हिन्दुस्तानी से बदतर ही थे। वर्षों की संजोई सुघड़ प्रतिमा टूट कर बिखर गयी। पश्चिम का असली रूप यही है, तो हम इसकी उपासना क्यों करते हैं?

* * *

नाटक 'ओह अमेरिका' कहीं एकदम यथार्थवादी प्रतीत होता है, तो कहीं एब्सर्ड, और कहीं 'फेन्टेसी' सा। मेरे कुछ विद्वान मित्रों का मत था कि यह दोष है। नाटक की बनावट या तो फेन्टेसी की होनी चाहिए, या फिर एब्सर्ड–नाटक की, अथवा यथार्थवादी नाटक की। मैं इसे नहीं मानता। आज नाटक का ही क्यों, सभी कलाओं और साहित्य का सर्वोपरि नियम है कि रचनात्मकता का कोई नियम नहीं। फिर नाटक में एब्सर्ड, फेन्टेसी और यथार्थ की कॉकटेल क्यों नहीं हो सकती?

* * *

'ओह अमेरिका' में एक चरित्र है विवेक। कायाहीन अन्तर्वाणी का कायिक पुनर्जन्म। वह देश काल निरपेक्ष है। वह सब समय, सब जगह मौजूद रहता है। वह सदा सबके साथ है और सबमें है। वह बोलता भी है, सलाह भी देता है। सत् और असत् का अन्तर बताता है। चेतावनी देता है। कभी-कभी कटाक्ष करता है। कभी उसकी बात सुनी जाती है। कभी कभी वह बोलता रहता है–लेकिन सुनकर अनसुना कर दिया जाता है। कभी उसकी आवाज दबा दी जाती है। कभी हमेशा के लिए शान्त कर दी जाती है।

* * *

सोफोक्लीज के नाटक 'इडिपस' के प्रारम्भ में ही लाइयस के हत्यारे का पता लगाने के लिए राजा इडिपस थिबीस के नागरिकों को बुलाता है, तो कोरस नागरिकों की भूमिका में प्रवेश करता है, और नाटक में अभिनेता की तरह भाग लेता है।

क्रियोन और इडिपस की कहा–सुनी में कोरस दर्शकों की भावना प्रतिध्वनित करता हुआ कहता है–"बस, बस, बहुत हो गया सज्जनों। वह आ रही है–महारानी जोकास्ता। वह झगड़े को निपटा सकेगी।" इस प्रकार यूनानी नाटकों में कोरस दर्शकों और अभिनेताओं के बीच सेतु भी होता था।

इडिपस नाटक के अंत में नाटक पर टिप्पणी करते हुए घोषणा करता है कि परम प्रतापी राजा इडिपस की दुःख गाथा यह संदेश देती है कि मनुष्य तब तक सुखी नहीं कहा जा सकता जब कि वह सुख अपनी मृत्यु तक नहीं ले जाता। इस प्रकार ग्रीक नाटकों में कोरस की स्पष्ट तीन भूमिकायें थी—

प्रथम—अभिनेता की, द्वितीय—प्रबन्धक या अभिनेताओं और प्रेक्षकों के बीच सेतु की, तथा तृतीय—नाटक में निहित नाटककार के सन्देश के निष्पक्ष टिप्पणीकार (नेरेटर अथवा कमन्टेटर) की।

लगभग कोरस का प्रतिरूप सूत्रधार, संस्कृत नाटकों में मिलता है जिसकी व्याख्या शरदातनय ने इस प्रकार की हैः—

सूत्रयन काव्यनिक्षिप्तवस्तुनेतृकथारसान।
नान्दीश्लोकेन नाद्यान्ते सूत्रधार इति स्मृतः।।

'ओह अमेरिका' का विवेक ग्रीक नाटकों के कोरस तथा संस्कृत नाटकों के सूत्रधार की ही प्रेरणा का परिणाम है, जो एक साथ नाटक में भाग लेता है, उन पर टिप्पणी करता है, तथा दर्शकों और प्रेक्षकों के बीच सेतु का भी काम करता है।

मई, 1973

दया प्रकाश सिन्हा
बी.-255, सेक्टर 26
नोएडा-201301

द्वितीय संस्करण की भूमिका

आज जब मुड़ कर देखता हूँ तो अनुभव करता हूँ कि मेरे सब नाटक तत्कालीन परिस्थितियों से प्रेरित और प्रतिकृत हैं। उस समय जैसा मैंने, नितांत अपनी व्यक्तिगत मानसिकता के परिप्रेक्ष्य में, अनुभव किया उसने मेरी रचनात्मकता को प्रेरित किया और अगले नाटक का विषय बन गया।

'सांझ—सबेरा' मेरा प्रथम पूर्णाकार नाटक उस समय लिखा गया, जब मैं चौबीस-पच्चीस वर्ष का था। नयी पीढ़ी का गर्म खून पुरानी पीढ़ी की सब मान्यताओं को उखाड़ फेंकने को आतुर था। साथ ही पारिवारिक पृष्ठभूमि ने मुझे युगीन और शाश्वत मूल्यों का अन्तर भी समझाया था। इसीलिए 'सांझ—सबेरा' का नायक 'एंग्री यंगमैंन' निखिल अन्त में आस्था में नतमस्तक दिखाई देता है।

इतिहास मेरे एम.ए. का विषय था, किंतु उन दिनों मुझे मनोविज्ञान के प्रति रूचि जागृत हुई थी। फ्रायड, युंग, एडलर का साथ लगभग एक वर्ष तक रहा। उसका परिणाम है नाटक—'मन के भंवर'। एक ऐसे मनोवैज्ञानिक की त्रासदी, जो दूसरों के लिए मनोचिकित्सक है, किन्तु स्वयं भी मनोपीड़ित है।

इलाहाबाद में मेरी 'पोस्टिंग' के दौरान सांप्रदायिक दंगा हुआ। मुझे उसे बहुत ही निकट से देखने का अवसर प्राप्त हुआ। और 1971 में पाकिस्तान ने भारत पर आक्रमण किया। सांप्रदायिक दंगा और पाकिस्तान का आक्रमण, इन दो तथ्यों ने मिलकर 'मेरे भाई : मेरे दोस्त' नाटक की रचना की।

छठे दशक के अन्तिम वर्ष में मेरा स्थानान्तरण इलाहाबाद से दिल्ली हुआ। छोटे शहर से बड़े शहर में आना ही अपने आप में एक सांस्कृतिक आघात होता है। फिर मुझे 'सादर आपका' की नायिका 'रेखा' से एक नाटक के रिहर्सल के दौरान भेंट हुई। उसकी कहानी किसी भी महानगर की अति-महत्वाकांक्षी युवती की कहानी थी, जो दुनिया की चमक-दमक में चौंधिया जाती है। उसे पाने की आतुरता में वह कुछ भी कर सकती है। कोई भी मर्यादा या वर्जना उसकी चौंधियायी आँखों से दिखाई नहीं पड़ती। और उसकी कहानी पर लिखा गया 'सादर आपका'।

सातवें दशक में हिप्पी-कल्ट अपनी उठान पर था। दिल्ली में मध्यम वर्ग के लड़के-लड़कियों में हिप्पी जैसा दिखाई पड़ना एक स्टेटस-सिम्बल और अति-आधुनिकता का पर्याय बनने लगा था। उन्हीं दिनों मैंने जनपथ पर एक हिन्दुस्तानी लड़की को देखा जो जांघों तक ऊँचा हॉट-पैंट पहने थी। उसकी चोली भी बस नाम-मात्र की थी। जितनी छोटी हो सकती थी, उतनी छोटी थी। तरह-तरह की मालाओं के हार—गले और कमर में लपेटे, उलझे बालों वाली वह हिन्दुस्तानी लड़की एक अमरीकन लड़की को देख रही थी, जो ऊपर से नीचे तक कपड़ों से ढकी थी। वह साड़ी पहने थी, जिसे उसने चारों ऐसे लपेट रखा था, जिससे शरीर कहीं से भी न दिखाई पड़े। शायद चन्दन का लेप भी था उसके माथे पर। वह अमरीकन लड़की भी, हिन्दुस्तानी हिप्पी को ग़ौर से देख रही थी। वे दोनों एक दूसरे को देख रहीं थीं और मैं उन दोनों को। जैसे समय रुक गया। पूरब और पश्चिम का यह आमना-सामना अभूतपूर्व था। दृश्य की नाटकीयता ने मेरी रचनात्मकता को कुरेदा। उसका प्रतिफल है नाटक 'ओह अमेरिका'।

* * *

नाटक अमरीका विरोधी नहीं है। यह नाटक विरोध करता है उन तमाम विवेकहीन भारतीयों का, जिनके दिल-दिमाग़ में अभी भी हज़ार सालों की गुलामी मौजूद है। हज़ार साल की गुलामी उनकी हड्डियों में जम गयी है, उनके खून में बहती है। हीन भावना से ग्रस्त ये लोग हर विदेशी चीज़-विचार और पदार्थ के पीछे भागते हैं। अपनी बुद्धि और विवेक को गिरवी रख कर अंधी नक़ल करते हैं। ये नाटक इन रीढ़-विहीन लोगों का 'केरीकेचर' (विकृत चित्र) है।

* * *

दिल्ली में जब मैंने यह नाटक स्वयं निर्देशित किया था, तो स्वाभाविक रूप से नाटक देखने का निमंत्रण अपने एक बुजुर्ग पड़ोसी को दिया जिनके तीन बेटे लंदन में रहते थे। संयोग से वे भी उन दिनों छुट्टी बिताने आये हुए थे। उन्होंने नाटक में आने का वादा किया और मुझे नाटक की सफलता के लिए शुभ-कामनाएँ भी दीं।

नाटक के पूर्व, पूरा परिवार मुझे प्रेक्षागृह में बैठा दिखाई पड़ा। उन्होंने भी मुझे देखा। हाथ उठाकर, मुस्कुराते चेहरों से उन्होंने मुझसे अपनापा व्यक्त किया। थोड़ी देर बाद प्रेक्षागृह में अंधकार हुआ और फिर मंच पर नाटक प्रारंभ हुआ।

मध्यान्तर के बाद जब पुनः प्रेक्षागृह में प्रकाश हुआ, तो थोड़ी देर बाद मेरी निगाहें उधर गयीं, जहाँ मेरे पड़ोसी-मित्र का परिवार बैठा था। वह सब जा चुके थे। उनकी कुर्सियाँ खाली पड़ी थीं।

क्यों चले गये सबके सब? ऐसा क्या था इस नाटक में?

मेरे पड़ोसी के चार लड़कों में से तीन लड़के लंदन में रहते थे। वहीं नौकरी करते थे। शायद बहुत बड़ी नहीं, यों ही कोई छोटी-मोटी। फिर भी जब वह हिन्दुस्तान आते थे, तो शायद अपने आपको सामान्य हिन्दुस्तान में रहने वाले हिन्दुस्तानियों से भाग्यवान और बेहतर समझने के भाव से सदा ग्रस्त रहते थे। ऐसा कहते तो नहीं थे, फिर भी यह उनकी हर बात में झलकता था, हर बात से झड़ता था। एक बार वह तीनों भाई अचानक बहुत गुस्से में थे। मैं उनके घर पहुँचा तो वह मुझ पर बरस पड़े—यह इंडिया को क्या हो गया है? मैं सकपका गया। आगे बातों में पता चला कि उसी दिन अख़बारों में एक ख़बर छपी थी कि भारत सरकार ने आदेश ज़ारी किया है कि भारत के प्राइम मिनिस्टर के लिए 'प्रधान मंत्री' शब्द का प्रयोग होगा। इसी ने पड़ोसी के लंदनवासी तीन बेटों का पारा बढ़ा दिया। उनका तर्क था कि हिन्दी 'इंडिया' को ले डूबेगी। अब भला इंगलैंड का पी.एम. कैसे समझेगा कि प्रधानमंत्री के माने हैं प्राइम मिनिस्टर—उनका तर्क था। भारत की गंदगी, पिछड़ेपन, टूटी सड़कें, भारतीयों के टुच्चापन, रिश्वतख़ोरी, बेईमानी आदि की अनेक मिसालों और कहानियों के बीच कहीं उनके मुँह से निकला था—"दिस ब्लडी इंडिया"।

शायद इसी भावभूमि के कारण हमारे पड़ोसी परिवार को लगा हो कि यह नाटक उन्हीं पर है। उनका ही उपहास कर रहा है। और वे इसे सहन नहीं कर सके। नाटक की नक़ली 'टीन की तलवार' असली लोहे की तलवार से ज़्यादा गहरा जख़्म करती है। इसी को सिद्ध करते हुए बिना पूरा नाटक देखे ही वह बीच में भाग गये। यह घटना नाटक की आघातशक्ति और प्रभाव को रेखांकित करती है। इस घटना ने मुझे इस नाटक की गुणात्मकता और रचनात्मकता के प्रति बहुत आश्वस्त किया। मैं इसकी संरचना के स्तर पर भी संतुष्ट हूँ, क्योंकि यह दर्शकों के साथ सफलतापूर्वक अपनी बात पहुँचाने में समर्थ हैं, जो किसी भी रचनात्मक कृति की सफलता की पहली शर्त है।

जनवरी, 2005

दया प्रकाश सिन्हा
बी.-255, सेक्टर 26
नोएडा-201301

राग बिदेसी

पात्र

विवेक	सूत्रधार
चौधरी	आयु 60 वर्ष
वृद्ध	आयु 55 वर्ष
बैद्य	आयु 60 वर्ष
बैद्य का सहायक	आयु 30 वर्ष
अम्मा	आयु 50 वर्ष
मुन्ना	आयु 25 वर्ष
पंडित रामायण	आयु 55 वर्ष
जयकिशन	आयु लगभग 30 वर्ष
श्यामलाल	आयु लगभग 25 वर्ष
समीर (सैमी)	आयु 21 वर्ष
रमेश (रैमी)	आयु 21 वर्ष
पत्नी	आयु 22 वर्ष
जया (जैकी)	आयु 19 वर्ष
माधुरी (मार्था)	आयु 19 वर्ष

राग बिदेसी

नाटक के तीन खण्ड, तीन विभिन्न कालों में स्थित है, जो इस प्रकार है—

पूर्व रंग : 17वीं शताब्दी का पूर्वार्ध, जहाँगीर के शासन-काल में।

प्रथम अंक : 1938 में ।

द्वितीय अंक : 1967 में।

राग बिदेसी

पूर्व-रंग

(पूर्व-रंग में नाटक, यवनिका खुलने के पूर्व, मंचाग्र परअभिनीत किया जाता है।)

उद्घोषक : **(नेपथ्य से,नगाड़े की ध्वनि के बाद)** .ख़ल्क खुदा का, हुक्म बादशाह का, पहले सुनिये .गौर से, फिर बात करिये और से **(नगाड़े की ध्वनि)** हर खासो आम को इत्तला की जाती है कि आफ़ताबे मुगलिया, शहंशाहे-हिन्द, ज़िल्ले सुभानी, नूरूद्दीन मुहम्मद जहाँगीर, बादशाह गाज़ी ने अपनी फ़य्यज़ दिल्ली से मसरूर होकर फिरंगी कम्पनी के नुमाइन्दे टामस रॉ-मियाँ को आगरा मे कारखना व तोशाखाना तामीर करने की इजाज़त अता फ़रमाई है। **(नगाड़े की ध्वनि)**

(एक वृद्ध नेपथ्य से प्रवेश करके मंचाग्र के बीच में आता है।)

वृद्ध : **(नेपथ्य की तरफ़ देख कर पुकारते हुए)** चौधरी यहीं ठीक है। बाहर आ जाओ।

चौधरी : ठीक कहते हो। यहाँ लू फिर भी अच्छी लगती है।

वृद्ध : कोठरी की उमस से तो यह लू भली।

चौधरी : **(नेपथ्य की ओर बढ़ते हुए)** यहीं रूको। मैं चारपाई यहीं लिए आता हूँ। नीम की हवा तो मिलेगी। भले ही लू हो।

(चौधरी नेपथ्य में जाकर चारपाई लाता है। इस दौरान बृद्ध अंगोछे से अपना पसीना पोंछता है।)

वृद्ध : सुना है, दरबार में किसी फिरंगी का बड़ा रंग है--आजकल?

चौधरी : ठीक सुना है, क्या नाम है उसका—टामस बामस कुछ कहते हैं उसे। बादशाह जहाँगीर पर तो जादू कर दिया है उसने।

वृद्ध : कैसे होते है फिरंगी देखने में?

चौधरी : देखा तो नहीं आज तक। मुन्ना कहता था—एकदम लाल मुँह

होता है उनका ।

वृद्ध : **(आश्चर्य)** लाल मुँह?

चौधरी : सब ईश्वर की लीला है। भाँति-भाँति के प्राणी बनाये हैं उसने।

वृद्ध : कैसे लगते होंगे देखने में?

चौधरी : बन्दर नहीं देखा तुमने? बस बैसे ही लगते होंगे।

वृद्ध : दिल्ली क्या करने आया है वह?

चौधरी : **(आवाज़ देते हुए)** मुन्ने की अम्मा! ज़रा पानी तो ला दे। **(वृद्ध से)** फिरंगी-मुलक में बड़ी गरीबी है बड़ी भुखमरी है। इसीलिए बादशह जहाँगीर के दरबार में चाकरी करने आया है।

वृद्ध : तुम्हें कैसे मालूम?

चौधरी : मुन्ना कह रहा था।

वृद्ध : मुन्ना जब से फारस से लौटा है, देखा ही नहीं।

चौधरी : जादातर शहर में रहता है, आज आने वाला है।

वृद्ध : हाय, न जाने कैसा लगता होगा अब? फारस पलट है।

चौधरी : उसे देखो तो पहचान भी ना पाओ।

वृद्ध : अच्छा!

चौधरी : यह टोपी,वह दाढ़ी, वह चपकन! देखने में एक-दम मुगल लगता है। देखो तो लगे, बादशाह जहाँगीर चले आ रहे हैं।

(अचानक मुन्ना का नेपथ्य से प्रवेश)

चौधरी : लो, यह तो मुन्ना आ ही गया। आओ आओ।

(चारपाई से दोनों उठते हैं। मुन्ना, बदहवास सा चारपाई पर बैठ जाता है। वह अपने बदन से कपड़े नोच कर फेंक देना चाहता है।)

मुन्ना : **(अपने कपड़े नोचते हुए)** ओह, तपिश! आतिश! तपिश आतिश!

चौधरी : **(घबरा कर)** क्या हुआ मुन्ना! तुम्हें क्या हुआ?

मुन्ना : तपिश...आतिश...

चौधरी : **(मुन्ना का माथ छू कर)** अरे, यह तो आग सा जल रहा है! इसे तो बुखार है। **(वृद्ध से)** जाओ, जल्दी वैद्य बुला कर लाओ।

(वृद्ध वैद्य बुलाने नेपथ्य में जाता है।)

मुन्ना : तपिश। आतिश! आब!

(पानी का लोटा लिए मुन्ने की अम्मा का प्रवेश)

अम्मा : **(घबरा करा)** क्या हुआ मेरे मुन्ने को? **(पानी का लोटा चारपाई के नीचे रखते हुए)** हाय मेरे बेटे! **(सर सहलाती हुई)** हाय, तुझे क्या हो गया!

चौधरी : बुखार है।

मुन्ना : आह! आग!

चौधरी : वैद्य जी को बुलाया है।

मुन्ना : आब! आब!

चौधरी : वैद्य जी आते होंगे।

मुन्ना : तपिश! आतिश! आब!

अम्मा : हाय मेरे बेटे को क्या हो गया!

मुन्ना : **(चीख कर)** आब!

अम्मा : क्या?

मुन्ना : आब!

अम्मा : यह आब कौन है?

मुन्ना : **(झुंझलाकर)** आब! आब!

चौधरी : **(अम्मा को एक तरफ़ ले जाकर)** बुखार सर पर चढ़ गया है। हो सकता है कोई भूत प्रेत हो । तब ही आँय-आँय बक रहा है बरी रहा है।

मुन्ना : **आह, तपिश, आतिश। (चीखते हुए)** आब। आब! **(बेहोश होकर चारपाई पर गिर जाता है।)**

चौधरी : **(मुन्ना के हाथ की नाड़ी देख कर, सीने से कान लगा कर, रोते हुए)** मुन्ने की अम्मा, मुन्ना तो चला गया।

(दोनों दहाड़ मार कर रोते हैं। तब ही वैद्य जी तथा उसके एक सहायक को साथ लिए वृद्ध का प्रवेश। वैद्य जी के सहायक के हाथ में दवाई घोटने का खरल तथा कुछ पुड़ियाँ हैं।)

वैद्य : **(मुन्ना के सर पर हाै रखकर)** इसको तो लू लगी थी।

चौधरी : बुखार तो सर पर चढ़ गया था। आँय-आँय बक रहा था।

वैद्य : **(नाड़ी देखते हुए)** इसको पानी पिलाना था?

चौधरी : पानी माँगता तो पानी पिलाते। यह तो "आब–आब" बक रहा था।

वैद्य : वह पानी माँग रहा था।

चौधरी : पानी?

वैद्य : आब माने पानी होता है। अगर पानी पिला देते तो यह बच जाता।

चौधरी : कैसे पिला देते पानी। हम अनपढ़ लोग क्या जानें—आब माने पानी।

अम्मा : हाय मेरा बेटा!

वृद्ध : रोने से क्या फ़ायदा। ईश्वर की यही इच्छा थी। मिट्टी को जल्दी जमुना में बहा दो।

(चौधरी अम्मा को बेटे से हटाता है, । फिर चारों आदमी चारपाई को कंधा देकर पुकारते हैं—'राम नाम सत्त है'और प्रेक्षागृह से दर्शकों के बीच होते पीछे के द्वार की तरफ़ बढ़ते हैं। माँ पानी का लोटा उठाकर नेपथ्य में अन्दर जाती है। मंच पर अंधकार। प्रेक्षागृह में मुन्ना की अर्थी ले जाने का मार्ग प्रकाशित हो उठता है। लाश जैसे ही प्रेक्षागृह के बाहर जाती है, प्रेक्षागृह मे पुनः अंधकार छा जाता है। तब ही मंचाग्र के कोने पर खड़े विवेक को प्रकाश-वृत्त लक्षित करता है।)

विवेक : **(बीच मंच पर आते हुए, परिहास में)**

फ़ारस गये मुगल हो आये, बोले मुगली बानी।
आब आब कर मर गये मुन्ना, खटिया तले था पानी॥

(स्वर बदलकर)

आपने अभी देखा, अगर मुन्ना ने आब न कह कर पानी माँगा होता, तो शायद उसकी जान बच जाती।

अब प्रश्न यह उठता है कि उसने पानी को आब क्यों कहा? इसका उत्तर मैं नहीं दूँगा। यह सच है कि रंगमंच हमारे प्रश्नों के उत्तर और समस्याओं के हल देता है—किन्तु कभी-कभी, सदा नहीं। कभी-कभी यह प्रश्न भी उठता है—आप के लिए, जिनका उत्तर आप को देना होता है।

अब आपके मन में दूसरा प्रश्न करवटें ले रहा है। आप जानना चाहते हैं कि आखिर मैं कौन हूँ। आपके और नाटक के बीच में क्यों खड़ा हूँ। अगर मैं कहूँ कि आपके और नाटक के बीच में मैं नहीं हूँ तो आपको आश्चर्य होगा। आप अविश्वास

और अस्वीकार से सिर हिला देंगे। किन्तु यह सच है। आप में और नाटक में कोई अन्तर या फासला नहीं है। इसीलिए कोई आप के और नाटक के बीच आ ही कैसे सकता है। आप ही नाटक हैं। और नाटक, आपकी अभिव्यक्ति।

मैं नाटक में भी हूँ और आप में भी। मैं वह सत्य हूँ, जो समय और स्थान निरपेक्ष है। मैं परिवर्तनशील सभ्यताओं में अपरिवर्तित सहज-बुद्धि का वह क्षीण स्वर हूँ, जिसे सुनते सब हैं, किन्तु स्वीकारते बहुत कम। मैं विवेक हूँ।

(विवेक पर पड़ने वाला प्रकाश-वृत बुझ जाता है। अंधेरे में विवेक नेपथ्य में चला जाता है।)

प्रथम अंक

समय : **सन् 1938**

स्थान : **पंडित रामायण त्रिवेदी के घर की बैठक–दूसरी मंजिल पर। पीछे की दीवार में एक खिड़की है। बायाँ द्वार घर के बाहर जाने का है, तथा दायाँ घर के भीतर।**

पंडित रामायण त्रिवेदी केवल धोती पहने, तथा उसके दूसरे पल्ले से बदन का ऊपरी भाग लपेटे, जनेऊ धारण किये, तथा सिर पर मोटी चोटी में गाँठ लगाये हाथ में पूजा की थाली लिए दायें द्वार से बैठक में प्रवेश करके बायें द्वार से घर के बाहर जाते हैं। किन्तु तत्काल ही वापिस कमरे में आते हैं।

पंडित : **(पुकारते हुए)** जयकिशन! **(दायें द्वार की तरफ़ बढ़ते हुए)** जयकिशन!

जयकिशन : **(नेपथ्य से)** आया पंडित जी

पंडित : श्यामलाल विलायत से आ रहा है–

जयकिशन : सब मोहल्ले बिरादरी में खबर हो गयी है। बैण्ड बाजे का भी इन्तजाम हो गया है। पूरा जुलूस निकालेंगे–श्यामलाल भइय्या का।

पंडित : वह तो ठीक है–

जयकिशन : **(अपनी ही धुन में)** विलायत पलट हैं। कोई मामूली बात नहीं।

पंडित : दो साल किरिस्तान मुलुक में रहा है,–न जाने कहाँ रहा होगा, क्या खाया होगा।

जयकिशन : विलायत में कैसा नेम-धरम!

पंडित : तब ही तो कहता हूँ, श्यामलाल को शुद्ध करना पड़ेगा। उसके आते ही–

जयकिशन : गोबर गोमूत्र के लिए तो ग्वाले से कह दिया है। वह कल सुबह ही दे जायेगा।

पंडित : गंगाजल भी तो चाहिए। मैने पंडित रेबती रमण से कह रखा था। वह कल हरद्वार से मेरे लिए गंगा जल ले आये होंगे। तुम अभी ले आओ उसे।

जयकिशन : अभी लेओ पंडित!

पंडित : मैं शंकर जी की पूजा को जा रहा हूँ। घंटे भर में लौट आऊँगा। जयशंकर।

(बायें द्वार से घर के बाहर प्रस्थान)

जयकिशन : **(पंडित जी की नकल सा करता हुआ)** जय शंकर! **(कुछ सोचता है, फिर पुकारते हुए)** बहू रानी! बहू रानी! **(दायें द्वार से लंबा घूंघट काढ़े, श्यामलाल की पत्नी का प्रवेश।)**

जयकिशन : **बहू रानी**, कल श्यामलाल भइया विलायत से आ रहे हैं। उनको शुद्ध करने पंडित जी ने हरद्वार से गंगा जल मँगवाया है। वही लेने पंडित रेवती रमन के यहाँ जा रहा हूँ । दरवाज़ा तुम अन्दर से बन्द कर लो।**(बायें द्वार से बाहर प्रस्थान)**

(पत्नी दरवाज़ा बन्द करके घर के भीतर जाती है, तब ही बाहर दरवाज़े पर दस्तक होती है। पत्नी पुनः अन्दर से कमरे में प्रवेश करती है। इस बार उसका घूँघट खुला है। वह जैसे ही दरवाजा खोलती है, एक हाथ में बड़ी अटैची लिए श्यामलाल (25-30) वर्ष दिखाई पड़ता है। उसको देखते ही पत्नी घूंघट खींचे लेती है।)

श्याम : **(कमरे में प्रवेश करके)** माई डार्लिंग! **(पत्नी का आलिंगन करना चाहता है किन्तु वह छिटक कर दूर खड़ी हो जाती है।**

श्याम : **(खिसिया कर)** सेम ओल्ड ब्लडी इंडिया! सेम ओल्ड ब्लडी होम!

(विवेक का बायें द्वार से प्रवेश। उसकी आयु लगभग 35 वर्ष है, किन्तु बालों में माँग के पास सामने हल्की सी सफेदी है जो उसकी मानसिक परिपक्वता की द्योतक है।)

विवेक : **(प्रवेश करके)** किसी अंग्रेज को कभी ब्लडी इंगलैण्ड कहते सुना है?

श्याम : तुम यहाँ भी आ गये?

विवेक : तुम्हें आपत्ति?

श्याम : मैं तुमसे परेशान हो गया हूँ।

विवेक : क्यों?

श्याम : इंगलैण्ड में तुमने मेरा पीछा नहीं छोड़ा।**(पत्नी की ओर देखकर)** इसे देखा। दो साल बाद पति वापस आया है, और यह इतनी दूर खड़ी है—बन्द गोभी सी।

विवेक : यह प्रतीक्षा कर रही है—

श्याम : इंगलैण्ड में पत्नी दौड़कर आती और गले से झूल जाती—हाय डार्लिंग।

विवेक : तुम्हारा ख्याल है कि जो दौड़कर गले से झूल जाये, वह ही प्यार करती है?

श्याम : तुम्हारे सवाल बड़े बेहूदे होते हैं!

विवेक : तुम सवालों से कतराते क्यों हो?

श्याम : रोमांस भी कुछ होता है?

(पत्नी आगे बढ़कर श्याम लाल के पैर छूती है।)

श्याम : **(क्रोध के विस्फोट से)** गेट अवे।

(पत्नी घबराकर हट जाती है।)

श्याम : **(वितृष्णा से)** यही रोमाँस है!

विवेक : **(अर्थपूर्ण स्वर में)** तुम्हें रोमाँस पसन्द है?

श्याम : तुम जानते हो।

विवेक : कैसा रोमाँस? पिकेडली—

श्याम : **(तुरन्त)** कैसी पिकेडली?

विवेक : भूल सकोगे उसे? पिकेडली की वह बरसाती शाम—जब शरीर की भूख और मन की प्यास, दोनों से बेचैन तुम...

श्याम : **(विवेक का मुँह हाथों से बन्द करके)** अब तुम कुछ देर खामोश रहो। **(फिर वह घूँघट काढ़े की पत्नी की तरफ जाता है।)**

विवेक : वह प्रतीक्षा कर रही है कि तुम धीरे से उसका घूँघट उठाओ। पिकेडली वाली की तरह नहीं—**(कहते कहते रुक जाता है जब देखता है कि श्याम अपनी पत्नी का घूँघट उठा रहा है।)**

श्याम : **(घूँघट उठाकर)** हाऊ ब्यूटीफुल! **(चेहरा झुकाये, आँख बन्द किये पत्नी खड़ी रहती है।)**

विवेक : कहाँ यह लज्जा, कहाँ पिकेडिली वाली।

श्याम : तुम ठीक कहते हो। कभी-कभी लगता है कि तुम ठीक कहते हो । इसने दो साल इन्तज़ार किया है।

विवेक : वह दो मिनट भी बर्बाद नहीं करना चाहती थी।

श्याम : **(ठुड्डी के नीचे उँगली रख कर, पत्नी का चेहरा उठाते हुए)** आई लव यू, माई डार्लिंग। यह क्या, तुम तो रो रही हो?
(पत्नी का रोना तीव्र हो जाता है।)

श्याम : **(पत्नी के सर पर हाथ फेरते हुए सीने से लगाता है)** चुप हो जाओ डार्लिंग। चुप हो जाओ। रोने की क्या बात है? रो क्यों रही हो?

पत्नी : **(मासूमियत से)** एक तो दो साल बाद आये, फिर आते ही डाँट दिया। हाँ। **(फिर रोने लगती है।)**

विवेक : कितनी मासूम है यह !

श्याम : हाऊ इन्नोसेन्ट!

विवेक : शरीर और रोमांस की भूख ने बेचैन कर दिया, झकझोर दिया...मजबूर...लेकिन बहुत तलाश करने पर भी कोई अंग्रेज लड़की हाथ न लगी।

श्याम : इस समय यह सब क्यों याद आ रहा है?

विवेक : हिन्दुस्तानी आदमी की वासना अंग्रेज लड़कियाँ पढ़ ही नहीं पाती थीं।

श्याम : **(सोचता हुआ)** काला आदमी आदमी नहीं होता।

विवेक : तब मिली यह पिकेडली वाली।

पत्नी : तुम्हें मेरी याद क्यों आती होगी?

श्याम : **(विचारों से अचानक जाग कर)** आं **(अपने को सम्हाल कर)** तुम्हारी याद न आयेगी?

पत्नी : गोरी गोरी मेमों से फुर्सत मिलती, तब ही।
(श्याम लाल हँसता है।)

विवेक : बड़ी मुश्किल से एक गोरी मेम मिली—पिकेडली वाली।

श्याम : **(पत्नी से)** बड़ी बहादुरी से के बैठक में खड़ी हो! लगता है पॉप घर में नहीं?

पत्नी : **कौन**?

श्याम : **(समझाते हुए)** पॉप—यानी ओल्ड मैन—अपना बुड्ढा, मतलब बाबूजी.....

पत्नी : वह मन्दिर गये हैं।

श्याम : और जैक्सन?

पत्नी : कौन?

श्याम : **जैक्सन। (समझाते हुए)** जयकिशन।

पत्नी : वह गंगा जल लेने गया है।

श्याम : क्यों?

पत्नी : गोरी मेमों ने तुम्हें अशुद्ध कर दिया होगा।

विवेक : **(व्यंग्य से)** काश, अशुद्ध कर दिया होता!

पत्नी : तुम्हें गंगा जल से शुद्ध किया जायेगा।

विवेक : पिकेडिली वाली ने भी काले आदमी का मन नहीं देखा। उसने देखी उसकी जेब, और उसमें रखे पाउण्ड। और साथ में चल दी।

पत्नी : गोबर और गोमूत्र भी बाबू जी ने मंगाया है—

श्याम : मेरे लिए?

विवेक : पिकेडली वाली अपने घर ले गयी। पास ही अंधेरी गली के भीतर एक सर्द कोठरी।

श्याम : **(बिगड़ कर)** तुम खामोश नहीं रहोगे! निकल जाओ। अभी निकल जाओ।

(बाँह पकड़ कर विवेक को बाहर निकालता है।)

श्याम : दिस इज़ डैम इण्डिया। मै इससे नफ़रत करता हूँ। गाय का पाखाना और पेशाब—इंगलैड में दोस्त सुनें तो क्या कहें! कितना हंसेंगे मुझ पर।

पत्नी : मुझ पर क्यों नाराज हो रहे हो! तुम तो कल आने वाले थे?

श्याम : मुझे विलायत में लोग महाराजा समझते थे। कितनी इज्जत थी मेरी। गाय की पेशाब! ऊँह!

पत्नी : तुम तो कल आने वाले थे। आज कैसे आ गये?

श्याम : तुम लोग इसे कैसे समझोगे! ब्लडी हिन्दुस्तानी तो बस खाना और सोना जानता है। थ्रिल, फन, सरप्राइज़ तो जानता ही नहीं।

पत्नी : **(आमोदित सी)** तुम समझाओ तो समझ जायेंगे।

श्याम : मैं अचानक आकर सबको सरप्राइज़ देना चाहता था। सबको अचंभे में डाल देना चाहता था। लेकिन यहाँ तो मेरे लिए गाय की पेशाब और गोबर का इन्तज़ाम हो रहा है।

पत्नी : तुम किसी भी वजह से एक दिन पहले आये हो, लेकिन मैं तो यही समझती हूँ कि तुम मेरे लिए आये हो।

श्याम : **(कुछ देर पत्नी को देखता है,फिर निकट आ कर)** मैं तुम्हें लन्दन में बिलकुल भी नहीं भूल सका। तुम्हरा सुन्दर चेहरा बराबर मुझे याद आता रहता था।

पत्नी : **(शरमा कर)** हटो, कोई सुन लेगा।

श्याम : सुन कौन लेगा? **(दरवाज़ा बन्द करके पत्नी का आलिंगन करता है।)**

पत्नी : **(अपने को छुड़ाते हुए)** बाबू जी आते होंगे।

श्याम : डार्लिंग, मैंने डेम सिविल को एक नाटक में देखा। उसकी सूरत बिलकुल तुम्हारी जैसी है। उसको देख कर लगता था जैसे तुम्हीं स्टेज पर हो।

पत्नी : **(हँसकर)** किसी बहाने तुम को मेरी याद तो आई।

श्याम : मैंने उसी दिन, वही पोशाक बाजार से खरीदी, जो डेमसिबिल पहने थी। तुम्हारे लिए–

पत्नी : क्यों? हाय! मै पहनूँगी–मेमों के कपड़े?

श्याम : हाँ, हाँ, क्यों नहीं? तुम सिबिल से भी ज्यादा सुन्दर लगोगी इसमें।

पत्नी : हटो भी।

श्याम : **(अटैची खोलते हुए)** यह देखो। तुम्हें वह पोशाक दिखाता हूँ।

पत्नी : बस, इतना ही सामान लाये हो?

श्याम : बाकी सामन 'शिप' से आयेगा। मै तो एरोप्लेन से आया हूँ। **(अटैची खोल कर फ्रॉक निकालता है।)** देखो, कैसी है?

पत्नी : यह मै पहनूँ?

श्याम : तो क्या मै पहनूँ? **(गर्व से)** इसमें लगोगी तुम मिसेज़ सेमुअल! एक दम डेम सिविल जैसी।

पत्नी : मुझे नहीं अच्छी लगती यह बेशर्मी।

श्याम : बेशर्मी! बेशर्मी क्या है इसमें!

पत्नी : पिंडली तक ऊँची है। भले घर की औरतें भला...

श्याम : भले घर! हमारे विलायत में सब औरतें यही पहनती है–क्या वह सब बदमाश हैं?

पत्नी : वह तो मेम हैं।

श्याम : बड़े बड़े लॉर्ड घर की औरतें यह पहनती हैं। वह भले घर की नहीं हैं? कोई 'नेटिव' औरत उनके पैर क़ा धोवन भी नहीं है।

पत्नी : अच्छा गुस्सा थूको। मै पहन लूँगी। तुम्हारी खुशी इसी में है, तो पहन लूँगी।

श्याम : **(प्यार से)** दैट्स लाइक अ गुड गर्ल।

पत्नी : लेकिन यह तो बताओ, इसे पहन कर क्या होगा?

श्याम : तब मैं तुमसे 'लव' करूँगा।

पत्नी : 'लव' क्या होता है?

श्याम : (काल्पनिक प्रेमिका के साथ फ़ोक्सटॉट करते हुए) कम लवी, वी विल मेक लव। **(रुक कर)**

समझीं?

पत्नी : नहीं।

श्याम : एकदम इडियट। लव माने प्यार।

पत्नी : **(अचानक फ्रॉक फेंक कर, शमति हुए)** तुम्हारा तो दिमाग फिर गया है।

श्याम : **(बिगड़ कर)** ब्लडीफूल। न इण्डियन आदमी में अक्ल, न औरत में। इंगलैंड की लाई फ्रॉक इस तरह फेंक दी जैस इण्डियन हो। कितने अरमान से इसे लाया था। उँह! **(क्रोध से फ्रॉक को सम्हालता, तह करता, पत्नी से दूर जा कर बैठ जाता है।)**

(पत्नी कुछ देर आमोदित सी श्यामलाल को देखती है, फिर उसके पास जाती है।)

पत्नी : एक बात पूछँ?

श्याम : पूछो।

पत्नी : प्यार को 'प्यार' कहने से क्या कुछ और होता है, जो प्यार में नहीं होता?

श्याम : मुझे परेशान न करो।

पत्नी : अच्छा नाराज़ न हो। दो साल बाद तो आये हो। मैं तुम्हें नाराज़ नहीं करूँगी। तुम चाहते हो तो मैं इसे पहन लूँगी। लाओ मुझे दे दो।

श्याम : गुड, बेबी गुड!

पत्नी : देखो डार्लिंग! इण्डियन्स जिन्दगी एन्जॉय करना नहीं जानते। हमारे इंगलैंड में शादी के बाद भी, मियाँ बीबी एक दूसरे के हाथ में हाथ डाल कर चलते हैं।

विवेक : **(अचानक खिड़की पर प्रकट होकर)** चाहे घर के अन्दर जूता लात चले।

श्याम : **(क्रोध से विवेक को देखता है)** ज़िन्दगी में कुछ थ्रिल होना चाहिए। कुछ रोमांस होना चाहिए। हमारे इंगलैण्ड में कोर्ट शिप होती है। कितना मज़ा आता है उसमें।

विवेक : पिकेडली वाली का मज़ा?

पत्नी : एक मेम से भी शादी कर लेते। मैंने मना तो नहीं किया था।

श्याम : **(झुंझला कर)** मेरी बात सुनो। **(समझाते हुए)** डियर मैंने सोचा है—दो साल बाद अपना हनीमून—यानी सुहाग रात अंग्रेज़ी ढंग से मनायेंगे।

पत्नी : यह कौन सा ढंग है?

(श्याम उत्तर नहीं देता।)

विवेक : एक दम नंगी वह पलंग पर लेट गयी । दो मिनट का इन्तजार भी उसे नापसंद था।

पत्नी : बताया नहीं तुमने?

विवेक : झुंझलाकर बोली—क्यों समय बर्बाद करते हो। यह बिज़नेस का वक्त है। ऐसी थी अंग्रेज़ी सुहागरात!

श्याम : मैं तुम्हें मार डालूँगा। **(मारने को बढ़ता है, किन्तु विवेक घर के बाहर भाग जाता है)**

पत्नी : आपने बताया नहीं, कैसा होता है सुहाग रात का अंग्रेजी ढंग?

श्याम : आज रात को दस बजे मैं दोस्तों के यहाँ से लौटूँगा। पॉप यानी बाबूजी और जैक्सन तो आठ ही बजे सो जाते हैं। उस समय मैं दरवाज़े से घर में नहीं आऊँगा। पाइप चढ़कर इस खिड़की से घर में आऊँगा।

पत्नी : हाय राम! चोर की तरह?

श्याम : बोलो मत—बीच में।

पत्नी : यही अंग्रेजी ढंग है प्यार का?

श्याम : तब तुम मुझे यहाँ...यहाँ मिलना, पोशाक पहने, जो मैं विलायत से लाया हूँ।

पत्नी : फिर—

श्याम : जैसे ही खिड़की से कूदूँ, तुम मेरे सीने से लग कर गले में बाहें डाल देना और कहना—माई डार्लिंग!

(पत्नी अपनी हँसी रोक नहीं पाती।)

श्याम : **(बिगड़ कर)** हँसो मत। हाँ, अब बोलो—माई डार्लिंग।

पत्नी : **(सीखती हुई)** मू मू माई डर्लिंग।

श्याम : फिर मैं तुम्हे अपनी बाहों में उठा कर अन्दर कमरे में ले जाऊँगा—बिस्तर पर।

पत्नी : तुम्हारी तो मत भरमा गयी है।**(अन्दर जाने को बढ़ती है।)**

श्याम : **(दौड़ कर हाथ पकड़ लेता है)** देखो,रात को दस बजे, इसे पहन कर यहीं मिलना।

पत्नी : नहीं पहनूँगी।

श्याम : तुमको पहनना पड़ेगा।

पत्नी : नहीं पहनूँगी। **(बाहर के दरवाज़े पर दस्तक)**

पंडित : **(बाहर से)** जयकिशन, दरवाज़ा खोलो।

श्याम : आ जाने दो। मैं हाथ नहीं छोड़ूँगा ।

पत्नी : वह क्या कहेंगे! हाथ छोड़ो। दरवाज़ा खोल दूँ।

श्याम : नहीं छोड़ूँगा हाथ।

पंडित : **(नेपथ्य से)** जयकिशन, दरवाज़ा खोलो। **(द्वार पर दस्तक)**

पत्नी : मैं तुम्हारे पैर पड़ती हूँ।

श्याम : पहले कहो—यह कपड़े पहनूँगी। और जैसा मैंने कहा है वही करोगी।

पत्नी : हाय, बाबू जी न जाने क्या सोचते होगें। **(दस्तक की आवाज़)**

श्याम : कहो जैसा कहा है वैसा करूँगी।

पत्नी : सुनो तो....**(दस्तक)** ....हाँ, हाँ करूँगी। बिल्कुल करूँगी।
: अब तो हाथ छोड़ो।

श्याम : पहले मेरी कसम खाओ।

पत्नी : तुम्हारी कसम।**(श्याम हाथ छोड़ देता है।)**

(पत्नी लंबा घूँघट खीच कर दरवाज़ा खोलने जाती है। दरवाजा खुलने पर पंडित जी बाहर से प्रवेश करते हैं।)

पंडित : बड़ी देर में दरवाज़ा खोला! जयकिशन नहीं है?

(पत्नी घूँघट में सिर हिलाती है।)

पंडित : अरे श्याम लाल! तुम कब आये?

श्याम : बस, थोड़ी देर पहले ही।

पंडित : तुमने तो लिखा था कि कल आओगे?

श्याम : मैंने सोचा आप सबको सरप्राइज़ दे दूँ।

पंडित : क्या?

श्याम : मेरा मतलब है—मैं सबको अचंभे में डाल दूँ—एक दिन पहले पहूँच कर।**(पत्नी का घर के भीतर प्रस्थान)** हमारे इंगलैण्ड में सब लोग अक्सर ऐसा करते हैं।

पंडित : तुम्हारे इंगलैण्ड में लोग ऐसा करते होंगे। कहें कुछ, करें कुछ। हमारे यहाँ तो एक ही जबान होती है। जो अंदर वह बाहर। यह दोगली बात तुम्हारे इंगलैण्ड में ही भली।

श्याम : आप समझे नहीं पॉप।

पडित : क्या कहा—पाप? तुम्हारे इंगलैण्ड में पिता पाप होता होगा। हमारे भारत में तो वह सवा सोलह आने पुण्य होता है।

श्याम : आप फिर नहीं समझे।

पंडित : अरे मैं सब समझ गया। मुझे समझाने की क़तई ज़रूरत नहीं।

श्याम : सुनिये तो—

पंडित : अब सुनने को बचा ही क्या? जो समझना था, समझ लिया।

श्याम : क्या समझ लिया?

पंडित : यही कि तुम्हारे इंगलैण्ड में बच्चे हाथ में उल्टा उस्तरा ले कर पैदा होते हैं।

श्याम : उस्तरा?

पंडित : उसी से, बड़े होते ही बाप के कान काटते हैं। लगता है तुम्हारे इंगलैण्ड ने एक उस्तरा तुम्हें भी दे दिया।

श्याम : नोन्सेन्स।

पंडित : तब ही तो दो साल बाद बाप से मिला, तो नमस्ते, पायलागी, जैराम जी कुछ नहीं, ठूंठ-सा खड़ा बातें बना रहा है।

श्याम : **(हँस कर पंडित जी का हाथ पकड़ता है)** ओह पॉप यह सब बातें पुरानी हैं।

पंडित : **(हाथ छुड़ाकर)** तो नयी बात बताओ।

श्याम : हमारे इंगलैण्ड में कोई लड़का अपने बाप के पैर नहीं छूता। यह सब कंज़रवेटिज्म है। आदमी को वक्त के साथ बदलना चाहिए।

पंडित : **(व्यंग्य से)** मैं तो बुड्ढा हो गया। मैं क्या वक्त के साथ बदलूँगा। वक्त से बदलेगा—तुम्हारा बेटा, जो अंग्रेज़ बच्चों जैसा उस्तरा लेकर पैदा होगा।

(जयकिशन का गंगा जल का कलसा लिए प्रवेश)

जयकिशन : अरे भइया, तुम तो आज ही आ गये! यह लो गंगा जल भी ले आया तुम्हारे लिए।

पंडित : गंगा जल उसे नहीं, पहले मुझे दो!

जयकिशन : आपको?

पंडित : ला, मेरे हाथ पर डाल।

जयकिशन : जी?

पंडित : देखता क्या है? यहाँ गंगा जल डाल।

(पंडित के हाथ पर, जहाँ श्यामलाल ने पकड़ा था, जयकिशन गंगा जल डालता है।)

जयकिशन : क्या हुआ पंडित जी?

पंडित : पूजा से लौटा था । एक मलेच्छ ने छू दिया, बिना नहाये, बिना शुद्ध हुए।

श्याम : यही तो कंजरवेटिज्म है। वह कैसा धरम जो छूने से बिगड़ जाये? छुई मुई है!

पंडित : अपने बाप को पढ़ाने चला है!

विवेक : **(अचानक प्रवेश करके, पंडित जी से)** श्याम लाल ठीक कहता है।

पंडित : तुम फिर बोले। तुमको तो मैंने कब का चुप कर दिया था।

विवेक : अंग्रेज़ सात समुन्दर पार से आ गये। उनका धरम नहीं बिगड़ा। तुम्हारा धरम घर बैठे बिगड़ा जाता है?

श्याम : तब ही तो वह हम पर हुकूमत कर रहे हैं।

पंडित : **(निरूत्तर होकर)** वह तो बन्दर हैं बन्दर। लूटना खसोटना तो बन्दर का काम ही है।

श्याम : अंग्रेज़ बन्दर हैं, तो तुम लंगूर हो। काले मुँह के लंगूर। आज अंग्रेज़ी राज में सूरज नहीं डूबता। अंग्रेज़ की हर बात अच्छी, हर चाल अच्छी। उसकी पोशाक अच्छी। उसकी ज़ुबान अच्छी। उसकी अकल अच्छी। उसकी नसल अच्छी।

विवेक : **(श्याम लाल से)** अब तुम बहकने लगे।

श्याम : हिन्दुस्तानी आदमी को देखो। साला नंगा रहता है। जांघ तक धोती उठाए, नंगे बदन। मैनरलेस! हिन्दुस्तानी आदमी अभी सिविलाइज़ हुआ ही नहीं।

विवेक : तुम तो मेरी सुनोगे ही नहीं।

श्याम : इंगलैण्ड में मेहतर तक पतलुन पहनते है।

पंडित : **(उपहास में)** हाँ मेहतर ही पतलुन पहनते हैं।

विवेक : बेवकूफ, यह जलवायु की बात है।

श्याम : हिन्दुस्तानी आदमी बड़ी-बड़ी दाढ़ी मूछ लगाये, पूरा जंगली दीखता है। अंग्रेज को देखा, कितना साफ, चिकना, शेव किये रहता है।

पंडित : अरे हाँ! मैंने तो देखा ही नहीं। भूल ही गया। जयकिशन, न्योता दे आओ।

जयकिशन : किस बात का पंडित?

पंडित : हमारी तेरहवीं का।

जयकिशन : तेरहवीं?

पंडित : हाँ,हाँ मैं मर गया हुं। मेरी तेरहवीं नहीं करोगे?

जयकिशन : क्या कहते हो पंडित?

पंडित : हाँ, हाँ मैं मर गया । जीते जी मर गया। हमारे सपूत ने मार डाला।

श्याम : व्हाट नोन्सेन्स!

पंडित : मर न गया होता तो हमारे सपूत मूंछ क्यों मुंड़ाते?

श्याम : सुपर्सटिशन।

विवेक : उनकी उमर पर उनसे और क्या उम्मीद की जा सकती है?

पंडित : जिन्दा ही मैं तो परलोक चला गया। धन्य है भगवान! धन्य है।

श्याम : इसीलिए मैं ब्लडी इंडिया से नफरत करता हूँ। यहाँ की गन्दगी लोगों की खोपड़ी में भी भरी है।

पंडित : गन्दगी?

श्याम : हवाई जहाज़ में मुझे नींद आ गयी। अचानक मुझे नाक में बदबू महसूस हुई; मैं समझ गया, इंडिया आ गया।

पंडित : तुमको शराब चढ़ गयी है।

श्याम : जैसे तुमको भंग चढ़ जाती है।

पंडित : खबरदार, शंकर जी की बूटी के लिए कुछ कहा।

श्याम : तो शराब ही क्या बुरी है?

विवेक : **(बीच बचाव सा करता)** दोनों ही बुरे हैं, दोनों ही नशे हैं।

पंडित : **(क्रोध से)** भंग देवी नशा है। शराब राक्षसी नशा है। राक्षसी। जयशंकर! मैं राक्षसों के पास नहीं रह सकता। **(क्रोध से पैर पटकते अन्दर प्रस्थान)**

विवेक : तुम दोनों में ही अक़्ल नहीं है। मेरा यहाँ क्या काम। **(प्रस्थान बाहर)**

जयकिशन : श्याम लाल भइय्या!

श्याम : खबरदार, मुझे श्यामलाल मत कहना।

जयकिशन : **(आश्चर्य से)** तब क्या कहूँ?

श्याम : सेमुअल साहब।

जयकिशन : सेमुअल साहब? अब यही कहूँगा तुमको श्यामलाल भइय्या—

श्याम : फिर वही?

जयकिशन : हें...हें...भूल गया सेमुअल साहब।**(रुक कर धीरे से)** लाये हो?

श्याम : क्या?

जयकिशन : वही अंगरेजी!

श्याम : **(हँसकर, कोट की भीतरी जेब से निकालकर शराब की छोटी बोतल देते हुए)** यह लो जैक्सन।

जयकिशन : **(बोतल लेते हुए)** जैक्सन!

श्याम : उस बुड्ढे को पता न लगे।

जयकिशन : तुम फिकर न करो।

श्याम : ब्लाइटर ने मूड खराब कर दिया।**(प्रस्थान अन्दर)**

जयकिशन : **(बोतल सूँघते हुए)** क्या ख़सबू है। सूँघ ले बेटा जैक्सन,सूँघ ले। एकदम विलायती मेम जैसी महकती है। **(इधर-उधर देखकर बोतल कमीज़ में छिपाता हुआ बाहर प्रस्थान करता है।) (धीरे-धीरे प्रकाश कम होता है और एक दम अंधकार हो जाता है। अन्दर से लाकर मिट्टी के तेल का लैम्प जयकिशन रख जाता है। थोड़ी देर बाद दस बजने के घंटे, दूर पर सुनाई पड़ते हैं। विलायती पोशाक पहने, उसके ऊपर चादर ओढ़कर सिर ढके पत्नी शर्माई-सी प्रवेश करके खिड़की के पास खड़ी हो जाती है। वह बार-बार खिड़की से बाहर झांकती है। फिर खिड़की के पास कुर्सी पर बैठ जाती है, तथा जम्हाई लेती है। कुत्ते भौंकने की आवाज़ सुनाई पड़ती है। वह दौड़ कर खिड़की पर जाती है। फिर बाबूजी की आवाज़ दूर से "कौन**

है" आती है। फिर बाबूजी और जयकिशन की–"चोर चोर" की आवाज़ धीरे-धीरे निकट आती है। थोड़ी देर बाद खिड़की पर श्यामलाल दिखाई पड़ता है। वह खिड़की से जैसे ही कूद कर भीतर आता है, पंडितजी और फिर जयकिशन भी उसके बाद ही खिड़की से कूद-कर उसे (गिरा देते हैं, और "चोर चोर" कह कर उसे मारने लगते हैं। पत्नी घबरा कर भीतर के दरवाज़े पर चली जाती है और वहाँ से झाँकती है।)

श्याम : **(पिटते हुए)** मै चोर नहीं हूँ बाबू।

पंडित : ठहरो।

जयकिशन : क्या?

श्याम : मैं चोर नहीं हूँ।

पंडित : **(लैम्प निकट लाकर)** अरे, यह तो श्यामलाल है। **(उठाते हूए)** अरे श्याम लाल। **(तब ही उनको श्यामलाल के मुँह से आती हुई शराब की बदबू महसूस होती है। वह उसे छोड़-कर नाक पर कपड़ा रखते हैं।)**

जयकिशन : सेमुअल साहब।

पंडित : मैंने कहा था शराब राक्षसी नशा है। अपने ही घर में चोर की तरह आ रहा था **(जयकिशन से)** मुझे तो फिर गंगा जल से हाथ धोने पड़ेंगे।

(प्रस्थान–बाहर)

श्याम : **(रुंधे गले से)** जैक्सन!

जयकिशन : **(बनावटी सहानुभूति से गले लगाते हुए)** मेरे सेमुअल साहब!

(यवनिका)

द्वितीय अंक

समय : 1967

स्थान : श्यामलाल के मकान का ड्राइंग रूम।

इसमें दायाँ दरवाज़ा घर के बाहर खुलता है। बायाँ घर के भीतर, तथा पीछे की दीवार का बीच का दरवाज़ा एक दूसरे कमरे में।

मंचसज्जा

कमरे में एक तरफ मेज पर रेकर्ड-प्लेयर तथा कुछ रेकर्ड हैं। दूसरी तरफ एक लकड़ी के बक्स में बहुत सारे दफ्ती के पोस्टर रखे है। उनमें से कुछ पोस्टरों में लकड़ी के डंडे लगे हैं। पूरे कमरे में एक बेतरतीबी और अव्यवस्था है।

पर्दा खुलने पर समीर (सैमी), *माधुरी* (मार्था), *रमेश* (रैमी) *बहुत ही तीव्र, कर्ण भेदी असंगत ध्वनियों वाले संगीत पर अपने कुछ अन्य हिप्पी साथियों के साथ नृत्य करते दिखाई पड़ते है। जयकिशन भी उनके साथ नृत्य करता दिखाई पड़ता है, यद्यपि उसकी आयु लगभग 60-65 वर्ष की है।*

नाचते-नाचते समीर गाने लगता है–"इंडिया इज़ ए बिग लेट्रीन! ओह अमेरिका! हाय, अमेरिका!" ओह टु वी इन अमेरिका,! हाय अमेरिका! उसके साथी भी उसके साथ गाते हैं। संगीत और नृत्य उत्कर्ष पर पहुँचते है, तब ही दायें द्वार से जया (जैकी) का प्रवेश। वह हिप्पियों जैसे वेश में नहीं है। वह साधारण साड़ी इत्यादि पहने है। उसको देखते ही सब नृत्य रोक देते हैं।

समीर : **(अतीव आश्चर्य)** जैकी चिक! तुम्हें क्या हो गया?

रमेश : मैं तो तुम्हें पहचान ही नहीं पाया!

माधुरी : जैकी, तुम्हारी तबियत तो ठीक है?

जयकिशन : **(थक कर पीछे दीवार का सहार लेकर बैठते हुए)** तबियत कहाँ ठीक है? **(चरस की चिलम उठाकर मुँह से लगाता है।)**

(जया एक तरफ कुर्सी पर बैठ जाती है।)

माधुरी : तीन दिन से दिखाई नहीं पड़ी?

समीर : हाऊ आँफुल! तुम इन साफ कपड़ों में कितनी गन्दी लगती हो।

जयकिशन : अप टाइट है।

रमेश : **(जया के कंधे पर हाथ रखते हुए)** व्हाट हैपेन्ड, बेबी चिक?

जयकिशन : **(नशे में)** भर्ती हो गयी—इस्ठब्लिशमेन्ट में।

रमेश : क्रेज़ी चिक!

जया : डोन्ट बग मी। फ़न्की कैट। **(रमेश का हाथ पकड़कर झटक देती है, फिर रोने लगती है।)**

माधुरी : **(जया के सिर पर हाथ रखते हुए)** क्या हुआ जैकी।

जया : **(चीखते हुए)** हट जाओ। आई विल जैप यू।

(माधुरी घबरा कर पीछे हट जाती है, वैसे ही जयकिशन नशे में ठहाका लगाता है।)

(जया फिर रोती है। सब किंकर्तव्य—विमुढ़ से उसे देखते हैं। धीरे-धीरे समीर उसके निकट आता है। बाँह पकड़ कर उसे उठाता है, फिर अचानक उसके गाल पर थप्पड़ मारता है। जया दूर जा गिरती है।)

जया : **(रोते हुए, समीर के पास आकर, उसका कॉलर पकड़कर)** मारो मुझे। मारो मुझे। किल मी। बॉल मी।**(कालर छोड़ कर, शिथिल सी कुर्सी पर बैठ जाती है)** मुझे तीन दिन से हशिश नहीं मिली।**(समीर जयकिशन में पास से चिलम लाकर देता है। आतुरता से चिलम के कश फूँकती है। कश लेते ही उसका चेहरा खिल जाता है)**

जया : **(चिलम को देखते हुए)** हाऊ ग्रूवी।**(खिल कर हंसती है।)**

जयकिशन : **(नशे में)** बेबी बेबी ग्रूवी।

माधुरी : कोई खास बात है?

जया : मेरा एक अंकल है—

रमेश : तो?

जया : अंकल कार्बकंल! उसे हिप्पी बुरे लगते हैं।

समीर : फ़किंग ब्लडी स्क्वायर!

जया : उसने ममी पापा को समझाया—जया के साथ सख्ती करो। बस, उन्होंने तीन दिन खाना नहीं दिया। कमरे में बन्द कर दिया।

समीर : इसीलिए तुमने यह कपड़े पहने हैं? स्ट्रेट बन गयी?

माधुरी : तुम यह कपड़े पहन कर बाहर सड़क पर कैसे आ सकी?

जया : मैं क्या करती मार्था?

माधुरी : मैं तो शरम से मर जाती। कोई साफ धुले कपड़े पहन कर बाहर कैसे निकल पाता है!

समीर : डैडी मॉम—ब्लडी फ़ंकी।

रमेश : **(अचानक जया के गले में पड़ी रूद्राक्ष की माला देखकर)** अरे जैकी! यह क्या पहने हो?

जया : माला है।

समीर : फकिंग इंडियन है।

जया : **(सफाई में)** लेकिन यह मुझे एक अमरीकन औरत ने दी है।

रमेश : अमेरिकन ने!

माधुरी : अमेरिकन ने!

जया : हाँ! मैं यहाँ आ रही थी, तो रास्ते में मिली। वह सफेद साड़ी पहने थी।

समीर : इम्पोसिबिल।

रमेश : हो सकता है; मैंने अमेरिकन मैगज़ीन में पढ़ा है।

जया : वह मुझसे बोली—हारे किश्ना—

जयकिशन : **(नशे में)** हार गये कृष्ण जी।

जया : मैं रूक गयी। उसने मुझसे फिर कहा—हारे किश्ना। और यह माला दे दी।

माधुरी : इसमें खास बांत क्या है? ऐसी माला तो नानी पहना करती थीं।

समीर : अगर उस अमेरिकन औरत ने दी है, तो ज़रूर खास बात है।

रमेश : तब तो यह लेटेस्ट फैशन है।

जया : पास ही मैदान में बहुत से अमरीकी आदमी और औरतें कीर्तन कर रहे थे।

जयकिशन : **(चैतन्य महाप्रभु की शैली में हाथ उठा कर)** हरे कृष्ण, हरे कृष्ण, कृष्ण, कृष्ण हरे हरे।

जया : शट अप! **(जयकिशन फिर अपनी जगह नशे में लुढ़क जाता है।)** अमेरिकन हरे कृष्ण नहीं करते।

रमेश : तब?

जया : हारे किशना।

समीर : तब यह ठीक है। हारे किशना।

जयकिशन : यह लो, हार गये किशन जी!

रमेश : कहाँ हैं वह अमरीकन लोग?

जया : परेड मैदान पर।

रमेश : आओ मार्था चिक! हम लोग देखें।

माधुरी : चलो कैट।

(माधुरी और रमेश एक दूसरे का हाथ पकड़ कर घर के बाहर जाते हैं।)

जया : **(चिलम रख कर)** मै भी आ रही हूँ रेम। **(किन्तु रमेश और माधुरी बिना सुने ही चले जाते हैं।)** सैमी, आओ हम लोग चलें।

समीर : मैं नहीं जाऊँगा।

जया : चलो न।

समीर : **(सिगरेट पीते हुए)** लेट मीं डू माई थिंग।

जया : तुम मुझसे दूर रहते हो। तुम मुझे इतने अच्छे लगते हो। तुम यहाँ सबसे 'ग्रूवी' कैट हो। आओ न।

समीर : मुझे 'वॉलिग पसंद नहीं है।

जया : **(निराशा से)** मैं जानती हूँ तुम 'फ़ैग' हो। सब यही कहते हैं तुमको 'चिक' पसंद नहीं।

समीर : तुम जाओ।

जया : **(कमरे को देखते हुए)** मेरा इस 'पैड' में दम घुट रहा है। **(समीर को बाँह से खींचते हुए) प्लीज कैट,** आओ न। मैं तुम्हारे बिना नहीं जाऊगी। **(समर्पित सी)** मुझे कुछ देर के लिए कैट ही समझ लेना।

समीर : **(जया के नितंब पर हाथ मारते हुए) ओ. के. (उठ कर जया के साथ बाहर जाता है)**

(कुछ क्षण मंच पर कोई नहीं रहता, सिवाय जयकिशन के, जो पीछे की दीवार से सिमटा, लकड़ी के बक्स के पीछे , ज़मीन पर पड़ा नशे में बेहोश है। तब ही हाथ में एक एयर-लाइन्स की अटेची लिए श्याम लाल तथा उसकी पत्नी बाहर से आते है। वे आश्चर्य से कमरे की बेतरतीवी देखते हैं, फिर घर के भीतर जाते हैं। फिर घर के भीतर से आ कर, बीच के द्वार से पीछे के कमरे में जाते है। फिर बाहर निकल कर आते हैं।)

श्यामलाल : पता नहीं कहाँ चले गये सब के सब?

पत्नी : दरवाज़ा खुला छोड़ कर। घर तो ऐसा बना रखा है, जैसे कबाड़खाना।

(श्यामलाल लकड़ी के बक्स में रखे डंडों से प्लेकार्ड देखकर उधर बढता है।)

पत्नी : यह सब क्या है?

श्याम : **(एक प्लेकार्ड उठा कर पढ़ता है)** थिंक

पत्नी : क्या लिखा है?

श्याम : थिंक माने सोचो।

पत्नी : क्या सोचो?

श्याम : **(दूसरा प्लेकार्ड पढ़ते हुए)** मेडिटेट! **(पत्नी से)** मतलब ध्यान करो।

पत्नी : बच्चे लगता है धार्मिक हो गये हैं।

श्याम : **(तीसरा प्लेकार्ड उठा कर)** आल मेन आर वन, फक हेट।

पत्नी : क्या माने हुआ?

श्याम : **(हिचकिचा कर)** सब इन्सान एक है। **(टालते हुए)** ऐसा ही कुछ।

श्याम : **(प्लेकार्ड उठा कर पढ़ता है)** मेक लव, नो वॉर। **(स्पष्ट ही सही अर्थ छिपाते हुए)** लड़ाई बन्द करो। **(एक और प्लेकार्ड उठाकर पढ़ता है)** डिमान्डस हिप्पी चिक–माई यूटेरस इज नॉट पब्लिक प्रोपर्टी, लीगलाइज अबोर्शन!

पत्नी : यह तो बहुत कुछ लिखा है। इस के माने क्या हुए?

श्याम : पता नहीं।

पत्नी : **(अविश्वास से)** क्या?

श्याम : यह अंग्रेजी में नहीं है। फ्रैंच है–फ्रैंच। तुम क्या कह रहीं थीं–हमारे बच्चे बड़े धार्मिक हो गये है? **(व्यंग्य से)** काबिल भी हो गये हैं।**(एक प्लेकार्ड और उठाता है तो उसके नीचे से विवेक निकलता है। उसके एक हाथ और एक पैर की हड्डी टूट गयी है और उस पर पट्टियाँ और लकड़ी की खपच्चियाँ लगी हैं। सर पर भी चोटों की मरहम पट्टी है।)**

श्याम : अरे विवेक! तुम?

विवेक : **(बक्स से निकल कर)** हाँ मैं।

श्याम : यह चोटें! कैसे लगी?

विवेक : मार्था और सैमी ने मेरी यह हालत की है।

श्याम : कौन हैं यह लोग?

विवेक : सेमुअल साहब, अपने बेटे और बेटी को नहीं जानते?

श्याम : मेरे बेटे और बेटी?

विवेक : माधुरी, तुम्हारी बेटी, अब मार्था है। तुम्हारा बेटा समीर अब सैमी है।

श्याम : ओह!

विवेक : उन्होंने ही मेरे हाथ पैर की हड्डी तोड़ कर, इन पोस्टरों के नीचे दबा दिया है।

श्याम : यह तो बड़े दुख और शर्म की बात है।

विवेक : शर्म किस बात की?

श्याम : क्यों?

विवेक : यही तो हमारी राष्ट्रीय विरासत है।

श्याम : क्या मतलब?

विवेक : विदेशियों की नकल करना, उसी में आश्वस्त और गर्वित अनुभव करना, यही तो हमारा राष्ट्रीय चरित्र है—मैं चलू मेरा इस घर में क्या काम।**(लंगड़ाता हुआ घर के बाहर जाता है।**

पत्नी : **(घर के अन्दर से आती हुई)** मैं तो सफर से थक गयी हूँ। चाय बनाती हूँ। पता नहीं, जयकिशन भी कहाँ चला गया **(घर के भीतर प्रस्थान)**

(तब ही श्याम लाल की निगाह बक्स के पीछे नशे में पड़े, जयकिशन पर पड़ती है)

श्याम : **(पुकारते हुए)** जयकिशन! जयकिशन! **(हाथ पकड़ कर खीचते हुए)** जयकिशन।

जयकिशन : **(आँख बन्द किये हुए ही, नृत्य में हाथ-कंधे झटकता हुआ धीरे-धीरे उठता है)** हाय अमेरिका! ओह अमेरिका! हाय अमेरिका! ओह अमेरिका!

श्याम : **(बेसब्री से चीखकर)** जयकिशन!

जयकिशन : **(एकदम होश में आकर)** श्याम लाल भइया!!! तुम कब आए अफ्रीका से?

श्याम : अभी आया।

जयकिशन : खबर नहीं दी।

श्याम : टाइम नहीं था। अचानक आ गया एक मीटिंग में।

जयकिशन : लाये हो?

श्याम : क्या—व्हिस्की?

जयकिशन : क्या पुरानी बातें करते हो? सेमुअल साहब! अब ज़माना बदल गया है। मॉड, मॉड मॉड—समझे।

श्याम : **(अविश्वास से)** तुमका क्या हो गया है?

जयकिशन : जायन्ट! नहीं समझे? सिग्रटे—लाये हो?

श्याम : सिग्रटे—

जयकिशन : अरे ऐसी वैसी सिगरेट नहीं। स्पेशल सिगरेट, जिसकी तम्बाकू में ग्रास मिली हो।

श्याम : ग्रास?

जयकिशन : ग्रास नहीं जानते ? ग्रास माने मरजुआना। मर जुआना—अरे वही जिसे गाँजा कहते हैं।

श्याम : तो गाँजा क्यों नहीं कहते है?

जयकिशन : फिर वही पुरानी बात। पहले जो बुड्ढ़े कहते थे, वही बच्चे कहते थे। आजकल जो बच्चे कहते हैं वही बुड्ढ़े बोलते हैं। चरस को अब हाशिश कहते हैं।

श्याम : **(व्यंग से)** और क्या सीखा?

जयकिशन : भंग शराब में वह मजा कहाँ जो एसिड में है।

श्याम : एसिड?

जयकिशन : क्या कहते हैं उसे—एल 'बरहम-रंध' खुल जाये—शंकर जी की तीसरी आँख सा। लोक परलोक की वह लीला दिखाई पड़ जाये कि वह एक दम विरागी बन जाओ।

श्याम : और भी कुछ सीखा?

जयकिशन : क्रिस्टल खाओ, तो इस उमर में भी बिना थके पाँच पानी पार कर आओ। **(आँख मारता है)** हाँ।

श्याम : **(वितृष्णा से)** मैं तुम्हारे सहारे बच्चों को छोड़कर अफ्रीका फ़ारेन-असाइनमैंट पर गया था। सोचा था, पुराने नौकर हो, घर वालों की तरह हो, बच्चों का ध्यान रखोगे, लेकिन तुमने जो—

जयकिशन : मैं क्या ध्यान रखता। दोनों हिप्पी बन गये हैं। ज्ञान का

भंडार। वह तो मेरा ध्यान रखने लग गये। **(अचानक)** कुछ लोगे? –ग्रास, एसिड़, पाट, क्रिस्टल?

श्याम : **(सख्ती से)** समीर और माधुरी कहाँ गये है?

जयकिशन : अपनी थिंग करने। **(श्याम लाल घूर के देखता है, तो सम्हल कर)** आते होंगे। बहू रानी आई?

श्याम : हाँ!

जयकिशन : मै चाय बाय बनाऊँ।**(घर के भीतर जाते हुए, स्वतः ही "हाय अमेरिका" कहते हुआ कंधे झटकाता है, तब ही श्याम लाल की घूरती निगाहें देख कर, तुरन्त स्वाभविक हो जाता है। प्रस्थान–बायें)**

(श्यामलाल रेकर्ड-प्लेयर से रेकर्ड उठा कर पढ़ना चाहता है। फिर चश्मा निकाल कर पढ़ता है।)

श्याम : **(पढ़ने हुए)** हौटर दैन दैट! **(अर्थ न समझ पाने के कारण दो तीन बार दोहराता है)** हौटर देन दैट! **(अचानक अर्थ समझ, कर, क्रोध से रेकर्ड जमीन पर पटकते हुए)** हौटर दैन दैट।**(घर में भीतर प्रस्थान)**

(थोड़ी देर में रमेश और माधुरी हाथों में हाथ डाले बाहर से आते हैं। रमेश के हाथ में बाँसुरी है। माधुरी ने नीली जीन्स के ऊपर राजस्थानी छींट का दुपट्टा ओढ़ लिया है। दोनों पीछे के द्वार से कमरे में चले जाते हैं और दरवाज़ा बन्द कर लेते हैं। कुछ समय पश्चात रामनामी ओढ़े समीर का प्रवेश। वह कुर्सी पर इत्मीनान से पैर फैला कर बैठता है, और सिगरेट सुलगाता है। तब ही बायें दरवाज़े से माँ का प्रवेश)

पत्नी : समीर!

समीर : हाय मम्मी!

पत्नी : यह तुमने अपनी हालत क्या बना रखी है...

समीर : क्यों?

पत्नी : यह सूखे बड़े बाल, छितरी दाढ़ी–कब से नहीं नहाये?

समीर : तुम नहीं समझोगी।

पत्नी : **(अचानक सिगरेट छीनती हुई)** नालायक़। बड़ी क़ाबलियत झाड़ने चला है। माँ के सामने ही तम्बाकू पी रहा है।

समीर : पुरानी बातें!

पत्नी : क्या हालत बनाई है अपनी! तुमको ऊटपंटाग कपड़े पहनते शरम नहीं आती?

समीर : इसमें ऊटपटांग क्या है?

पत्नी : कहीं ऐसा पहना जाता है?

समीर : **(नकल करते हुए)** कहीं ऐसा पहना जाता है—ऐसा नहीं होता क्योंकि कोई नहीं करता। जो सब करते हैं वही हमें करना चाहिए।**(स्वर बदल कर)** मैं पूछता हूँ, यह ज़िन्दगी मेरी है या किसी और की?

पत्नी : तुम तो बस–

समीर : अगर दूसरों की है तो जो दूसरे करेंगे, वह मैं भी करूँगा। लेकिन अगर मेरी है तो मैं जो चाहूँगा, वही करूँगा। वही पहनूँगा। किसी से मतलब?

पत्नी : लेकिन लोग क्या कहेंगे?

समीर : लोगों के कहने से कुछ बनता बिगड़ता है?

पत्नी : तुझसे कौन बहस करे। खराब संगत पड़ गयी। माधुरी कहाँ है?

समीर : मैं नहीं जानता।

पत्नी : कैसा भाई! जवान बहन का ख्याल नहीं।

समीर : वह खुद अपना ख्याल रख सकती है। मेरा ख्याल है, वह इस कमरे में है।**(बीच के द्वार की ओर इंगित करता है। माँ बीच के द्वार को खोल कर देखती है, फिर झटके से द्वार बन्द कर देती है।)**

पत्नी : उसके साथ तो कोई है!

समीर : हाँ।

पत्नी : कौन है वह?

समीर : उसका दोस्त।

पत्नी : **(क्रोध से दाँत भींच कर)** तुझे शरम नहीं आती?

समीर : किस बात की?

पत्नी : तेरी बहन के साथ उसका दोस्त है, और तू यहाँ बैठा है–

समीर : **(अबोधता से)** तो क्या उसके साथ मुझे होना चाहिए था?

पत्नी : निकम्मे, नालायक, बदतमीज।

समीर : इसमें बिगड़ने की क्या बात है। साफ बात,बहन के साथ, उसका भाई नहीं, दोस्त ही होगा।

पत्नी : **(रोते हुए)** यह सब कहने के पहले तेरी जुबान क्यों नहीं गिर गयी। भगवान ने मुझे क्यों नही उठा लिया।

(पैर पटकती घर के भीतर जाती है। थोड़ी देर बाद श्यामलाल का घर के भीतर से प्रवेश। वह क्रोध से समीर को घूरता है।)

समीर : हाय ओल्ड मैन!

श्याम : **(कठोरता से)** समीर!

समीर : सैमी कहो।

श्याम : सैमी के बच्चे! कौन है माधुरी के साथ।

समीर : उसका दोस्त।

श्याम : यह सब क्या तमाशा है। तुमने क्या हुलिया बनाया है अपना? एक साल को अकेला छोड़ दिया तुम लोगों को—तुम लोगों का विश्वास करके, उसका यह फल दे रहे हो।

समीर : आप नाहक ही अपटाइट हुए जा रहे हैं।

श्याम : शादी के पहले बहन किसी लड़के के साथ, और भाई के माथे पर शिकन तक नहीं।

समीर : यह तो होना ही चाहिए।

श्याम : एक तो चोरी उस पर सीना ज़ोरी। क़ानून बधार रहा है।

समीर : मॉड सोसायटी परमिसिव सोसायटी होती है। वहाँ सेक्स पर कोई बंधन नहीं होता।

श्याम : आदमी और जानवर में फ़र्क क्या रह गया?

समीर : अमेरिका में ऐसे लाखों नौजवान हैं जिन्होंने नपी तुली रेडीमेड ज़िन्दगी से विद्रोह किया है।

श्याम : यह विद्रोह है!

समीर : यह विद्रोह धीरे-धीरे हर देश में आग की तरह फैल रहा है। हम क्यों दस से पाँच तक काम करें? नहीं करते काम। क्यों साफ़ कपड़े पहनें? नहीं पहनते। क्यों बाल कटवाये? नहीं कटाते।

श्याम : यह सब तो मै बहुत पढ़ चका हूँ।

समीर : अमेरिका में—

श्याम : **(काटते हुए)** बार-बार अमेरिका का नाम न लो।

समीर : अमेरिका ने सेक्स-क्रान्ति की है। सेक्स-रिवोल्यूशन अमेरिका की दुनिया को सबसे बड़ी देन है।

श्याम : क्या दुनिया से ग़रीबी मिट गयी?

समीर : क्या?

श्याम : क्या दुनिया में सबके सरों पर छत हो गयी? सबको मकान मिल गये।

समीर : मैं समझा नहीं।

श्याम : क्या अब कोई बिना दवाई और इलाज के नहीं मरता? क्या सब बीमारों को डाक्टर मिल गये?

समीर : यह सब क्यों कह रहे हैं?

श्याम : रिवोल्यूशन! क्रान्ति!! रिवोल्यूशन होता है—रोटी, कपड़ा और दवाई के लिए; न्याय और समानता के लिए—सेक्स क्रान्ति—इसने तो रिवोल्यूशन का अर्थ ही बदल दिया।

समीर : आप कुछ भी कहें, लेकिन यह तो सच है कि सेक्स रिवोल्यूशन, दुनिया को अमेरिका की ही देन है।

श्याम : लड़ाई में जाना न पड़े, इस लिए अमरीकी जवान बाल बढ़ा के साधू बन गये। नशा खाने लगे। यह है सेक्स—रिवोल्यूशन?

समीर : अमेरिका कितना ही बुरा क्यों न हो, इस ब्लडी इंडिया से अच्छा है।

श्याम : हमारी सभ्यता पाँच हज़ार साल पुरानी है। अमेरिका की सभ्यता कुल पाँच सौ साल पुरानी। हमारे पूर्वज ऋषि मुनि थे, उनके सोना—खोज़ी।

समीर : अमेरिका का मुकाबला हम क्या खा के करेंगे। ऐलेन गिन्सबर्ग से किसी ने पूछा—न्यूडिटी क्या है? उसने हज़ारों के है मजमें में पतलून उतार कर कहा—दिस इज़ न्यूडिटी। है किसी हिन्दुस्तानी में इतनी हिम्मत?

श्याम : **(व्यंग्य से हंसकर)** यही है रिवोल्यूशन?

समीर : आप हंसते क्यों है? मुझे बेवकूफ समझते हैं? मेरा मूड खराब कर दिया। मैं यहाँ नहीं रूक सकता हैं। **(बाहर जाने को दरवाज़े की तरफ़ बढ़ता है। किन्तु अचानक लौटकर)** एक बात कहूँ डैडी?

श्याम : कहो।

समीर : अगर आप ड्रग्ज़ लें तो आप का माइन्ड ब्लो-अप हो जाये।

श्याम : **(व्यंग्य से)** मरजुआना...? हशिश?... एल॰एस॰डी...?

समीर : आप ने फ्री-सेक्स नहीं जाना। हमेशा एक ही चिक से, मतलब ममी से ही होने से आप का माइन्ड बन्द हो गया है। ड्रग्ज़ के साथ तीन चार चिकों से बॉलिग भी करें तो –**(श्याम लाल मारने को दौड़ता है, तो समीर दरवाज़े की तरफ भागता है।)** हारे किशना, हारे किशना! **(दायें दरवाज़े से बाहर प्रस्थान)** **(श्याम लाल विवश क्रोध में फुँफकारता रह जाता है। फिर क्रोध में ही बीच के दरवाज़े पर ज़ोर-ज़ोर से दस्तक देता है। "कौन है" की भीतर से रमेश की आवाज़ आती है। श्यामलाल ज़ोर से दरवाज़ा खटखटाता ही रहता है। जैसे ही रमेश दरवाज़ा खोलकर सर निकालता है, श्यामलाल उसका कालर पकड़कर खींच लेता है, तथा दरवाज़ा बन्द करके, बाहर से कुण्डी चढ़ा देता है।)**

रमेश : **(कमर पर पैन्ट के बटन बंद करता हुआ)** हें हें, क्या करते हैं?

श्याम : **(धक्का देते हुए)** निकल जा।

रमेश : हारे किशना, आप तो हिंसा करते हैं?

श्याम : हारे किशना के बच्चे!!**(प्लेकार्ड के डंडे से मारने को दौडता है, लेकिन रमेश, पैंट सम्हालता, घर के बाहर भाग जाता है।)** **(पत्नी, जो बायें द्वार के भीतर छिपी खड़ी थी, कमरे में आ जाती है।)**

पत्नी : नासपिटा, चोर, उठाईगीरा! **(बीच के बन्द दरवाज़े के भीतर से माधुरी खटखटाती है।)**

श्याम : यह माधुरी है। इसे निकालकर बात करो। समझाओ इसे। हमारी नाक काटने में कसर ही क्या छोड़ी है इसने?

(प्रस्थान भीतर)

(पत्नी बीच के दरवाज़े की कुण्डी खोलती है। माधुरी एकदम निकल कर आती है।)

माधुरी : हाऊ अनकूल! रैमी कहाँ गया?

पत्नी : जहन्नुम।

माधुरी : तुम कब आई मम्मी?

पत्नी : मर गयी मम्मी?

माधुरी : रियली?

पत्नी : मैं पूछती हूँ, तुझे शरम लिहाज़ नहीं है?

माधुरी : किस बात की शरम?

पत्नी : चोरी,ऊपर से सीना ज़ोरी।

माधुरी : **(बोर होकर)** ओह!

पत्नी : बड़ी भोली बनती है। लड़के के साथ—

माधुरी : तो इसमें शरम की क्या बात है?

पत्नी : **(आश्चर्य से आहत हुई)** तुझे शरम नहीं दीखती?

माधुरी : यह तो सब ही करते हैं। तुम भी तो—

पत्नी : **(क्रोध से मारती हुई)** हरामज़ादी बेशर्म, नालायक! ज़ुबान में लगाम ही नहीं रह गयी है!

माधुरी : **(मार से अविचिलित)** ममी तुम बहुत अपटाईट हो। इस्टेब्लिशमेंन्ट ने तुम्हें कुचल दिया है।

पत्नी : कौन है यह लड़का?

माधुरी : मेरा दोस्त।

पत्नी : शादी के पहले? हया से आँख झुकाना तो दूर, जुबान लड़ाती है।

माधुरी : मम्मी अब ज़माना बदल गया है।

पत्नी : वह तो मैं देख ही रही हूँ।

माधुरी : आजकल औरत मर्द की गुलाम नहीं है। वह बराबरी की इज्ज़त चाहती है।

पत्नी : बराबरी इस बेशर्मी में ही है?

माधुरी : शादी तो आदमी ने चौका चूल्हा करने, घर-बार झाड़ने, कपड़े सीने धोने के लिए, बिना तनखा की एक नौकरानी पाने का ढंग निकाला है।

पत्नी : यही तुमने पढ़ा है?

माधुरी : औरतें अब नौकरानी बनने को तैयार नहीं। पहल की है अमेरिका की औरतों ने।

पत्नी : क्या वहाँ शादी बन्द हो गयी ?

माधुरी : औरतों ने वहाँ चोली उतार फेंकी।

पत्नी : क्यों?

विवेक : **(अचानक छत के निकट रोशनदान में सिर डालकर)** बेकार की बाधा! **(फिर अदृश्य हो जाता है।)**

माधुरी : उन्होंने चोली की होली जला दी।

पत्नी : तो इसमें कौन से रन जीत लिए? क्या बहादुरी कर दिखाई?

माधुरी : आदमी औरत को गुड़िया बनाना चाहता है। हमेशा उनको सुन्दर देखना चाहता है। लेकिन अमरीकी औरतों ने इससे इन्कार कर दिया।

पत्नी : **(व्यंग्य से)** बड़ी हिम्मत की।

माधुरी : हिम्मत तो है ही। अमरीकी औरतों जैसी हिम्मत भला इंडियन औरतों में हो सकती है। इसाडोरा डंकन से किसी ने पूछा, सुन्दरता क्या है? जानती हो उसने क्या जवाब दिया? **(रुक कर)** उसने अपना ब्लाउज़ फाड़कर कहा—यह है सुन्दरता। कोई हिन्दुस्तानी औरत यह हिम्मत कर सकती है?

पत्नी : **(विमूढ़ सी)** इस लड़की का भेजा ही फिर गया है। **(स्वतः)** कहीं किसी ने कुछ खिला पिला तो नहीं दिया?

माधुरी : ममी, बातों में मैं भूल ही गयी। तुमको एक खुश खबरी देना चाहती थी।

पत्नी : **(संशय से)** कैसी खुशखबरी?

माधुरी : मैं माँ बनने वाली हूँ।

पत्नी : तू माँ बनने वाली है?**(एक दम रोकर)** हे भगवान, अब क्या होगा? मुँह जली, यह खुशखबरी है? बिना बियाह हुए ही माँ—?

माधुरी : तो क्या हुआ?

पत्नी : कुछ हुआ ही नहीं?

माधुरी : ईसा की माँ, मेरी का भी तो व्याह नहीं हुआ था।

पत्नी : करमखोटी, अब कानून सिखाती है। बोल कौन है वह? कौन है वह?

माधुरी : कौन?

पत्नी : उसका बाप **(माधुरी उत्तर नहीं देती)** बता। बता। **(बांहें झकझोरती हुए)** बता। बता न।

माधुरी : **(लापरवाही से)** कोई भी हो। क्या फर्क पड़ता है।

पत्नी : **(विवश क्रोध के शिथिल हाथों से मारती हुई)** बताती है या नहीं—

माधुरी : तुम तो बहुत परेशान करती हो। रैमी है बस!

पत्नी : रैमी! वही लड़का जो अभी—? **(आशंका से)** अगर उसने इन्कार किया तो?

माधुरी : यह तो और भी अच्छी बात होगी। **(पत्नी आश्चर्य से मुँह**

देखती है) क्योंकि तब मेरे बच्चे का पिता ईश्वर होगा। **(हंसकर ताली बजाती हुई)** है न अच्छी बात?

पत्नी : **(एक क्षण आश्चर्य से माधुरी को देखती है, फिर रोने लगती है)** करमजली हंसती है। शरम से गड़ नहीं जाती! एकदम कलयुग आ गया है। **(घर के भीतर प्रस्थान)**

(बाहर के दरवाज़े से आँखों पर रूमाल लगाये रोते हुए समीर का प्रवेश। वह रोता हुआ एक तरफ आकर बैठ जाता है।)

माधुरी : सैमी, तुमको क्या हुआ?

(समीर और फूट-फूट कर रोने लगता है।)

माधुरी : आखिर बताओ तो। बताओ न। क्यों रो रहे हो?

समीर : मैंने बाहर से तुम्हारी और मम्मी की बातें सुन ली। **(फूटकर रोने लगता है।)**

माधुरी : लेकिन इसमें मेरी क्या गलती है। तुम तो सब कुछ खुद ही जानते हो—

समीर : मार्था, मुझे, तुमसे यह उम्मीद नहीं थी?

माधुरी : **(स्तंभित सी)** क्या?

समीर : मार्था तुमने मुझे कहीं का न रखा।

माधुरी : लेकिन भइया—

समीर : अब मैं दोस्तों को क्या मुँह दिखाऊँगा । उनके बीच कैसे गर्दन सीधी रख सकूंगा। तुमने मेरे सारे किये धरे, मेरी सारी इज्जत पर पानी फेर दिया। **(फिर फूट कर रोने लगता है।)**

माधुरी : लेकिन भइय्या, मैने जो कुछ किया, तुम्हारी इजाज़त से किया। यह सब तो रिवोल्यूशन के लिए—

समीर : **(चिढ़कर, कठोरता से)** मत लो रिवोल्यूशन का नाम। तुम रिवोल्यूशन के नाम पर कलंक हो—

माधुरी : कैसे?

समीर : तुम्हें मालूम है कि तुम्हारे होने वाले बच्चे का पिता कौन है! यह है तुम्हारा रिवोल्यूशन? तुम्हारी जगह अमेरिकन लड़की होती, तो कभी भी नहीं बता पाती कि उसके होने वाले बच्चे का पिता कौन है। वह यह जान ही न पाती। यह है रिवोल्यूशन। **(एकदम रो कर)** मैं दोस्तों को क्या मुँह दिखाऊँ? तुमने तो मेरी नाक काट दी।

माधुरी : भइया, मुझे माफ कर दो। मै अपनी गलती महसूस करती हूँ। रिवोल्यूशन की कसम भइय्या, रिवोल्यूशन की कसम, अगली बार यह गलती नहीं होगी।

(मंच पर अवतरित अंधकार में पूर्ण दृश्य विलुप्त हो जाता है, जो समय के अन्तराल का द्योतक है। कुछ क्षण पश्चात पुनः प्रकाश आता है। कुर्सी पर बैठी, माथे से हाथ लगाये माधुरी, तथा पास ही माथे पर हाथ रखे सोचते हुए समीर दिखाई पड़ते हैं। पुनः अंधकार और फिर जब प्रकाश आता है, तो दोनों पास बैठे, माथे पर हाथ रखे, सोचते दिखाई पड़ते हैं। फिर अंधकार, और उसके बाद प्रकाश में दोनों एक दूसरे की पीठ से लग कर बैठे, माथे पर हाथ रखे सोचते दिखाई पड़ते हैं फिर प्रकाश आने पर माधुरी सिद्धासन में ध्यान लगाये, तथा शीर्षासन करते समीर दिखाई पड़ते हैं। फिर अंधकार, और उसके बाद प्रकाश में दोनों अपनी जगह शिथिल से गिरे पड़े दिखाई पड़ते हैं।)

समीर : एक हफ्ता हो गया–

माधुरी : सात दिन हो गये–

समीर : डैडी को खाना बन्द किये।

माधुरी : बिना ग्रास या पॉट के।

समीर : दो एक दिन तो दोस्तों ने खिलाया–

माधुरी : फिर उन्होंने छोड़ दिया।

समीर : शायद दरवाज़े पर विवेक खड़ा है।

माधुरी : भूखे पेट पर वह अक्सर आता है।

(पुनः अंधकार, और उसके बाद जब प्रकाश होता है, तो समीर ज़मीन पर लेटा, कुर्सी के ऊपर पैर रखे दिखाई देता है। पास ही अपने घुटनो पर रखी बाहों में मुँह में छिपाये माधुरी बैठी है।)

माधुरी : **(अचानक झटके से उठ कर)** मुझे अच्छा नहीं लगता। कुछ अच्छा नहीं लगता। **(रेकर्ड प्लेयर चला कर, उस पर झटकों के साथ हताश सी नृत्य करने लगती है।)**

समीर : स्टॉप इट! स्टॉप इट। **(खीझकर)** आइ सेड स्टॉप इट। **(माधुरी नृत्य करती रहती है। समीर वितृष्णस से रेकर्ड प्लेयर बन्द कर देता है।)**

माधुरी : **(समीर से)** यू आर नरवस। यू आर अपटाइट।**(व्यंग्य से समीर पर हँसती है।)**

समीरः **(चिढ़ कर)** डोन्ट बग मी।

(माधुरी हँसते हँसते रोने लगती है।)

समीर : **(पास जा कर)** बेवी चिक ! क्या हुआ?

माधुरी : कैट, मैं भूखी नहीं रह सकती।

(तब ही बाहर के द्वार से विवेक का प्रवेश)

समीर : विवेक!!!**(दौड़ कर विवेक के पास जाता है।)**

माधुरी : मैं भूखी नहीं रह सकती।

विवेक : मैं तुम दोनों को कुछ बताना चाहता था।

समीर : बताओ विवेक, बताओ।

विवेक : समाज से विद्रोह गलत नहीं। सच तो यह है कि विद्रोह से ही समाज की प्रगति होती है, लेकिन—

माधुरी : लेकिन?

विवेक : लेकिन ये हिप्पी कल्ट, परमिसिव सोसायटी, सेक्स रिवोल्यूशन—क्या सही मायने में विद्रोह कहलाने के लायक हैं? विद्रोह वही है जो सच्चा है, स्वयम्-अनुभूत है। नक़ल किया हुआ विद्रोह, विद्रोह का मज़ाक है। विद्रोह नहीं है। **(माधुरी समीर उसे देखते हैं)**

समीर : **(सोचता सा)** ठीक कहते हो।

माधुरी : मैं तुम से नफरत करती थी। आज तुम्हारी बात सही लगती है। **(तब ही प्रेक्षागृह के पीछे के द्वार से "राम नाम सत्य है"—कहते हुए, मुन्ना की लाश को कंधे पर लादे हुए, चौधरी वृद्ध इत्यादि प्रवेश करते हैं। वह लाश को मंच पर लेकर आते हैं। लाश रख कर, चारों लोग उसके पास बैठ कर विलाप करते हैं। समीर और माधुरी भी उनके साथ विलाप करते हैं—"हाय मेरे मुन्ना।" तब ही पीछे के द्वार पर विवेक दिखाई पड़ता है।)**

विवेक : मुन्ना मर गया। कौन था मुन्ना? कौन था मुन्ना? आप कहेंगे कि मुन्ना चौधरी का बेटा था। होगा वह चौधरी का बेटा। लेकिन वह प्रतीक था, हमारी विदेशियों के नकल में आश्वस्त और गर्वित होने का। मुन्ना प्रतीक था, हमारी उस हीनता की भावना का, जो अपने आपको विदेशियों से छोटा

अनुभव करने को हमे विवश करती है। पिछले हजार साल की गुलामी में मुन्ना हम सबके मन में जिन्दा रहा है। आज मुन्ना मर गया, किन्तु कहीं-न-कहीं मुन्ना हमारे मन में, अभी भी जिन्दा है। हमारे सपनों में जिन्दा है। हमारे व्यवहार में जिन्दा है। तो आइये, हम सब अपने मन के मुन्ना का, अपनी हीनता की भावना का, मिलकर राम नाम सत करें।

(इति)

परिशिष्ट

हिप्पी शब्दावली

'ओह अमेरिका' नाटक में प्रयुक्त हिप्पी-शब्दावली का अर्थ निम्नलिखित है—

एसिड : एल०एस०डी० (**एम मादक रसायन**)।
बॉल : मैथुन; स्त्रियों के संदर्भ में—पुरूष जननेन्द्रि का स्पर्श।
बग : परेशान करना।
कैट : पुरूष।
चिक : स्त्री या युवती।
क्रिस्टल : मिथेड्रीन (**स्नायु-उत्तेजक रसायन**)।
डू योर थिंग : अपने मनोनुकूल, अपनी इच्छानुसार कार्य करना।
फ़ैग : समलैंगिक पुरूष; स्त्रैण पुरूष।
फ़्रंकी : अनाकर्षक; अप्रिय, रसहीन, पुराना, अरूचिकर।
ग्रास : मरजुआना या गाँजा।
ग्रूवी : श्रेष्ठ, सुखकारक।
जॉयन्ट : गांजे की सिगरेट।
एल०एस०डी० : एक मादक रसायन।
पैड : कमरा, मकान, फ्लैट, आश्रय-स्थान।
पॉट : मरजुआना (गाँजा)।
स्कवायर : जो हिप्पी न हो; साधारण परम्परानुगामी व्यक्ति।
स्ट्रेट : स्क्वायर।
ट्रिप : अनुभव।
अनकूल : अज्ञानी, मूढ़, मूर्ख।
अपटाइट : चिन्तापुर, तनावमय, 'नरवस'।
ज़ैप : किसी चीज से मारना, मारकर बेहोश कर देना।
ज़ौन्क : शराब के नशे में धुत्त हो जाना।

सादर आपका
(1976)

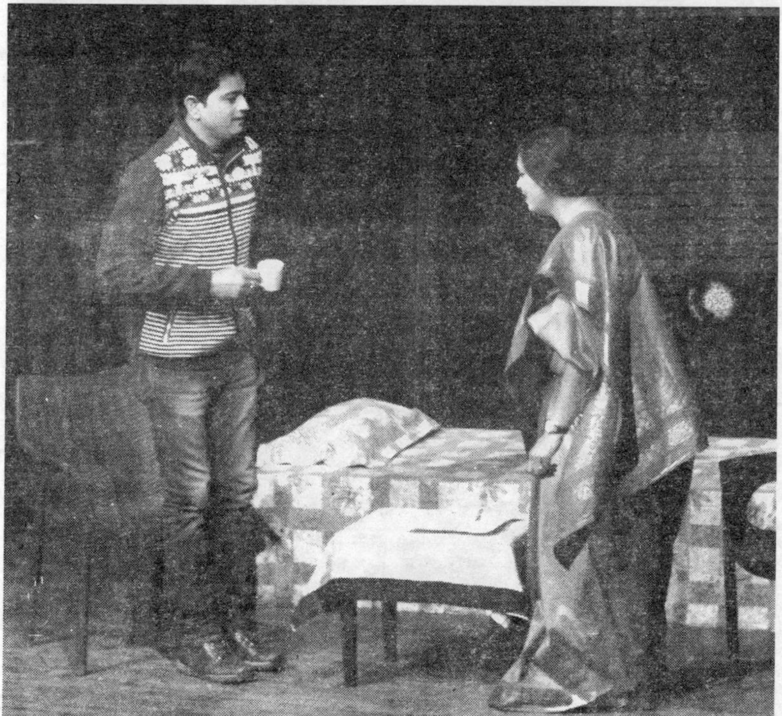

प्रतिभा को
जिसकी स्मृति मेरे अस्तित्व का
अविभाज्य अंश है।

यह नाटक सर्वप्रथम 'संकेत' द्वारा 21 नवम्बर, 1976 को रवीन्द्रालय लखनऊ में मंचित किया गया, जिसमें निम्नलिखित रंगकर्मियों ने भाग लिया :

ब्रह्मानन्द	राजनारायण
विलायती	सुबीर कुमार अधिकारी
लज्जावती	नीरा शर्मा
रोहित	गोपाल सिन्हा
रेखा	उमा घिलडियाल
गोपालकृष्ण	अज़ीज़ुद्दीन ख़ालिद
दिनेश	हबीब अख़्तर

निर्देशन : श्याम नारायण

प्राक्कथन
(प्रथम संस्करण की भूमिका)

हिन्दी में नाटक लिखना बहुत निरर्थक काम है। नाटक लिखने के पश्चात् प्रश्न उठता है—यह नाटक किसके लिए? मेरे लिए सौभाग्य से स्थिति ऐसी है कि मैं नाटक लेखन पर अवलम्बित नहीं हूँ। नाटक लिखना मेरे लिए अपने आप में साधन है, और साध्य भी। मैं इससे अधिक आशा भी नहीं करता। किन्तु मेरी जैसी स्थिति अधिकांश अन्य लेखकों की नहीं है। इसीलिए हिन्दी नाटक लेखन में गतिरोध है। जब नाटक लिखकर कुछ मिलना नहीं, तब कोई नाटक क्यों लिखे?

आज़ादी के तैंतीस वर्ष पश्चात् भी हिन्दी रंगमंच का कोई स्वरूप उभरकर नहीं आया है। यह सही है कि अब पहले की अपेक्षा अधिक संख्या में नाटक हिन्दी में मंचस्थ होने लगे हैं, लेकिन उनका शौक़िया स्वरूप नहीं बदला है। अभी भी नाटकों के, स्मारिका में विज्ञापन के सहारे, दो चार प्रदर्शन होते हैं। इन प्रदर्शनों में टिकट ख़रीदकर आने वाले दर्शक केवल नाममात्र के होते हैं, शेष सब निमन्त्रण-पत्र पर। फिर इन प्रदर्शनों में आने वाले प्रेक्षक भी केवल वही सीमित लोग होते हैं, जो प्रायः सब नाटक देखने जाते हैं। हर नाटक में वही-वही चेहरे देखने को मिलेंगे, क्योंकि हिन्दी रंगमंच की जड़ें जन-साधारण तक नहीं पहुँची हैं। वह एक वर्ग विशेष तक ही सीमित हैं, और आकाश-लता के समान धरती से कटी हैं। इस प्रकार जहाँ रंगकर्मियों की संख्या बढ़ी है, वहाँ उसके अनुपात में प्रेक्षकों की संख्या में वृद्धि नहीं हुई है। जन-साधारण से अछूते हिन्दी रंग-जगत् से नाटककार अपेक्षा ही क्या कर सकता है?

मैं दिल्ली प्रशासन के सांस्कृतिक विभाग तथा मनोरंजन कर विभाग से सम्बद्ध हूँ। मेरे पास हर सप्ताह दिल्ली में मंचस्थ होने वाले नाटकों की सूची अग्रिम रूप से आती है। इन सूचियों को हफ़्ता-दर-हफ़्ता देखना मुझ हिन्दी प्रेमी के लिए एक यन्त्रणा से कम नहीं है। इन नाटकों की सूची में 85 प्रतिशत पंजाबी नाटक होते हैं। शेष पन्द्रह प्रतिशत में हिन्दी, उर्दू और अंग्रेज़ी आदि के नाटक

होते हैं और इन हिन्दी नाटकों में कठिनाई से दो प्रतिशत नाटक मूल हिन्दी के होते हैं, शेष विदेशी या क्षेत्रीय भाषाओं के नाटकों के अनुवाद।

आगे स्थिति क्या होगी यह तो भविष्य बतायेगा, लेकिन आज का हिन्दी रंगमंच अनुवाद-मंच बनकर रह गया है। निर्देशकों में अंग्रेज़ी, फ्रेंच, जर्मन इत्यादि के साथ बांग्ला, कन्नड़, मराठी आदि के नाटकों के अनुवादों के मंचस्थ करने की होड़ लगी है। दिल्ली के प्रमुख निर्देशक मुम्बई और कोलकाता का चक्कर लगाकर वहाँ मंचस्थ होने वाले नाटक देखते हैं। वहाँ जो भी सफल नाटक होता है, उसका चट हिन्दी में अनुवाद और पट दिल्ली में मंचन। इसमें एक आसानी और भी है। हिन्दी अनुवाद के साथ-साथ निर्देशक को 'प्रोडक्शन' की नक़ल करने की सुविधा भी लगे हाथ मिल जाती है। वही रंग-सज्जा, वही रूप-सज्जा, वही समूहन, वही प्रकाश योजना, वही कोरियोग्राफ़ी। दिल्ली के प्रेक्षक और आलोचक तो मुम्बई और कोलकाता का चक्कर लगाते नहीं, जो इस चोरी को पकड़ सकें। यह है बिना मेहनत और परिश्रम के प्रमुख अकादेमी-पुरस्कृत निर्देशक बनने का 'ट्रेड सीक्रेट'।

बहुत से निर्देशक हिन्दी के मौलिक नाटकों की अपेक्षा अंग्रेज़ी से या अंग्रेज़ी के माध्यम से प्राप्त अन्य विदेशी भाषाओं के नाटकों को हिन्दी में रूपान्तरित करके अभिनीत करना बेहतर समझते हैं। इसके पीछे दो कारण हैं। पहला, हिन्दी भाषी निर्देशकों में हिन्दी के प्रति हीन-भावना है। उन्हें अपनी भाषा पर गर्व नहीं है और न उसमें रचे जा रहे साहित्य का ज्ञान और उसके प्रति आश्वस्ति। बेचारे निर्देशकों को दोष देना ठीक नहीं, जब कि सब ही हिन्दी भाषियों की यही दशा है। किन्तु खेद इस बात का है कि बौद्धिक वर्ग में गिने जाने वाले निर्देशक साधारण जन की कोटि से ऊपर नहीं हैं। और दूसरा, निर्देशक के मन में लेखक बनने की छिपी लालसा विदेशी नाटकों के रूपान्तर कर तुष्टि पाती है। इसलिए वह मौलिक हिन्दी नाटक की अपेक्षा स्वयं विदेशी नाटक का अनुवाद करते हैं।

दिल्ली का हिन्दी रंगजगत्, कोलकाता और मुम्बई में सफलतापूर्वक मंचस्थ हुए बंगाली और मराठी के नाटकों के हिन्दी संस्करणों को दिल्ली में आयोजित करता है, तो हिन्दी राज्यों के केन्द्र, लखनऊ, जयपुर, पटना, भोपाल आदि दिल्ली के नक्शे-कदम पर चल कर उनकी अनुकृति को मंचस्थ करके गौरवान्वित होते हैं। दिल्ली में जिन मराठी नाटकों के अनुवाद मैंने स्वयं अभिनीत होते देखे, उनके उपस्थापनों की 'कार्बन कॉपी' साल दो साल के बाद मैंने लखनऊ में, वहाँ के धुरन्धरों द्वारा बड़े शोर-शराबे और ताम-झाम के साथ प्रस्तुत होते देखी। मौलिकता के अवमूल्यन के इस तन्त्र में, जहाँ नक़ल के पूजित और सम्मानित

सौदागर, रूपान्तर के अनुष्ठान के अभिषेक में जुटे हैं, एक मौलिक नाटक का क्या अर्थ हो सकता है? इसलिए मैं अनुभव करता हूँ कि आज कल हिन्दी नाटक लिखना निरर्थक ही नहीं, जोखिम का भी काम है। फिर भी यह एक मौलिक नाटक और सही।

भारतवंशी जब विदेश जाते हैं, या विदेशी भारत आते हैं, तो एक 'कल्चरल शॉक' का अनुभव करते हैं। कुछ इसी प्रकार का 'कल्चरल शॉक' मैंने अनुभव किया, जब फ़ैज़ाबाद, बहराइच और इलाहाबाद में वर्षों रहने के पश्चात् मैं 1968 में दिल्ली आया। मेरे अवचेतन में इसकी अनुभूति बनी रही। फिर संयोग से 'रेखा' से भेंट हुई। उसने अपने परिवार के बारे में जो कुछ बताया, उसने मेरी अवचेतन में दबी अनुभूतियों को नाटकीय मुहावरे में ढाला, जिसकी अभिव्यक्ति यह नाटक है।

यह नाटक मैंने अपनी पत्नी प्रतिभा को समर्पित किया है। मैं कोई भी नाटक लिखता था, मुझसे ज्यादा प्रसन्नता और सन्तोष प्रतिभा को मिलता था। मेरे प्रकाशित नाटकों को जिस अभिमान से प्रतिभा मित्रों को दिखाती थी तथा जिस गर्व से उन्हें सँजोती थी, इस नाटक के प्रकाशन पर याद आ रहा है। प्रतिभा आज नहीं हैं। आज से दो वर्ष पूर्व अचानक चली गयी, लेकिन मेरी स्मृति में वह आज भी वैसी ही चलती-फिरती, हँसती-बोलती, जीवित है; और जीवित है उसका मेरे नाटकों पर गर्व और अभिमान, जो मुझे नाटक लिखने के लिए प्रेरित नहीं, विवश करता है।

नयी दिल्ली **दया प्रकाश सिन्हा**
19.05.80

द्वितीय संस्करण की भूमिका

बरसों-बरसों पहले नाटक का प्रथम संस्करण पूरी तरह से बिककर समाप्त हो गया था। उसके बाद, अगर इतने बरसों के अन्तराल में द्वितीय संस्करण प्रकाशित नहीं हुआ, तो इसके लिए मैं स्वयं दोषी हूँ। पहले प्रशासनिक सेवा के दौरान सरकारी काम का दबाव, और अवकाश प्राप्ति के पश्चात् राजनीति के दलदल में फँसाव। इस कारण प्रथम प्रेम-नाटक और रंगमंच की अवहेलना हो गयी। और इसी में नाटक के द्वितीय संस्करण की बात भी विस्मृत हो गयी। ये संस्करण उस त्रुटि का परिमार्जन है।

X X X

'सादर आपका' वर्तमान उपभोक्ता संस्कृति की विकृति को रूपायित करता है। सैकड़ों वर्षों से धर्म-जनित नैतिकता ने विवाह और परिवार की संस्था को पोषित किया था। किन्तु उपभोक्तावाद ने इनको जर्जरित कर दिया है। आज लोगों का धर्म के प्रति आस्था का क्षरण हुआ है, किन्तु उनके विकल्प के रूप में धर्म-निरपेक्ष नैतिक मूल्यों का विकास नहीं हुआ है, जो समाज को नियमित कर सके। अतएव, एक संक्रान्तिकालीन अराजकता समाज में व्याप्त है। सबकुछ बिखरा-बिखरा-सा है; हर कोई टूटता हुआ, डूबता हुआ, विकृत एवं व्याकृत दिखाई पड़ता है। नाटक 'सादर आपका' उपभोक्तावाद से ग्रसित एक परिवार के माध्यम से शाश्वत एवं तात्कालिक मूल्यों के संघर्ष को नाट्य-रूप देता है।

X X X

कुछ मित्रों एवं आलोचकों को 'सादर आपका' की 'लज्जा' तथा मोहन राकेश के 'आधे-अधूरे' नाटक की 'सावित्री' में समानता दिखाई दी। ये तुलना भ्रामक और सतही है। 'आधे-अधूरे' की 'सावित्री' की आक्रामकता उसकी व्यक्तिगत मानसिकता और मनोग्रन्थि जनित है, जो अन्ततः पारिवारिक त्रासदी का कारण बनती है। 'सादर आपका' की 'लज्जा' की आक्रामकता और स्वच्छन्दता का उद्‌गम उसकी व्यक्तिगत मनोग्रन्थि में नहीं है। उसकी और उसके परिवार की त्रासदी समकालीन उपभोक्तावाद के वृहद् परिप्रेक्ष्य में नाटक में रूपायित है।

X X X

पिछले अंक में नाटक का समापन सुखान्तिक है। नाटक का निर्देशन करते हुए मैंने अनुभव किया कि नाटक दुखान्तिक बिन्दु पर भी समाप्त किया जा सकता है। एक ऐसे बिन्दु पर, जिसमें दर्शकों की घनीभूत सहानुभूति रेखा की त्रासदी पर केन्द्रित होकर, उनको करुणा से भर दे। अतएव, इस संस्करण में इन दोनों अन्तों को इंगित कर दिया गया है, जिससे निर्देशक अपनी रुचि के अनुसार नाटक का अन्त सुखान्तिक अथवा दुखान्तिक कर सकें।

जून, 2011 **दया प्रकाश सिन्हा**

प्रथम अंक

मंच

दो कमरे—एक बड़ा कमरा (*बायाँ कमरा*) तथा एक छोटा कमरा (*दायाँ कमरा*)। बाहर से प्रवेश बड़े कमरे में होता है। बड़े कमरे और छोटे कमरे के बीच एक दरवाज़ा है। बड़े कमरे से घर के भीतर के हिस्से में जाने का, पीछे की दीवार में एक दरवाज़ा है। उसी तरह से छोटे कमरे में भी घर के भीतर जाने का दरवाज़ा है। छोटे कमरे के दायीं ओर एक खिड़की है। पास ही एक दरवाज़ा, छोटे कमरे से मिले एक ड्रेसिंग रूम और बाथ रूम का है। बायाँ कमरा वैसे तो ड्राइंग रूम है, लेकिन ब्रह्मानन्द इसी कमरे में रात को सोते हैं। वहाँ रखे बक्स में या अलमारी में अपने कपड़े रखते हैं। वैसे भी घर के सदस्यों के लिए वह 'लाउंज रूम' के रूप में इस्तेमाल होता है।

दृश्य—बायाँ कमरा

समय—प्रातःकाल 9-10 बजे

[ब्रह्मानन्द अपने बदन पर विलायती से तेल-मालिश करवा रहे हैं। वह केवल घुटनों तक नीचा लाईनदार जाँघिया पहने है। पास ही उनकी जेबदार बनियान रखी है। बदन की मालिश करने के बाद, विलायती उनके बालों में तेल-मालिश करता है।]

ब्रह्मा : यह चीप साहिबा कहाँ गयी हैं?

विलायती : वह ज़माने ही कुछ और थे हुज़ूर। राजे, महाराजे, नवाब, ताल्लुक़ेदार वह शानो-शौक़त, वह दरियादिली—

ब्रह्मा : तुम्हें कुछ मालूम है...?

विलायती : राजा साहब ताँबागढ़ ने मोटर को जंज़ीर में लपेटकर खूँटे से बँधवा दिया। आप पूछिए—क्यों?

ब्रह्मा : नहीं पूछते।

विलायती : आप फिर भी जानना चाहेंगे। राजा साहब बोले—हमारे बुज़ुर्गों ने हमेशा सवारी को खूँटे से बाँधकर रखा—चाहे वह हाथी हो या घोड़ा। हम इस ख़ानदानी रिवाज़ को, राजसी दस्तूर को तोड़ नहीं सकते और मोटर को खूँटे से बाँध दिया। है न राजाओं वाली बात!

ब्रह्मा : अबे राजा की औलाद, साले हम तुमसे कुछ पूछ रहे हैं—

विलायती : आप?

ब्रह्मा : एक तू है जो अपनी ही धाँगे चला जा रहा है। सुनता ही नहीं।

विलायती : सुनूँगा हुज़ूर, ज़रूर सुनूँगा।

ब्रह्मा : चीप साहिबा कहीं बाहर गयी हैं?

विलायती : बाहर तो बेशक गयी हैं। मैंने इस दरवाज़े से जाते देखा है।

ब्रह्मा : अबे हरामी के पिल्ले, बहुत अक़्लमन्द बनने की ज़रूरत नहीं।

विलायती : आपकी क़सम, मैं नहीं जानता कहाँ गयी हैं।

ब्रह्मा : क़सम खाने को मैं ही बचा हूँ।

विलायती : बाप की क़सम। मैं नहीं जानता

ब्रह्मा : झूठी क़सम खाने के लिए मैं—या तेरा मरा बाप। अरे मैं सब समझता हूँ—

विलायती : गुस्ताख़ी माफ़ हो हुज़ूर, तो एक बात अर्ज़ करूँ।

ब्रह्मा : **(रुककर)** अच्छा, कहो।

विलायती : आप बिल्कुल नवाब पाँचताल की तरह हैं।

ब्रह्मा : मैं और नवाब पाँचताल। साले बेवकूफ बनाने को मैं ही...

विलायती : आपकी क़सम...मतलब बाप की क़सम।

ब्रह्मा : कहाँ मैं और कहाँ नवाब पाँचताल।

विलायती : ये बात तो सही है हुज़ूर। कहाँ आप, कहाँ नवाब पाँचताल। वह एकदम गोरे भभूक और आप!...हें... हें...**(सर की मालिश करते हुए ताली बजाता है)** वह ऐसे मोटे ताज़े तन्दुरुस्त और आप, हें हें...वह सरो जैसे लम्बे और आप, हें हें...वह ऐसे सुन्दर शकील और आप...हें...हें...

ब्रह्मा : सब...हें...हें। तब मिलता क्या है?

विलायती : दिल। अगर दिल मिल जाये तो सब मिल जाये। लैला मजनूँ का दिल ही तो मिला था।

ब्रह्मा : लैला मजनूँ का दिल मिला होगा। मेरा नवाब का दिल नहीं मिला। मैंने तो साले को देखा भी नहीं।

विलायती : मेरा मतलब है आप दोनों की तबीयत एक-सी है। वही कुशादा दिल, वही खुला हाथ, जहाँ एक की ज़रूरत हुई दस फेंक दिये। आप दोनों ही तो पैसे को हाथ का मैल समझते हैं।

ब्रह्मा : अब समझा, तेरी हथेली खुजा रही है।

विलायती : नवाब साहब के हरम में चार सौ इक्यावन बेगमें थीं।

ब्रह्मा : सिर्फ़ चार सौ इक्यावन?

विलायती : वह तो पूरा हज़ार करना चाहते थे, लेकिन किसी ज्योतिषी ने बताया—451 का नम्बर उनके लिए भागवान है, बस इसीलिए रुक गये इस पर।

ब्रह्मा : मेरे तो सिर्फ़ एक है, **(रुककर)** वह भी साली नहीं के बराबर।

विलायती : हुआ ऐसा कि हरम में दस-बारह लड़के घुस गये।

ब्रह्मा : लड़के?

विलायती : घुस क्या गये, घुसाये गये। बेगमों ने चौकीदारों को रुपये दिये—अपने गहने कंगन उतारकर दिये—वह ठहरे हिजड़े, उनका क्या ईमान! घुसा दिये। 18-20 साल के नौजवान, औरतों के भेस में।

ब्रह्मा : पकड़े नहीं गये?

विलायती : पकड़े कैसे जाते? 451 औरतों में भेस बदले आठ-दस आदमियों का पता कैसे चलता?

ब्रह्मा : तो क्या हुआ?

विलायती : उस साल दूसरे सालों के मुक़ाबले पाँच गुनी बेगमों के हमल रहा। हकीमों ने बताया कि यह उनके नुस्ख़ों का नतीजा है। नवाब साहब ख़ुश।

ब्रह्मा : तो?

विलायती : मेरा माथा ठनका। मैं ठहरा नवाब का ख़ादिमे ख़ास, जैसे आपका हूँ। ऐसे ही नवाब के तेल-मालिश कर रहा था—तो मैंने उनसे कह दिया—गुस्ताख़ी माफ़ हुज़ूर, मुझे तो दाल में कुछ काला लगता है। इसकी जाँच होनी चाहिए। वह बोले—क्या किया जाये? मैंने कहा—रजिस्टर रखा जाये। जिस रात को हुज़ूर जिस बेगम के पास

जायें उसकी तफ़सील दर्ज हो और जब किसी बेगम के हमल ठहरे तो मिलाया जाये। बात जँच गयी नवाब को।

ब्रह्मा : फिर क्या हुआ?

विलायती : हिजड़ों ने रजिस्टर बदलने शुरू कर दिये। जिस बेगम के भी पैर भारी होते, उसी के साथ नवाब की सोहबत पिछली तारीख़ों में रजिस्टर में दर्ज कर देते।

ब्रह्मा : तो?

विलायती : मैं नवाब का ख़ादिमे-ख़ास। जिसका नमक खाता हूँ, हलाल करता हूँ। मैंने नवाब को बता दिया, क्या गड़बड़ी हो रही है। नवाब ने हिजड़ों को बुलाया। उन्होंने कहा, क्या सबूत है कि रजिस्टर बदला गया है। नवाब ने मेरी तरफ़ देखा।

ब्रह्मा : तुमने क्या कहा?

विलायती : मैंने असली पुराना रजिस्टर पेश कर दिया। सालों की गर्दनें गयीं और नवाब ने मुझे 10,000 रुपये इनाम दिये।

ब्रह्मा : कमाल है। तुमको पुराना रजिस्टर कैसे मिला?

विलायती : मिलता कैसे नहीं। नवाब का ख़ादिमे-ख़ास था, जैसे आपका हूँ। नमक-हलाल करने के लिए कुछ भी करना पड़े, करता हूँ। जैसे आप हीं चाहें तो लिखा सबूत पेश कर सकता हूँ—मेम साहिबा कहाँ गयी हैं, किसके लिए गयी हैं, कौन आ रहा है—वग़ैरा-वग़ैरा...

ब्रह्मा : **(आश्चर्य मिश्रित प्रसन्नता से)** तो तुम जानते हो?

विलायती : जानता ही नहीं, लिखा सबूत है, आपके ख़ादिमे-ख़ास के पास।

ब्रह्मा : **(बनियान की जेब से दस रुपया निकालकर)** यह लो।

विलायती : लिखे सबूत के लिए सिर्फ दस रुपया। नवाब पाँचताल एक रुपये के लिए 100 रुपये लुटाते थे।

ब्रह्मा : मैं नवाब नहीं हूँ।

विलायती : आप हज़ार रुपये की जगह दस रुपया दिखाते हैं।

ब्रह्मा : कहा न, वह नवाब पाँचताल थे। मैं तो तीनताल भी नहीं हूँ।

विलायती : रहने दीजिए साहब। ऐसे दस रुपया दिखाने से आपके ख़ादिमे ख़ास की तौहीन हो रही है।

ब्रह्मा : **(खुशामद से)** तू बड़ा पाजी है।

विलायती : आपके आगे तो ख़ादिम कुछ भी नहीं है।

ब्रह्मा : यह लो पचास रुपये और—अब इससे ज्यादा मैं और नहीं दे सकता। दिखा तेरे पास क्या है?

विलायती : **(रुपया लेकर)** आपका ख़ादिमे-ख़ास न होता, वफ़ादारी की आदत न होती, नमक-हलाली की लत न होती, तो दूसरों के ख़त चुराने का काम न करता? ख़ैर लीजिए, आपके लिए यह गुनाह भी सही। **(जेब से निकालकर ब्रह्मानन्द को खत देता है।)**

ब्रह्मा : **(खत पढ़ते हुए)**

प्रिय लज्जावती,

पिछली गर्मियों में नैनीताल में मुलाकात हुई थी—स्कूल छोड़ने के बरसों बाद। तूने मुझे कसम दिलायी थी कि अगर मैं दिल्ली आऊँ तो तेरे यहाँ ठहरूँ। मैं तो नहीं आ सकती। लेकिन मेरा लड़का दिल्ली आई. ए. एस. के इण्टरव्यू के लिए तैयारी करने जा रहा है। वह तुम्हारे यहाँ 10-15 दिन ठहरेगा। इस इतवार को दस बजे मुरादाबाद दिल्ली एक्सप्रेस से दिल्ली पहुँच जायेगा। वह दिल्ली पहली बार जा रहा है। बेहतर हो, अगर तुम स्टेशन पर उसे अपने साथ ले जाओ।

तुम्हारी सखी

कमला

(पत्र पढ़कर) तो चीप साहिबा स्टेशन गयी हैं। इसीलिए बनठन रही थीं—**(नफ़रत से)** ऊँह!

विलायती : एक चिट्ठी और हुज़ूर! **(जेब से निकालकर चिट्ठी दिखाता है)** छोटी चिट्ठी है—सिर्फ बीस रुपये।

ब्रह्मा : बड़ा पाजी है।

विलायती : आपके आगे तो ख़ादिम कुछ भी नहीं है।

ब्रह्मा : यह लो दस रुपया। **(रुपया देकर चिट्ठी ले लेता है। फिर चिट्ठी पढ़ता है।)**

आदरणीय मौसी जी!

माँ का हुक्म है, इसीलिए 10-15 दिन आपके यहाँ रहूँगा। आपको असुविधा तो अवश्य होगी। आशा है आप इसके लिए क्षमा करेंगी। **(रुककर)** क्यों नहीं क्षमा करेंगी। चीप साहिबा बड़ी रहम दिल हैं, नौजवानों के लिए **(फिर पढ़ते हुए)** मैं इतवार को मुरादाबाद-दिल्ली एक्सप्रेस से दिल्ली पहुँच रहा हूँ। सादर आपका—रोहित। **(जैसे मुँह का स्वाद कड़वा हो गया।)**

विलायती : है न हुज़ूर, लाख रुपये का ख़त। **(चिट्ठी उठाकर जेब में रखता है।)**

ब्रह्मा : जरा बीड़ी तो उठा दे।

(विलायती कोने में रखे बक्स से निकालकर बीड़ी देता है)

ब्रह्मा : इसे क्या अपने दिल से जलाऊँ? माचिस तो उठा दे।

(विलायती दियासलाई उठाकर देता है। बीड़ी जलाकर ब्रह्मानन्द एक दो कश लेता है।)

विलायती : वफ़ादारी तो मेरे ख़ून में है, इसीलिए तो नवाब पाँचताल और राजा ताँबागढ़ का ख़ादिमे-ख़ास था।

(बाहर से हाथ में एक बेग लिए लज्जावती का प्रवेश)

लज्जा : विलायती, बाहर कार से सामान ले आओ। **(दायें कमरे में जाती है। वहाँ बैग रखकर, कमरे की कुर्सी, बिस्तर इत्यादि को तरतीब से करती है।)**

(विलायती बाहर जाता है। बीड़ी फूँकता ब्रह्मानन्द उठ खड़ा होता है। बाहर से रेखा और रोहित का प्रवेश)।

रेखा : ये हमारे पिताजी हैं और पिताजी ये...

ब्रह्मा : **(रोहित को ऊपर से नीचे तक घूरते हुए)** मैं जानता हूँ इनको—सादर आपका!

रेखा : आप जानते हैं? इनका नाम...इनका नाम है...

ब्रह्मा : रोहित। **(रोहित नमस्ते करता है)** ये आई. ए. एस. की तैयारी के लिए दिल्ली आये हैं।

रेखा : आपको कैसे मालूम?

ब्रह्मा : ब्रह्मानन्द मेरा नाम है। मुझे बड़ा ज्ञान है। **(रोहित से)** आजकल बहुत से लड़के आई.ए.एस. में बस यों ही बैठ जाते हैं—रौब डालने के लिए—अच्छे घर शादी करने के चक्कर में।

लज्जा : **(बीच के दरवाजे में आकर चीखती-सी हुई)** रेखा, क्या खड़ी-खड़ी बकवास कर रही हो!

रेखा : **(घबराकर)** आओ, रोहित तुम्हारा कमरा दिखा दूँ। **(रोहित को बाँह से पकड़कर, जल्दी से दायें कमरे में ले जाती है।)**

ब्रह्मा : स्साला, सादर आपका। **(बैठकर बीड़ी फूँकता है।)**

(विलायती बाहर से सामान लादकर दायें कमरे में ले जाता है।)

दृश्य–दायाँ कमरा

लज्जा : यह कमरा तुम्हारे लिए है। बहुत अच्छा तो नहीं...

रोहित : क्या कहती हैं आप! बहुत अच्छा है। मुझे तो इससे अच्छा कमरा चाहिए भी नहीं।

लज्जा : यह कमरा घर के और कमरों से अलग है–तुम बिना किसी डिस्टर्वेन्स के इसमें पढ़ सकते हो। बस मैं ही कभी-कभी आऊँगी। आ सकती हूँ?

रोहित : **(शरमाकर)** क्यों नहीं...आपका घर है।

लज्जा : अरे खड़े क्यों हो, बैठ जाओ।

रोहित : आप तो बैठिए।

लज्जा : ओफ़ ओह! जब तक मैं नहीं बैठूँगी, तुम नहीं बैठोगे। लो बाबा, बैठ ही जाती हूँ। अब तो बैठो। **(रोहित बैठ जाता है।)** **(ड्रेसिंग रूम में सामान रखकर विलायती बायें कमरे में बीच के दरवाजे के पास वह ऐसा खड़ा हो जाता है जैसे दाँयें कमरे की बात सुनना चाहता हो।)**

लज्जा : कमला कैसी है?

रोहित : अच्छी हैं। आपसे नमस्ते कहा है।

लज्जा : और तुम्हारे पिताजी?

रोहित : वह भी अच्छे है। आपसे नमस्ते कहा है।

लज्जा : मुरादाबाद में तुम्हारा मकान तो बहुत बड़ा है। कोठी क्या, अच्छा ख़ासा महल है। उसके मुक़ाबले में यह छोटा-सा मकान–तुम्हें तकलीफ़ तो ज़रूर–

रोहित : **(बात काटकर)** मौसी जी, आप भी क्या बात करती हैं–कहा न, मेरे लिए बहुत ठीक है।

लज्जा : देखो रोहित, मुझे यह 'मौसी जी' पसन्द नहीं है।

रोहित : **(विमूढ़-सा)** जी?

लज्जा : मौसी जी, सुनकर ऐसा लगता है जैसे मैं बूढ़ी हो गयी हूँ। क्या मैं बूढ़ी हो गयी हूँ?

रोहित : **(संकोचवश)** नहीं तो–।

लज्जा : फिर मुझे मौसी जी क्यों कहते हो?

रोहित : **(अबोधता से)** तो क्या कहूँ?

लज्जा : मेरा नाम लज्जावती है। मेरे सब मित्र मुझे लज्जा कहते हैं। तुम मुझे लज्जा कहा करो।

रोहित : लेकिन मैं तो...

रेखा : **(बात काटते हुए)** मित्र नहीं हूँ। ममी ये कह रहे हैं...मैं तो आपका मित्र नहीं हूँ।

(रोहित चुप रहता है)

लज्जा : तो क्या शत्रु हो? बताओ न, क्या तुम मेरे शत्रु हो?

रोहित : **(तत्परता से)** जी नहीं।

लज्जा : शत्रु नहीं हो तो मित्र हो। आज से तुम मुझे लज्जा कहोगे। **(स्वर बदलकर)** बैठी बातें कर रही हूँ। सफ़र की थकान होगी। एक कप चाय पिओ। फिर नहा-धोकर तैयार हो जाओ। एक साथ ब्रेकफ़ास्ट लेंगे। रेखा, विलायती से कह दो, चाय दे जाये।

(रेखा बीच के दरवाजे पर जाती है, वहाँ विलायती को खड़ा देखती है)

दृश्य–बायाँ कमरा

रेखा : विलायती, तीन कप चाय बनाकर लाओ।

विलायती : अभी लीजिए।

ब्रह्मा : **(गरजते हुए)** नहीं, पहले मेरे नहाने के लिए पानी लगाओ।

विलायती : पहले पानी ही लगाता हूँ। **(भीतर जाता है)**

(रेखा बीच के दरवाजे से लौटती है। ब्रह्मानन्द की आवाज लज्जावती को भी सुनायी पड़ जाती है।)

दृश्य–दायाँ कमरा

लज्जा : **(अचानक उठते हुए)** मैं ही चाय लाती हूँ।

(पीछे के द्वार से अन्दर जाती है। लज्जा के उठने पर रोहित भी खड़ा हो गया था।)

रेखा : **(रोहित को निगाह भर देख कर)** क्या अब आप मेरे आदर में खड़े हैं?

रोहित : जी...?

रेखा : मेरे बैठने पर ही बैठेंगे आप?

(झेंपता-सा रोहित एकदम बैठ जाता है)

(बाँयें कमरे में, बाबू जी तौलिया उठाकर पीछे के कमरे से घर के भीतर जाते हैं।)

(रेखा मुस्कराती हुई रोहित को गौर से देखती है।)

रोहित : अब आप तो बैठिए...

रेखा : अगर नहीं बैठी तो?

रोहित : **(झेंपता-सा)** तो...

रेखा : तो आप खड़े हो जायेंगे। यही न...?

रोहित : देखिए। आप मेरा मज़ाक क्यों बना रही हैं?

रेखा : देखिए आप इतना शरमा क्यों रहे हैं? **(रोहित कुछ क्षण चुप रहता है)** अरे वाह, आप तो शर्म से लाल हुए जा रहे हैं।

रोहित : किसी को तो शर्म आये।

रेखा : कमाल है...आप तो लड़कियों की तरह शर्माते हैं।

रोहित : जब लड़कियाँ लड़कों की तरह बेशर्म हो जायें...

रेखा : आप कहाँ से आ रहे हैं?

रोहित : मुरादाबाद

रेखा : **(शैतानी से, जैसे सुना न हो)** क्या कहा—मुरदाबाद?

रोहित : जी नहीं, मुरादाबाद

रेखा : क्या वहाँ सब मुर्दे ही आबाद हैं...?

रोहित : क्या मैं आपको मुरदा दीखता हूँ?

रेखा : 'दिस इज़ नॉट इन द गेम।'

रोहित : मैं 'गेम्स' बिल्कुल नहीं जानता।

रेखा : अनाड़ी?

रोहित : एकदम अनाड़ी।

रेखा : मु...र...दा...बा...द।

रोहित : आप क्या कर रही हैं आजकल?

रेखा : एक अनाड़ी को खेल के क़ायदे बता रही हूँ।

रोहित : वह तो ठीक है, लेकिन **(रुककर)** मेरा मतलब है—आप आजकल क्या कर रही हैं? पढ़ रही हैं?

रेखा : नहीं।

रोहित : नौकरी कर रही हैं।

रेखा : नहीं।

रोहित : तो?

रेखा : रिसर्च कर रही हूँ। पालिटिक्स में एम. ए. किया है–

रोहित : नेता बनने का इरादा है?

रेखा : पॉलिटिकल साइंस में। पॉलिटिक्स में नहीं। और आप?

रोहित : जी मैं...

रेखा : इतना तो जानती हूँ, आपने आई. ए. एस. में 'क्वालीफ़ाई' कर लिया है। एम.ए. किस विषय में किया?

रोहित : मैंने एम.ए. नहीं किया। बी.ए. भी नहीं।

रेखा : तो क्या सिर्फ़ हायर सैकेण्डरी तक?

रोहित : जी हाँ, सिर्फ हायर सैकेण्डरी तक पढ़ा हूँ।

रेखा : लेकिन आई.ए.एस. के लिए तो ग्रेजुएशन ज़रूरी है।

रोहित : इंजीनियरिंग में ग्रेजुएशन किया है।

रेखा : तो आप इंजीनियर हैं? **(रुककर)** फिर यह आई.ए.एस?

रोहित : पिताजी वकील हैं। काफ़ी नाम है, काफ़ी कमाया भी है। लेकिन ज़िन्दगी-भर कुर्सी को–'हुज़ूर, योर आनर' कहते-कहते...उनका अरमान है कि उस कुर्सी पर उनका बेटा बैठे।

रेखा : बड़े लायक़ बेटे हैं आप।

रोहित : देखिए लिखकर दे दीजिए। सनद रहेगी। वक़्त ज़रूरत काम आयेगी।

रेखा : **(अतिरंजित आश्चर्य से)** मु-र-दा-बा-द! आप तो मज़ाक भी करते हैं?

रोहित : बात यह है कि मेरे कोई बहन नहीं–चचेरी बहन भी नहीं। इंजीनियरिंग कॉलेज गया, वहाँ भी लड़कियाँ नहीं–इसलिए लड़कियों से घबराता हूँ। अगर किसी लड़की के साथ अकेला पड़ जाऊँ, तो हाथ-पैर फूल जाते हैं।

(रेखा हँसने लगती है)

रेखा : हँसिए मत। **(रेखा और हँसती है)** हँसिए मत। **(अपील से)** हँसिए मत। **(क्रोध से)** हँसो मत।

रोहित : **(आमोद से)** मु...रा...दा...बा...द!

(एक ट्रे में दो कप चाय लिए लज्जा का प्रवेश। लज्जा को देखकर रोहित खड़ा हो जाता है।)

लज्जा : **(रेखा से, थोड़ी सख्ती से)** रेखा, तुम नाश्ते का इन्तजाम करो। मैं

इनको देख लूँगी। **(रेखा का बायें कमरे में होते हुए घर के भीतर प्रस्थान)**

लज्जा : **(रोहित से)** अरे भाई बैठो न। **(रोहित बैठ जाता है। लज्जा से चाय लेता है।)**

लज्जा : यह मकान बहुत अच्छा तो नहीं...

रोहित : आप फिर वही कह रही हैं। मेरे लिए यह कमरा बिल्कुल ठीक है। मुझे इससे ज़्यादा कुछ चाहिए भी नहीं। आप इस बारे में नाहक़ परेशान हो रही हैं मौसी जी!

लज्जा : फिर मौसी जी?

रोहित : **(शरमाकर)** मेरा मतलब है—लज्जा जी

लज्जा : **(दोहराते हुए)** लज्जा जी। क्या इस 'जी' के बिना काम नहीं चल सकता?

रोहित : मेरे लिए बहुत मुश्किल लगता है।

लज्जा : मेरी एक 'अमेरिकन फ़ैमिली' से जान-पहचान है—वह तो सब एक दूसरे का नाम लेते हैं,...पहला नाम—क्रिश्चियन नेम। छोटे-बड़े का कोई फ़र्क़ नहीं। कितना अच्छा लगता है सुनकर। लगता है सब एक दूसरे के निकट हैं।

रोहित : कहाँ अमेरिका, कहाँ मुरादाबाद...

लज्जा : कल रात मुझे नींद नहीं आयी। न जाने क्या हो जाता है मुझे कभी-कभी। चार बजे के क़रीब आँख लगी होगी। इसीलिए साढ़े आठ बजे तक सोती रही। जागने पर हड़बड़ाकर स्टेशन के लिए भागी। जल्दी में ठीक से कपड़े भी नहीं पहन सकी। जो मिला वही बदन पर डाल लिया।

रोहित : **(अबोधता से)** ठीक तो है।

लज्जा : यह ठीक है? ब्लाउज़ किस रंग का! साड़ी किस रंग की!

रोहित : इसमें क्या ख़राबी है?

लज्जा : मैं तो सिर्फ "मैचिंग कलर्स" ही पहनती हूँ। कपड़ा तो सभी पहनते हैं, लेकिन ज़रा सलीके से पहनने से बात कुछ और ही बनती है। मुझे तो आज बड़ा अटपटा लग रहा है। यह साड़ी ब्लाउज़। जल्दी में बाल तक नहीं काढ़ सकी। कैसी लग रही हूँ मैं?

(रोहित की समझ में नहीं आता कि क्या उत्तर दे)

लज्जा : एकदम फूहड़-सी, बाल बिखरे!

रोहित : नहीं तो।

लज्जा : तो...(**रुककर**) तो कैसी लग रही हूँ?

रोहित : मेरा मतलब है...मेरा मतलब है...

लज्जा : अच्छी लग रही हूँ...यही कहना चाहते हो? (**रोहित शरमा जाता है**) तो फिर कहते क्यों नहीं? अपनी तारीफ़ सुनना किसे अच्छा नहीं लगता। भाई मैं तो इन्फ़ॉर्मल हूँ। इतने दिन तुम्हें यहाँ रहना है—इनफ़ॉर्मल तो होना ही पड़ेगा।

रोहित : मम्मी आपकी बहुत तारीफ़ करती हैं। कहती हैं, आप स्कूल में उन सबकी लीडर हुआ करती थीं। 'टीचर्स' से बिल्कुल भी नहीं डरती थीं।

लज्जा : और क्या बताया?

रोहित : यही कि आप गाना बहुत अच्छा गाती हैं। हर चीज़ में आगे—चाहे वह डिबेट हो, चाहे दौड़, चाहे पेण्टिंग।

लज्जा : सारे शौक़ एक साथ ही ख़त्म हो गये। सब कुछ ख़त्म हो गया।

रोहित : कैसे?

लज्जा : बाबूजी को बिज़नेस में घाटा हुआ। सब कुछ अचानक ही मिट्टी हो गया। राजा से रंक हो गये। दोनों वक़्त खाने को मोहताज। मैंने उस साल हाई-स्कूल पास किया था। बाबूजी ने मामाजी की सहायता से शादी कर दी।

रोहित : ओह!

लज्जा : यह एल.डी.सी. थे तब। मैंने 'प्राइवेटली' बी.ए. किया। कार्पोरेशन में नौकरी की, तरक़्क़ी की। लेकिन इनको पसन्द नहीं आया कुछ भी।

रोहित : क्यों?

लज्जा : मैं क्या जानूँ। मैंने जो कुछ किया, घर के लिए किया। फिर भी यह नाराज़ हैं। मर्द हैं न, शायद इसीलिए।

रोहित : जी?

लज्जा : बीवी की तरक़्क़ी मर्द से बर्दाश्त नहीं होती।

रोहित : तब ही।

लज्जा : तब ही क्या?

रोहित : (**छिपाता-सा**) कुछ नहीं।

लज्जा : तुम उनके व्यवहार के बारे में कह रहे हो। तुम रहोगे तो सब अपने आप ही पता चल जायेगा। वह मुझसे बोलते नहीं। मेरी

कार में नहीं बैठते। अब मैं क्या करूँ। जो है सो है। **(अचानक स्वर बदलकर)** कुछ भी हो, हैं तो वह मेरे पति ही। मैं उनकी बहुत इज़्ज़त करती हूँ। हटाओ इसे, अपने बारे में बताओ।

रोहित : अपने बारे में क्या बताऊँ?

लज्जा : कुछ भी।

रोहित : दिन भर फैक्ट्री में रहता हूँ। मज़दूरों और मशीनों से सर खपाता हूँ। रात को आई. ए. एस. के लिए पढ़ाई करता हूँ।

(नहाने के बाद, कमर पर सिर्फ तौलिया लपेटे, ब्रह्मानन्द का बायें कमरे से होते हुए दायें कमरे में प्रवेश)

ब्रह्मा : **(व्यंग्य से)** तो चाय पी ली गयी?

(लज्जा सख्ती से ब्रह्मानन्द की तरफ देखती है, फिर चाय के प्याले उठाती है)

लज्जा : रोहित, तुम नहाकर तैयार हो जाओ। नाश्ता तैयार है।

(प्रस्थान, बायें कमरे में होते हुए घर के भीतर)

ब्रह्मा : तो 'सादर आपका' इंजीनियर है? **(गौर से देखते हुए)** तेज है।

रोहित : बैठिए।

ब्रह्मा : मुझे बैठने की जरूरत नहीं। मेरा नाम ब्रह्मानन्द है। सूरज के साथ उदय होता हूँ। उसके साथ डूबता हूँ। 'अहम्! ब्रह्मास्मि'। कुछ समझे?

रोहित : **(विमूढ़ता से)** जी?

ब्रह्मा : यह वेदान्त है। इसे चीप साहिबा नहीं समझेंगी। वह माडर्न हैं। तुम भी माडर्न हो?

रोहित : **(कुछ समझकर)** माडर्न तो दिल्ली वाले होते हैं। मैं तो मुरादाबाद का हूँ।

ब्रह्मा : मैं दिल्ली में रहकर भी माडर्न नहीं हुआ। अपनी संस्कृति को नहीं भूला। कमल में जल के समान...

रोहित : **(काटते हुए)** जल में कमल के समान।

ब्रह्मा : मतलब वही। इसे कहते हैं निष्काम कर्म। यही तो वेद है।

रोहित : वेद नहीं गीता।

ब्रह्मा : मतलब वही। दोनों एक ही हैं। **(अचानक स्वर बदलकर)** दिल्ली खराब जगह है। आदमी को आदमी नहीं रहने देती। उसे 'माडर्न' बना देती है।

रोहित : मैं तो थोड़े दिनों के लिए ही आया हूँ।

ब्रह्मा : यहाँ आदमी-आदमी का दुश्मन है। छुरी लिए, घूमता है—एक-दूसरे की गर्दन काटने। बस की धक्का-मुक्की, चीजों की महँगाई, मकानों के किराये **(रुककर)** मकान के मामले में मैं ही भागवान हूँ। यह मकान देखा—

रोहित : कौन-सा?

ब्रह्मा : यही, जिसमें तुम खड़े हो। हम तुम खड़े हैं। सोचो, इसका क्या किराया होगा?

रोहित : मुझे दिल्ली के किराये का कोई अन्दाज नहीं।

ब्रह्मा : फिर भी सोचो।...सोचो...अच्छा मुरादाबाद में इसका क्या किराया होगा?

रोहित : यही कोई पाँच-सात सौ रुपये।

ब्रह्मा : मगर दिल्ली में सात-आठ हज़ार से कम नहीं होगा। सुना तुमने सात-आठ हज़ार रुपये—**(जोर देकर)** सात-आठ हजार रुपये। ताज्जुब हो रहा है न?

रोहित : **(मन रखने को)** बेशक।

ब्रह्मा : यह मेरे नाम 'अलॉट' है। चिट्ठी में लिखा था—हाउस नं. जे-103, देशबन्धु नगर, नयी दिल्ली-110003, इज अलॉटेड टु श्री ब्रह्मानन्द। **(दोहराते हुए)** श्री ब्रह्मानन्द। और मेरे नाम अलॉट हो गया यह मकान। तुमने देखा, कितनी साफ-सुथरी 'कालोनी' में है। साँस लो।...साँस लो ऐसे **(साँस फेफड़े में भरकर दिखाते हुए)** ऐसे, अब तुम साँस लो—

(रोहित के चेहरे से लगता है—"कहाँ फँस गया।" विवश होकर साँस लेता है)

ब्रह्मा : देखा। ऑक्सीजन ही ऑक्सीजन है। क्या मजाल है कोई बीमारी हो जाये। शहर में, गली-कूचे में तो टी.बी. हो जाये। किधर से आये ऑक्सीजन? **(अचानक)** यह खिड़की देखो। इधर से आयी आक्सीजन और इस दरवाजे से निकल गयी। इसे कहते हैं 'क्रॉस-वेन्टीलेशन'। तुम्हारे मुरादाबाद के मकानों में है यह?

रोहित : **(खुश करने को)** वह दिल्ली का मुक़ाबला तो नहीं कर सकते।

ब्रह्मा : यहाँ आते समय घर के बाहर खाली जगह देखी होगी। कम से कम, एक-दो एकड़ तो होगी। 15-20 क्वार्टरों के बीच में है। चाहे लड़के खेलें, भागें दौड़ें। फुटबाल-हॉकी खेलें। बरात का शामियाना

लगाओ। हजार दो हजार आदमी खिलाओ। भला सोच सकते हो दिल्ली में इतनी खुली जगह (**रोहित उत्तर नहीं देता**) नहीं न? नहीं न?

रोहित : (**विवश होकर**) नहीं।

ब्रह्मा : (**खिड़की के निकट जाकर**) यहाँ आओ। यहाँ आओ—(**रोहित को अपने निकट घसीटकर**) कितनी बड़ी खिड़की है। मन न लगे तो खिड़की के बाहर देखते रहो। आते-जाते लोगों को देखकर ही लग जायेगा।

रोहित : मेरा मन तो नीला आसमान देखकर ही लग जाता है।

ब्रह्मा : साले आसमान में क्या रखा है। रौनक देखो सड़क पर, चलती-फिरती। मुरादाबाद में देखने को नहीं मिलेगी। (**थोड़ी सख्ती से**) चीप साहिबा ने क्या बताया?

रोहित : चीप साहिबा?

ब्रह्मा : वही तुम्हारी मौसी जी ने?

रोहित : किसके बारे में?

ब्रह्मा : मकान के बारे में।

रोहित : कौन से?

ब्रह्मा : इसी मकान के बारे में?

रोहित : कुछ भी नहीं।

ब्रह्मा : यह मकान उनको नहीं, मुझे अलॉट है। (**गर्व से**) मुझे।

रोहित : (**समझकर**) बहुत बढ़िया मकान है। बहुत ही बढ़िया। इतना शानदार खुला-खुला, ख़ूब धूप आती है...और ऑक्सीजन भी। ऑक्सीजन ही ऑक्सीजन।

ब्रह्मा : (**पिघलकर**) सादर आपका, तुम आदमी तो अच्छे लगते हो। दरअसल, इस मकान को पाने में मुझे बड़ी अक्ल लड़ानी पड़ी।

रोहित : अच्छा।

ब्रह्मा : क्या ऐसे ही मकान मिल जाता है। यहाँ तो लाइन लगी है। आदमी रिटायर होकर निगम बोध घाट तक पहुँच जाता है, तब नम्बर आता है मकान का। मैं भी कम तिकड़मी नहीं। दरअसल, डीलिंग बाबू, मेरा रिश्तेदार लगता था, कुछ रिश्तेदारी मैंने निकाल ली। उसकी सलाह पर एक मैडिकल सर्टिफिकेट लगाया बीमारी का—सौ रुपये में मिल गया था—बस अलाट हो गया यह मकान।

रोहित : आप बहुत अक़्लमन्द हैं।

ब्रह्मा : तुम्हें पता है, मैं गजटेड ऑफिसर हूँ?

रोहित : अच्छा।

ब्रह्मा : गजटेड ऑफिसर यानी वह जिसका नाम गजट में छपे। तुम सोचते होंगे—नाम गजट में छपने से क्या हुआ। अरे तब ही तो गजटेड होते हैं। चीप साहिबा गजटेड ऑफिसर नहीं है। अरे, चुंगी की नौकरी में अफसर थोड़े ही होते हैं। वह तो—

(रेखा का तौलिया लिए प्रवेश)

रेखा : **(रोहित से)** जाइए—नहाकर तैयार हो जाइए।

ब्रह्मा : जल्दी क्या है?

रेखा : नाश्ता मेज़ पर लग गया है **(जोर देकर)** जाइए न। **(ब्रह्मानन्द से छिपाकर रोहित को इशारा करते हुए)** जाइए।

रोहित : **(रोब से तौलिया लेकर)** बाबूजी, बस पाँच मिनट में नहाकर आया। **(हैण्डबैग से गाउन निकालता है)**

ब्रह्मा : चीप साहिबा का हुक्म आया है—कैसे टाल सकोगे, सादर आपका।

रेखा : **(ब्रह्मानन्द की बाँह पकड़कर)** आइए पिताजी, इनको नहाने जाने दीजिए। आइए न।

(ब्रह्मानन्द को रेखा बायें कमरे में लाती है। गाउन और तौलिया लेकर रोहित बाथरूम में जाता है।)

दृश्य—बायाँ कमरा

ब्रह्मा : अरे अरे, तू तो एकदम घसीट लायी।

रेखा : पिताजी, कुछ तो खयाल कीजिए।

ब्रह्मा : **(सख्ती से)** खयाल?

रेखा : वह क्या कहेगा?

ब्रह्मा : उसके कहने की परवाह करते हैं?

रेखा : बात ही करनी थी, तो कपड़े पहन के बात कर सकते थे।

ब्रह्मा : यह मेरा घर है। जिस तरह मेरा मन होगा, मैं रहूँगा।

रेखा : प्लीज़ पिताजी।

ब्रह्मा : जो मेरे घर में रहना चाहे रहे। न रहना चाहे न रहे। हम किसी के हाथ जोड़कर बुलाने तो नहीं गये थे।

रेखा : प्लीज़, धीरे बोलिए पिताजी।

ब्रह्मा : मैं उससे डरता नहीं।

रेखा : आप कपड़े पहन लीजिए।

ब्रह्मा : यह चीप साहिबा ने कहलवाया होगा?

रेखा : नहीं।

ब्रह्मा : उनकी बेइज्जती हो रही है। **(नकल करते हुए)** 'तुम्हारी कमला'–ऊँह। **(स्वर बदलकर)** उनकी सखी का बेटा है–स्साला! सादर आपका!

रेखा : पिताजी, मैं हाथ जोड़ती हूँ।

ब्रह्मा : ठीक है। विलायती को भेज दे।

रेखा : लेकिन–पिताजी,–

ब्रह्मा : **(बात काटते हुए)** हाँ, हाँ मैं कपड़े पहन लूँगा। विलायती को भेज दे।
(रेखा अन्दर जाती है)
(ब्रह्मानन्द बनियान और कुर्ता पहनता है। विलायती का भीतर से प्रवेश)

ब्रह्मा : विलायती जरा पायजामे में नाड़ा तो डाल। **(पायजामा और नाड़ा देता है)**
(विलायती अपनी जेब से फाउनटेन पेन निकालकर उसकी सहायता से नाड़ा डालता है।)

ब्रह्मा : बहुत खुश है न?

विलायती : आप तो जानते ही हैं।

ब्रह्मा : नाश्ते में क्या बना है?

विलायती : मूँग की दाल का हलवा, बेसन की पकौड़ी, आलू की टिक्की, इसके अलावा टोस्ट, मक्खन, अंडा वगैरा भी है।

ब्रह्मा : स्साले की दावत हो रही है?

विलायती : सहेली का बेटा है।

ब्रह्मा : नौजवान है।

विलायती : रेखा बेटी के साथ जोड़ी अच्छी रहेगी।

ब्रह्मा : कोई जोड़ी मिलाने दे तो जोड़ी बने। यहाँ तो सब 'माडर्न' हैं। आजाद हैं। मेरा बस चलता तो पाँच साल पहले ही उसके हाथ पीले कर देता।

विलायती : ये लीजिए।

(ब्रह्मानन्द विलायती से पायजामा लेकर पहनता है।)

ब्रह्मा : अब बन गया मैं शरीफ आदमी।

विलायती : आपके लिए चाय नाश्ता यहीं लाता हूँ। **(ब्रह्मानन्द की उतारी तौलिया लेकर अन्दर प्रस्थान)**

(बक्स से कंघा निकालकर बाल काढ़ता है। फिर सब सामान बक्स में रखकर दायें कमरे में जाता है।)

दृश्य–दायाँ कमरा

(दायें कमरे में इधर-उधर घूमता है। फिर खिड़की के बाहर देखता हुआ खड़ा होता है। तब ही केवल गाउन पहने रोहित बाथरूम से बाहर निकलता है।)

ब्रह्मा : अब मैं शरीफ आदमी लगता हूँ?

रोहित : **(नासमझी में)** बिल्कुल...

ब्रह्मा : इस घर में तौलिया पहनने से चीप साहिबा की बेइज्जती होती है। चूँकि गाउन माडर्न है इसीलिए किसी की बेइज्जती नहीं होती, हालाँकि मैं जानता हूँ, तुम गाउन के भीतर नंगे हो।

रोहित : **(झेंपकर, गाउन को लपेटते हुए)** जी!

ब्रह्मा : **(नाटकीयता से, हाथ जोड़कर झुकता हुआ)** माडर्निज्म तुझे नमस्कार है।

(अन्तराल-अन्धकार)

दृश्य–बायाँ कमरा

समय–पाँच छः दिन बाद सायंकाल

(बाहर दरवाजे पर दस्तक, या बाहर से किसी के घण्टी बजाने की आवाज। भीतर से निकलकर रेखा दरवाजा खोलती है। गोपाल कृष्ण का प्रवेश। गोपाल कृष्ण घुसते ही रेखा को अपनी बाहों में लेता है। गोपाल कृष्ण, ब्रह्मानन्द की उम्र का है। पहनावे में और उसके रख-रखाव में बढ़ती उम्र से लड़ाई स्पष्ट झलकती है।)

गोपाल : **(रेखा को बांहों में लेते हुए)** हलो रेखा!

रेखा : ओह अंकल। **(एकदम अपने को छुड़ाकर भीतर भागते हुए)** पिताजी को बुलाती हूँ।

गोपाल : अरे सुनो तो रेखा!

रेखा : **(रुककर)** जी कहिए?

गोपाल : आज तुम बहुत सुन्दर लग रही हो।

रेखा : आज?

गोपाल : **(झेंपता-सा)** सुन्दर तो तुम हो ही।

रेखा : **(मुड़ते हुए)** पिताजी को बुलाती हूँ।

गोपाल : सुनो तो—

रेखा : **(रुकते हुए)** जी।

गोपाल : तुम्हारी साड़ी बहुत सुन्दर है।

रेखा : शुक्रिया। **(मुड़ने को होती है)**

गोपाल : जाती कहाँ हो? तुम्हारा ब्लाउज साड़ी से बहुत मैच कर रहा है। बहुत सुन्दर है।

रेखा : हद हो गयी अंकल। तुम सुन्दर हो। तुम्हारी साड़ी सुन्दर है। ब्लाउज़ सुन्दर है। अब बचा क्या? लगता है मेरी चप्पलें आपने नहीं देखीं, यह भी बहुत सुन्दर हैं।

(गोपाल कृष्ण हतप्रभ-सा फीकी हँसी हँसता है।)

रेखा : **(बात सँभालने के लिए)** आप बैठिए, पिताजी को बुलाती हूँ। **(घर के भीतर जाने के लिए दरवाजे के पास तक जाती है। वहाँ से अचानक मुड़कर)** मैं तो भूल ही गयी। पिताजी तो अभी तक दफ़्तर से आये नहीं।

गोपाल : अभी तक नहीं आये? लेकिन उन्होंने तो मुझे बुलाया था। हम लोगों का साथ जाने का प्रोग्राम था।

रेखा : तो आप बैठिए। आते ही होंगे। मैं आपके लिए चाय लाती हूँ।

(जैसे पीछा छुड़ाते हुए घर के भीतर जाती है।)

(गोपाल कृष्ण बैठकर सिगरेट सुलगाता है। थोड़ी देर में विलायती का घर के भीतर प्रवेश)

गोपाल : कहो विलायती, क्या हालचाल है?

विलायती : **(फर्श पर बैठते हुए)** हालचाल न पूछो। हाल उतर गयी है। चाल बेढंगी है।

गोपाल : क्या हुआ? लो सिगरेट पिओ।

विलायती : **(सीगरेट लेते हुए)** देसी है। नवाब पाँचताल के यहाँ अंग्रेज़ी फ्रेंच, जर्मन सिगरेट पीता था।

गोपाल : भाड़ में गये, तुम्हारे तीनताल, पाँचताल। कुछ काम की बात बताओ।

विलायती : कल रात मेरे बाप ख़ुदा को प्यारे हो गये। अब उनका किरिया-करम तो करना ही है।

गोपाल : कल रात?

विलायती : हाँ, कल रात।

गोपाल : मगर तुम्हारे बाप बीस-तीस साल पहले मरे थे। तुम्हीं ने तो बताया था।

विलायती : हाँ बताया था।

गोपाल : फिर?

विलायती : कल रात दोबारा मरे। सपने में।

गोपाल : सपने में!

विलायती : **(एकदम काटते हुए)** चाहे सपने में मरे, चाहे सचमुच। किरिया-करम तो करना ही होगा।

गोपाल : **(परिहास में योग देते हुए)** हाँ, हाँ, क्यों नहीं। लायक बेटे हो। कब करोगे किरिया-करम?

विलायती : आज रात।

गोपाल : सपने में?

विलायती : हाँ।

गोपाल : तो जरूर कर डालो किरिया करम। नहीं तो उनकी आत्मा प्रेत-योनि में भटकेगी।

विलायती : किरिया-करम के लिए रक़म चाहिए, रक़म।

गोपाल : सपने में भी?

विलायती : हाँ, सपने में भी। पास में रुपये हों, तो सपने में देख सकता हूँ कि उन्हें ख़र्च कर रहा हूँ। अगर पास में रुपये न हों, तो सपना झूठा नहीं होगा?

गोपाल : **(अनुत्तर-सा, बिना सोचे)** पता नहीं।

विलायती : मैं सपने में भी ऐसा झूठा काम नहीं कर सकता। फिर बाप के किरिया-करम के लिए! आपके पास सौ रुपये हैं?

गोपाल : भाई विलायती, तुम्हारी यह बात पसन्द नहीं आती। सीधी-सी बात

के लिए इतनी लम्बी-चौड़ी कहानी! अरे साफ-साफ रुपये क्यों नहीं माँगते?

विलायती : **(अतीत ठण्डेपन से)** क्या मैं भिखमंगा हूँ, जो रुपये माँगू। नहीं देना चाहते तो मत दीजिए।

गोपाल : तुम तो नाराज हो गये।

विलायती : मैं झूठी कहानी कहता हूँ?

गोपाल : बिल्कुल नहीं।

विलायती : **(तत्परता से)** तो लाइए सौ रुपये।

गोपाल : **(रुपये देते हुए)** क्या खबरें हैं?

विलायती : ख़बरें ही ख़बरें हैं। हफ़्ते भर से वह आया है।

गोपाल : सुना तो है। क्या नाम है हरामी का?

विलायती : रोहित।

गोपाल : ब्रह्मानन्द भी गधा है। ऐसे हरामजादे को अपने घर में रहने ही क्यों दे रहा है? रेखा पर डोरे डाल रहा होगा?

विलायती : वह क्या डोरे डालेगा। वह तो एकदम सीधा-सादा गऊ-सा है।

गोपाल : **(आशा से)** अच्छा!

विलायती : रेखा ही उससे चिपटी रहती है।

गोपाल : मुझसे तो अनाड़ी घोड़ी-सी बिदकती है।

विलायती : हर घोड़ी अपने सवार को पहचानती है। फिर उसके दाँत असली हैं। बालों का काला रंग भी असली है।

गोपाल : हरामी है! **(रुककर)** और तुम्हारी मेम साहब?

विलायती : कुछ समझ में नहीं आता, क्या है उनके मन में। आख़िर को उनकी सखी का बेटा है। हो सकता है, रेखा की उससे शादी की सोच रही हों।

गोपाल : शादी?

विलायती : बहुत ख़ातिरदारी करती हैं। दिन रात उसका ध्यान रखती हैं। पैसे वाले घर का है।

गोपाल : तब ही।

विलायती : मुरादाबाद से आया है। उसका बाप वकील है। पाँच, छः दिन हुए आये यहाँ। आठ दस दिन और रहेगा। फिर चला जाएगा।

गोपाल : मैं तो भूल ही गया। तुम्हारी मेम साहब नहीं दिखायी पड़ीं।

विलायती : आज देर से आयेगीं। दफ़्तर में काम है। सुबह ही मुझसे कह गयी थीं।

(रेखा का एक ट्रे में चाय लिए प्रवेश)

रेखा : पता नहीं, पिताजी अब तक क्यों नहीं आये।

गोपाल : तुम भी तो–

रेखा : मैं पी चुकी हूँ।

गोपाल : तो बैठो।

रेखा : **(अनसुनी करके)** विलायती, पिताजी को दफ़्तर में टेलीफोन करके पूछो, कब तक आयेंगें। उनसे कहो, अंकल उनका इन्तज़ार कर रहे हैं।

(रेखा का दायें कमरे में प्रस्थान। दायें कमरे में जाकर, वह खिड़की के पास खड़ी होकर बाहर देखती है)

विलायती : नयी उम्र है। पंखो में बहुत ताक़त है। उड़ गयी चिड़िया-सी फुर्र।

गोपाल : एक दिन पंख न काट दिये तो मेरा नाम गोपाल कृष्ण नहीं।

विलायती : अरे छोड़ो यह बेकार की बातें। देखूँ, आपके दोस्त श्रीमान ब्रह्मानन्द जी क्यों नहीं आये।

(अन्दर प्रस्थान)

(गोपाल कृष्ण अकेला चाय पीता रह जाता है। तब ही उसके दिमाग में कोई शैतानी चाल आती है। वह चाय को तश्तरी में उँडेलकर जल्दी-जल्दी पीता है और दाँये कमरे में दबे पाँव जाता है।)

दृश्य–दायाँ कमरा

(गोपाल कृष्ण हल्के कदमों से रेखा के पीछे खड़ा होता है। फिर अचानक उसके चारों ओर बाँह डालकर अपनी ओर दबाता है। रेखा अपनी कोहनी उसके सीने पर मारती है। चोट से कराहता हुआ वह पीछे गिरता है।)

रेखा : अंकल, आप पिताजी के दोस्त हैं। वही रहिए। इससे ज़्यादा कुछ बनने की कोशिश मत कीजिए। अब आप जाइए। **(सख्ती से)** जाइए। **(पीठ मोड़कर खिड़की से बाहर फिर देखने लगती है।)**

(गोपाल कृष्ण कुछ देर तक रेखा को देखता है। फिर बाँयें कमरे में होता हुआ बाहर चला जाता है।)

(घर के भीतर से आकर बाँयें कमरे से होता हुआ, विलायती दायें कमरे में आता है।)

विलायती : बाबूजी, आज रात देर से आयेंगे। पार्लियामेन्ट के किसी सवाल का जवाब भिजवाना है। **(अचानक)** गोपाल बाबू!

रेखा : मर गये।

विलायती : **(अपनी धुन में)** कहाँ गये?

रेखा : जहन्नुम।

(विलायती एक क्षण रेखा को देखता है। उसका क्रोध देखकर विवशता से कंधे हिलाता है। बायें कमरे से होता हुआ घर के भीतर चला जाता है।)

(थोडी देर बाद बाहर से रोहित आता है।)

रोहित : **(ठिठककर)** रेखा तुम?

रेखा : हाँ मैं। क्या चली जाऊँ?

रोहित : नहीं। मेरा मतलब यह नहीं है।

रेखा : तो?

रोहित : तुम्हारे पिता जी व मम्मी कहाँ हैं?

रेखा : मुझसे डर लगता है?

रोहित : नहीं।

रेखा : ममी से?

रोहित : नहीं।

रेखा : तो क्यों इतना डरते हो?

रोहित : अपने लिए नहीं, तुम्हारे लिए डरता हूँ।

रेखा : जब मैं अपने लिए नहीं डरती तो तुम क्यों डरते हो?

रोहित : मैं तो आठ-दस दिन में चला जाऊँगा, लेकिन तुम—

रेखा : चले जाओगे?

रोहित : हाँ।

रेखा : चले जाओगे?

रोहित : **(चुप रहता है।)**

रेखा : चले जाओगे?

रोहित : पता नहीं—शायद।

रेखा : मैं सोच रही हूँ, कितना अन्तर है, तुम दोनों में।

रोहित : तुम दोनों?

रेखा : एक पिताजी के दोस्त हैं गोपाल कृष्ण। मेरे पीछे पड़े हैं। मिलते ही पीठ पर हाथ फेरने लगते हैं। जब देखो तब घूरते रहते हैं।

रोहित : **(विनोद में)** इसका तुम्हें बुरा नहीं मानना चाहिए। वह घूरता है, तो एक तरह से तुम्हारी सुन्दरता की प्रशंसा करता है।

रेखा : हर किसी की प्रशंसा भी तो अच्छी नहीं लगती। उसके घूरने पर मुझे भी तो अच्छा लगना चाहिए। गुस्सा आता है मुझे तो। आज तो हद ही कर दी उसने।

रोहित : क्या हुआ?

रेखा : मैं यहाँ खिड़की के पास खड़ी थी। पीछे से आकर अचानक पकड़ लिया। मैंने उसके सीने में ऐसे जोर से कोहिनी मारी कि दूर जा गिरा। मैंने डाँटा, तो अपना-सा मुँह ले के चला गया। **(घृणा से)** जानते हो, मैं उसको 'अंकल' कहती हूँ।

रोहित : तुम्हारे पिताजी जानते हैं?

रेखा : जानते क्यों नहीं। ऐसे आदमियों की नियत छिपी नहीं रह सकती।

रोहित : फिर भी कुछ नहीं कहते?

रेखा : वह कैसे कहें? उनका एक ही तो दोस्त है—चहेता दोस्त, जो उन्हें हफ्ते में दो-चार बार शराब पिलाता है।

रोहित : ममी?

रेखा : ममी उससे नफ़रत करती हैं। लेकिन क्या करें।

रोहित : पिताजी से कहती क्यों नहीं?

रेखा : पिताजी उनका कहा मानेंगे? फिर तुम तो जानते ही हो, दोनों में बोलचाल बन्द है।

रोहित : कितना अजीब लगता है सुनकर। दोनों एक छत के नीचे रहते हैं।

रेखा : ममी ने इतनी तरक़्की कर ली। कारपोरेशन में वह इतनी ऊँची पोस्ट पर हैं। चीफ़ वैलफेयर ऑफिसर। लोगों में नाम है। इज़्ज़त है। और पिताजी को यह सब बुरा लगता है।

रोहित : हो सकता है।

रेखा : सब मर्द ऐसे ही होते हैं। चाहते हैं औरत उनके पैर की जूती बनी रहे। उनसे छोटी बनी रहे।

रोहित : **(परिहास से)** सब मर्द?

रेखा : हाँ, सब मर्द।

रोहित : **(अर्थपूर्ण स्वर)** सब मर्द?

रेखा : **(टालते हुए)** आज माँ की वजह से घर में कार है। टेलिविज़न है। फ़ोन है। फ्रिज है।

रोहित : क्या यह सब ज़रूरी है?

रेखा : **(बिना समझे)** क्या?

रोहित : इनके बिना भी काम चल सकता है।

रेखा : **(व्यंग्य से)** ठण्डा पानी पीने के लिए क्या पड़ोसी से माँगें? टेलीविज़न देखने के लिए दोस्तों की ख़ुशामद करें?

रोहित : बहुत से लोग इन सबके बिना भी तो रहते हैं। बहुत सुख से रहते हैं।

रेखा : **(व्यंग्य से)** मु...रा...दा...बा...द।

रोहित : मुरदाबाद कहो

रेखा : बाबूजी को ज़रा-सा ज़ुकाम हो जाये, तो लिहाफ़ ओढ़कर पड़ जायेंगे। ममी 102 बुख़ार में भी दफ़्तर जाती हैं। आज हम लोग जो हैं, जो भी है, वह माँ की वजह से हैं।

(रोहित केवल मुस्कराता है।)

रेखा : मेरा या ममी का कोई मिलने वाला आये, तो जानकर सिर्फ़ जाँघिया पहनकर उसके सामने जाते हैं। उसका अपमान करने की कोशिश करते हैं।

रोहित : मुझे लगता है, इसमें तुम्हारी माँ का भी दोष है।

रेखा : **(तैश में)** क्या ज़िन्दगी में तरक़्क़ी करना ग़लती है? क्या सलीके से जीने की कोशिश करना ग़लत है?

रोहित : नहीं।

रेखा : तो?

रोहित : माँ ने तरक़्क़ी के घमण्ड में उनपर अपनी 'सुपीरियारिटी' जतायी होगी। कहीं दोनों में विश्वास की कमी थी। यह तुम्हारी ममी का कर्तव्य था कि वह तरक़्क़ी करते हुए पति-पत्नी का आपसी विश्वास और आदर बनाये रखतीं। उन्हीं की किसी चूक का नतीजा है।

रेखा : **(सोचते हुए)** शायद।

रोहित : अगर मैं तुम्हारे पिता जी की जगह होता तो गोपाल कृष्ण की गर्दन तोड़ देता।

रेखा : मैं अपनी रक्षा ख़ुद कर सकती हूँ।

रोहित : लेकिन तुम्हारे पिताजी यह नहीं कर सकते। वह टूटे हुए व्यक्ति हैं। जब पति अपने घर में मेहमान बना दिया जाये, बाहर के कमरे में रहे, खाये, सोये, तो उसका घर आने को मन करेगा? वह तो घर के बाहर ही भागेगा। घर के बाहर जो भी उसकी ओर दोस्ती का हाथ बढ़ायेगा, वह उसका ही हो जाएगा। चाहे वह गोपाल कृष्ण सा चालबाज़ मक्कार आदमी ही क्यों न हो।

(रेखा विचारमग्न चुप रहती है। धीरे-धीरे शाम की परछाइयाँ गहरी होने लगती हैं। रात का अंधेरा घिर आता है। खिड़की के बाहर से जलती-बुझती नियोन-लाइट का नीला-लाल प्रकाश बारी-बारी से कमरे में आता है।)

रोहित : अँधेरा हो गया। **(उठकर बत्ती जलाने लगता है।)**

रेखा : लाइट मत जलाओ।

रोहित : लेकिन...।

रेखा : **(आदेश से)** मैं कहती हूँ, बत्ती मत जलाओ।

रोहित : रेखा!

रेखा : **(तीव्र स्वर में)** बत्ती मत जलाओ।

रोहित : अगर तुम्हारे पिताजी, ममी...?

रेखा : आ जाने दो।

रोहित : वह क्या कहेंगे?

रेखा : क्या कहेंगे? **(रुककर)** कहने दो। तुम यहाँ आकर बैठो। **(रोहित कुछ संकोच में, कुछ मन्त्रमुग्ध-सा रेखा के पास बैठ जाता है।)** **(कुछ देर का नीरव मौन)**

रोहित : **(धीरे से)** रेखा! रेखा! **(पुकारते हुए)** रेखा!

रेखा : आँ...।

रोहित : क्या सोच रही हो?

रेखा : सोच रही हूँ तुम्हारे बारे में।

रोहित : मेरे बारे में! क्या?

रेखा : गोपाल कृष्ण मुझे अकेला देख इस कमरे में घुस आया और तुम मेरे साथ अकेले नहीं रहना चाहते।
(कुछ देर मौन)

रोहित : रेखा!

रेखा : **(फुसफुसाते हुए)** चुप रहो। बस सुनो।

रोहित : क्या?

रेखा : सन्नाटा। यह चुप्पी। इस सन्नाटे की आवाज़। सब कितना अच्छा लग रहा है। **(आँख बन्द करती है)** जी चाहता है—इसी तरह अँधेरे में बैठी रहूँ चुपचाप।

रोहित : पिताजी, ममी के सामने भी तुम इस तरह मेरे कमरे में आ सकती हो?

रेखा : तुम मुझे चैलेंज दे रहे हो? **(खड़ी होकर लाइट जलाती है।)**

रोहित : नहीं।

रेखा : तुम कितने बजे सोते हो?

रोहित : क्यों?

रेखा : ग्याहर साढ़े ग्यारह? पौने ग्यारह बजे तुम्हें कॉफ़ी देने आऊँगी, यहाँ।

रोहित : मैं तो सोने से पहले कॉफ़ी पीता ही नहीं।

रेखा : बुद्धू। तुम्हें कौन कॉफ़ी पिलाता है। यह तो बहाना है।

रोहित : ओह!

रेखा : **(खड़ी होकर)** बड़ी देर में बात समझते हो मुरादाबाद। **(रोहित की ठुड्डी को उँगली से उठाते हुए)** 'चैलेंज इज़ ए चैलंज।'

(रोहित रेखा को पकड़ने की कोशिश करता है, लेकिन वह हँसती हुई दाहिने कमरे से भाग जाती है।)

दृश्य–बायाँ कमरा

(तभी बाहर के दरवाजे से लज्जा का प्रवेश। दायें कमरे से हँसती भागती आती रेखा को देखकर ठिठक जाती है। दोनों एक दूसरे को क्षण भर देखती खड़ी रहती हैं। रेखा के चेहरे पर अवज्ञा के भाव उभरते हैं।)

अन्तराल-अन्धकार

दृश्य–दायाँ कमरा

समय–उसी रात, लगभग पौने ग्यारह बजे

(रोहित बिस्तर में ओढ़े लेटा है। तभी नाइट-गाउन पर काली शाल ओढ़े हाथ में कॉफी की ट्रे लिए रेखा का प्रवेश)

रेखा : आपकी ख़िदमत में कॉफ़ी। **(रोहित बिस्तर पर उठकर बैठ जाता है।)**

रोहित : लेकिन तुमने रेखा–

रेखा : कॉफ़ी पीजिए हुज़ूर। मैंने कहा था, रात पौने ग्यारह बजे आऊँगी। घड़ी मिलाओ। पौने ग्यारह बजा है।

रोहित : देखो, यह ठीक नहीं है।

रेखा : क्या?

रोहित : तुम्हारे पिताजी, ममी क्या कहेंगे?

रेखा : घटिया बात।

रोहित : फिर भी।

रेखा : फिर वही। **(चिढ़ाते हुए)** मुरादाबाद। **(कॉफी का प्याला बढाती है।)**

(रोहित प्याला लेकर चुप, सोचता-सा बैठा रहता है।)

रेखा : बदनामी मेरी होगी। जब मैं नहीं डरती, तब तुम क्यों डरते हो? **(रोहित चुप रहता है।)**

रेखा : नाराज़ हो गये? हाय-हाय बेचारे! मैं मना लूँगी। कॉफ़ी तो पियो। **(रोहित कॉफी का एक घूँट लेता है।)**

रेखा : मैं अपनी ममी, पिताजी को जानती हूँ। वह मुझ पर विश्वास करते हैं। तुम्हारा चैलेंज स्वीकार करने में मैंने कोई बहादुरी नहीं की। **(विषय बदलते हुए)** अच्छा यह बताओ, मैं कैसी लग रही हूँ। **(रोहित रेखा की ओर देखता है।)** बताओ न...ख़ाली देखते जा रहे हो। बताओ न!

रोहित : इस नाइट-गाउन में तुम कोई मेम साहब लगती हो। लेकिन यह शाल तुमने ऐसे ओढ़ रखा है—उससे लगता है, तुम अपनी तरफ़ की हो, जैसे—

रेखा : **(काटते हुए)** जैसे मुरादाबाद की दुल्हनिया। **(खुलकर हँसती है। रोहित भी हँसी में साथ देता है।)**

रोहित : यह काला शाल तुम पर बहुत सूट करता है।

रेखा : क्यों?

रोहित : क्योंकि...क्योंकि—**(झिझक से बोल नहीं पाता)**

रेखा : क्योंकि तुम्हारे चेहरे का रंग बहुत गोरा है। यही कहना चाहते हो न? काला शॉल गोरे रंग की सुन्दरता में चार चाँद लगाता है।

रोहित : हमारे यहाँ मुरादाबाद में लड़कियों को सुन्दर नहीं कहा जाता।

रेखा : क्यों?

रोहित : अगर कहा जाये—तो इसका दूसरा अर्थ होता है।

रेखा : क्या?

रोहित : प्रेम निवेदन।

रेखा : इसीलिए आपकी ज़ुबान अटक रही है। लेकिन जनाब, यह दिल्ली है। यहाँ कॉम्पलीमेण्ट इज़ ए कॉम्पलीमेण्ट। हम लोग तो

'कॉम्पलीमेण्ट' के सहारे जीते हैं। तुम...तुम बेशक मेरी सुन्दरता की तारीफ़ कर सकते हो।

रोहित : जो सुन्दर हो, उसे तारीफ़ की ज़रूरत नहीं।

रेखा : ज़रूरत है। बहुत ज़रूरत है। वह सुन्दरता ही क्या, जिसकी तारीफ़ न हो। फिर तारीफ़ के कोई और माने नहीं लगाता। दोस्तों में तो यह चलता ही है। अच्छा बताओ मैं कैसी हूँ?

रोहित : सुन्दर।

रेखा : सिर्फ़ सुन्दर?

रोहित : बहुत सुन्दर।

रेखा : मेरी आँखें?

रोहित : मीनाक्षी नयन।

रेखा : हद हो गयी। लगता है इंजीनियर साहब को हिन्दी सिखानी पड़ेगी। मीनाक्षी नयन। इसके क्या माने हुए? अरे बाबा मीन-नयन।

रोहित : हाँ वही।

रेखा : **(नकल करते हुए)** हाँ वही।

रोहित : मीन-नयन।

रेखा : और मेरे होंठ?

रोहित : लाल। जैसे उषा की लाली चुरा ली हो। लाल होंठ, जिनके आगे रूबी शरमा जाये। गुलाब की पंखुड़ियाँ मुरझा जायें।

रेखा : वाह, अब कुछ बात बनी।

रोहित : तुम्हारे हाथ कितने सुन्दर हैं।

रेखा : **(हाथ बढ़ाकर)** देखो, बहुत मुलायम हैं।
(रोहित संकोच से रेखा का हाथ अपने हाथ में लेता है।)

रेखा : मेरे पैर भी बहुत सुन्दर हैं।

रोहित : **(झुककर रेखा का पैर पकड़ते हुए)** देखूँ।

रेखा : **(एकदम पैर छुड़ाते हुए)** धत् बेशर्म! **(हँसती है।)**
(रोहित कुछ हतप्रभ होता है।)

रेखा : **(दिलासा देते हुए)** कॉफ़ी पियो। **(मुस्कराती हुई एकटक रोहित को कुछ दरे निहारती है।)** निधि नाम कैसा है?

रोहित : क्यों?

रेखा : मुझे पसन्द है।

रोहित : अपना नाम बदलोगी?

रेखा : नहीं, अपनी बेटी का नाम रखूँगी।

रोहित : बेटी का?

रेखा : क्या तुम्हें यह नाम पसन्द नहीं है?

रोहित : **(तत्परता से)** बेशक पसन्द है। बहुत पसन्द है।

रेखा : तब यही रखूँगी।

रोहित : शादी हुई नहीं, और अभी से—

रेखा : **(काटते हुए)** शादी भी कर लूँगी।

रोहित : किससे?

रेखा : किसी गाँठ के पूरे, अक़्ल के अधूरे से—गुडनाइट।

(हँसते हुए रेखा बायें कमरे से होते हुए भीतर घर में भाग जाती है।)

(अन्तराल-अन्धकार)

दृश्य—दायाँ कमरा

समय—उसी रात दो बजे

(पुनः प्रकाशित होने पर रात के दृश्य में रोहित सोता हुआ दिखायी पड़ता है। उसके सिरहाने दर्शकों की ओर पीठ किये वही नाइट-गाउन पहने और काली शाल ओढ़े रेखा दिखायी पड़ती है। वह थोड़ी देर बाद वहाँ से हटकर रोहित के पैरों के पास खड़ी होती है। दूर दो बजने के गजर सुनायी पड़ते हैं। तभी रोहित की आँख खुलती है। वह कुछ देर रेखा को ही देखता है।)

रोहित : **(धीरे से पुकारते हुए)** रेखा!

(रेखा भागकर दायें कमरे के पीछे के दरवाजे पर जाती है। रोहित खड़ा होता है।)

रोहित : (उठकर) रेखा! **(रेखा पीछे से दरवाजे से घर के भीतर चली जाती है। रोहित दरवाजे को धक्का देता है। वह भीतर से बन्द है। धीरे से पुकारता है)** रेखा! रेखा!

(परेशान-सा वह बिस्तर पर आकर बैठता है।)

(अन्तराल-अन्धकार)

दृश्य–दायाँ कमरा

समय–दूसरे दिन प्रातःकाल

(खिड़की से उदय होते हुए सूर्य की लालिमा कमरे में आती है। रोहित अपनी चारपाई पर सोया दिखायी देता है। केवल जाँघिया पहने, हाथों से कसरत करते, बार-बार अपनी भुजाओं की मांसपेशियों को तानते ब्रह्मानन्द, बाँयें कमरे से दाँयें कमरे में आते हैं। वह कुछ देर तक खिड़की के पास खड़े होकर जोर से साँस खींचकर सीने में भरते और निकालते हैं। फिर रोहित की चारपाई के पास जाकर उसकी ओढ़ी चादर खींचकर उसे जगाते हैं।)

ब्रह्मा : अरे कुम्भकरण की औलाद, अब तक सो रहे हो?
(रोहित चौंककर उठ बैठता है।)

ब्रह्मा : यह भी कोई सोने का समय है। वेदों में लिखा है, ब्रह्म मुहूर्त में उठना चाहिए।

रोहित : **(आँख मलकर उठते हुए)** आपने वेद पढ़े हैं?

ब्रह्मा : **(कसरत करते हुए)** ब्रह्मा ने क्या नहीं पढ़ा? फिर उसे पढ़ने की क्या ज़रूरत? उसे बिना पढ़े ही सब पता है। ब्रह्मा को क्या नहीं पता?

रोहित : कल रात को देर से सोया था।

ब्रह्मा : क्यों देर से सोये थे। जो सोता है वह खोता है। सोते रहोगे तो यह ऑक्सीजन मिलेगी तुम्हें?

रोहित : मेरी बड़ी ख़राब आदत है, सुबह जल्दी उठ ही नहीं पाता।

ब्रह्मा : अभी से ही अपने को अफसर समझते हो। देर तक सोना अफसरों की निशानी है। मैं भी तो अफसर हूँ। गजटेड ऑफिसर। सर्टिफिकेट अटेस्ट कर सकता हूँ, लेकिन फिर भी ब्रह्म मुहूर्त में उठता हूँ।

रोहित : **(स्पष्ट चापलूसी से)** आप तो लाखों में एक हैं। आपका कोई क्या मुक़ाबला करेगा।

ब्रह्मा : तुम एकदम ठीक कहते हो। मेरा कोई क्या मुकाबला कर सकता है। मैं अफसर हूँ, गजटेड अफसर। फिर यह बदन फौलाद का है। मेरे चेहरे पर ब्रह्मचर्य का तेज है।

रोहित : जी? ब्रह्मचर्य का?

ब्रह्मा : **(अचकचाकर)** मेरा मतलब है, ब्रह्मचर्य जैसा तेज है। मेरी मूँछें देखो। इतनी काली और घनी मूँछें दिल्ली में किसी की नहीं।

रोहित : अच्छा!

ब्रह्मा : तुम चाहो तो तुम्हारी मूँछें भी ऐसी हो सकती हैं। दरअसल इसका राज है।

रोहित : राज? क्या नकली है?

ब्रह्मा : **(एकदम बिगड़कर)** उल्लू के पट्ठे, येह नकली लगती हैं? तुम्हारा सारा खानदान रस्सी बाँधकर इन्हें उखाड़े, तब भी न उखड़ें।

रोहित : **(एकदम हाथ जोड़कर)** माफ़ कीजिएगा। मेरा मतलब यह नहीं था।

ब्रह्मा : **(नरम पड़ते हुए)** अरे मैं तो तुम्हें अपना समझकर नुस्खा बता रहा था। रोज दूध पीने के बाद, थोड़ा-सा दूध मूँछों में मल लो। फिर देखो तीन महीने में ही कैसी घनी मूँछे उगती हैं।

रोहित : आपकी मूँछे इसी तरह से बनी हैं?

ब्रह्मा : इनमें तीन महीने नहीं, तीस साल से दूध रगड़ रहा हूँ। इनकी तो बात ही और है। इससे पर्सनालिटी में वह रौब आता है कि क्या कहें। अफसरी की शान दुगनी हो जाती है।

(चाय की ट्रे लिए रेखा का प्रवेश)

ब्रह्मा : यह लो चाय आ गयी। न शौच गये, न कुल्ला किया। इसीलिए तो इसे बैड टी कहते हैं।

रेखा : बैड टी नहीं, पिताजी बेड टी।

ब्रह्मा : बेड टी नहीं—बैड टी। बुरी चाय। इन अंग्रेजों ने तो हमारा नाश कर दिया। बैड टी के साथ बिस्कुट। बिस्कुट नहीं—विषकुट, जिसमें जहर कुटा हो।

रेखा : पिताजी, आज तो एक कप चाय आपको भी पीनी पड़ेगी।

ब्रह्मा : अरे तुम लोग पिओ। अंग्रेज दूध तो इस देश से ले गये। यह गर्म पानी छोड़ गये। जलाओ अपना कलेजा। अभी तेल मालिश बाकी है।

(ब्रह्मा का बायें कमरे से होते हुए भीतर प्रस्थान)

रेखा : पिताजी किसी तरह गये तो।

रोहित : मुझे मूँछे उगाने का नुस्खा बता गये हैं।

रेखा : मैं जानती हूँ। दुनिया कहाँ से कहाँ पहुँच गयी है और यह मूँछों को दूध से ही सींचते रह गये। **(चाय का प्याला देते हुए)** देखना चीनी ठीक है?

रोहित : तुम्हारे हाथ की बनायी चाय में चीनी की ज़रूरत नहीं।

रेखा : ओह वाह, अब तो तुम ख़ूब बात बनाना सीख गये 'एनीवे, आई लाइक टू हियर कॉम्पलीमेण्ट्स'

रोहित : यह कॉम्पलीमेण्ट नहीं है।

रेखा : तो?

रोहित : यह सच है।

रेखा : अरे बाबा तुम तो सीरियस लगते हो।

रोहित : **(रोमांस से)** कल रात तुम मेरे कमरे में आयी थीं?

रेखा : आयी तो थी, तुम्हें कॉफ़ी पिलाने। चैलेंज जो था।

रोहित : वह नहीं। उसके बाद।

रेखा : उसके बाद?

रोहित : रात को, क़रीब दो बजे।

रेखा : दो बजे रात? मैं?

रोहित : हाँ तुम्हीं थीं।

रेखा : सपना देखा होगा।

रोहित : मैंने तुम्हें पकड़ना चाहा। तुम दरवाज़े से अन्दर भाग गयीं, और भीतर से बन्द कर लिया।

रेखा : कहा न, सपना देखा होगा।

रोहित : सपना नहीं था।

रेखा : कोई बात नहीं। अब मैं तुम्हारे सपने में आने लगी,तो अब ज्यादा देर नहीं।

रोहित : किस बात की?

रेखा : दीवानगी की।

रोहित : यह दीवानगी तो है ही। शायद सपना हो।

रेखा : क्या अफ़सोस हो रहा है अपनी दीवानगी पर?

रोहित : नहीं।

रेखा : तब तो भगवान् ही भला करे तुम्हारा।

रोहित : रेखा, मैं तुमसे एक बात कहना चाहता हूँ।

रेखा : बात ही तो तुम कह रहे हो इतनी देर से।

रोहित : नहीं...एक...ख़ास बात...

रेखा : कहो।

रोहित : रेखा...मैं...मैं...तुमसे प्रेम करने लग गया हूँ।

रेखा : यह तो अच्छी बात है। सबको सबसे प्रेम करना चाहिए। गाँधी

जी ने भी यही कहा था।

रोहित : इसे मज़ाक में न टालो।

रेखा : यह तो मज़ाक नहीं है?

रोहित : **(गम्भीरता से, शिकायत के स्वर में)** रेखा!

रेखा : ओह सॉरी। **(कान पकड़ती है।)**

रोहित : मैं सचमुच तुमसे प्यार करता हूँ। मैं तुमसे शादी करना चाहता हूँ।

रेखा : तुम तो सीरियस हो!

रोहित : मैं जानता हूँ, मेरे तुम्हारे विचार एकदम अलग हैं। हम दोनों के फेमिली बैक-ग्राउण्ड भी बिल्कुल अलग हैं। लेकिन मैंने तुम्हें जैसे-जैसे देखा, जैसे-जैसे जाना और जाना, वैसे-वैसे ही तुम्हारे लिए मेरे मन में इज़्ज़त होती गयी है। कितना आत्म-विश्वास है तुममें। मुरादाबाद की लड़की, जो कुछ है, माँ बाप की बनायी, उनकी डरायी, धमकायी होती है। वह किसी स्थिति का मुक़ाबला अपने आप नहीं कर सकती और एक तुम हो, आत्मविश्वास से दमकता व्यक्तित्व! किसी के सहारे की ज़रूरत नहीं। गोपाल कृष्ण को जैसे तुमने कूड़े की तरह निकाल फेंका, मैं सुनकर दंग रह गया।

रेखा : बहुत हो गया और ज़्यादा तारीफ़ करोगे तो घमण्ड हो जायेगा।

रोहित : मैं शायद आई. ए. एस. में आ जाऊँ। अगर नहीं भी आया तो इंजीनियर तो हूँ ही। घर का मकान है, मोटर है। सब तरह से हम लोग अच्छे हैं। माँ-बाप का इकलौता हूँ। वह मेरा कहना कभी नहीं टालेंगे। मैं तुमसे शादी करना चाहता हूँ।

रेखा : **(एक क्षण रोहित को देखकर)** तुम नहीं जानते तुम क्या कह रहे हो। **(कहती हुई वहाँ से हटकर खिड़की पर जाती है)**

रोहित : रेखा, तुम इनकार न करना। मैं हर तरह से तुम्हें सुखी करने की कोशिश करूँगा। तुम्हें छोटा-सा घर दूँगा, सुरक्षा दूँगा, नाम दूँगा, इज़्ज़त दूँगा, मान दूँगा—और निधि भी।

(रेखा एकदम मुड़कर रोहित की आँखों में कुछ क्षण देखती है। फिर बढ़कर उसके सीने पर सर रख देती है और रोहित की बाँहों में खो जाती है)

(अन्तराल-अन्धकार)

दृश्य—दायाँ कमरा

समय—उसी रात लगभग दो बजे

(प्रकाश होने पर रात का दृश्य दिखायी देता है। खिड़की के बाहर जलती-बुझती नियान लाइट में अपने पलँग पर सोता हुआ रोहित दिखायी पड़ता है। पास ही नाइट-गाऊन के ऊपर काले शॉल से सिर ढँके रेखा खिड़की के पास खड़ी दिखायी देती है। दूर पर रात के दो बजने के गजर की आवाज सुनायी पड़ती है। अचानक रोहित की आँख खुल जाती है)

रोहित : (धीरे से पुकारते हुए) रेखा!

(रेखा खिड़की से पीछे हटकर, धीरे-धीरे पीछे के खुल दरवाजे की तरफ बढ़ती है)

रोहित : (बिस्तर से ही) रेखा! सुनो रेखा!

(रेखा पीछे के दरवाजे से जाना चाहती है, तभी अचानक तेजी से उठकर रोहित रेखा की बाँह पकड़ लेता है, और अपनी ओर खींचता है। वह रेखा नहीं, अपितु उसकी माँ लज्जावती है। रोहित घबराकर उन्हें छोड़ देता है)

रोहित : ओह! मौसी जी आप?

लज्जा : (रोहित के निकट आकर) मुझे लज्जा कहो रोहित! (रोहित के दोनों कन्धों पर अपनी बाँहें रखती है।)

यवनिका

द्वितीय अंक

मंच सज्जा : पहले अंक के समान ही

स्थान : दायाँ कमरा

समय : रात, वही समय जहाँ प्रथम अंक समाप्त होता है।

लज्जा : **(खोखली झेंप मिटाती हँसी से)** कोई तुम्हारा चेहरा तो देखे। ऐसा लगता है जैसे भूत देख लिया हो। अरे, खड़े क्यों हो? मुझसे डर लगता है।

(रोहित जड़-सा खड़ा रहता है।)

लज्जा : **(उठकर रोहित के निकट आते हुए)** बेचारा बच्चा डर गया। ...च् च् च् च्...

(रोहित फिर भी जड़-सा खड़ा रहता है।)

लज्जा : **(अचानक स्वर बदलकर)** तुम्हारी सिगरेट कहाँ है। तुम समझते हो मैं जानती नहीं। घर में नहीं, लेकिन घर के बाहर तुम पीते हो। मुझे सब पता है। **(एक मिनट सोचकर)** तुम्हारे तकिये के नीचे होगी। **(बिस्तर के तकिये के नीचे से सिगरेट निकालती है।)** **(सिगरेट लेकर कुर्सी पर बैठती है। फिर बड़े इत्मिनान से मेज पर पैर पसारकर सिगरेट जलाती है, और धुएँ का कश छोड़ती है।)**

लज्जा : तुमने जो आज देखा, तुम विश्वास नहीं कर पा रहे हो। सिगरेट पीने वाली चरित्रहीन नारी। **(उपेक्षा से)** भारतीय नारी। औरतों को बेवक़ूफ़ बनाये रखने के लिए कह दिया—भारतीय नारी ऐसी है, भारतीय नारी वैसी है। माई फ़ुट। **(सिगरेट का कश लेती है, फिर अचानक तैश में रोहित के सामने जाकर)** क्या मैं भारतीय नारी नहीं हूँ? भारतीय नारी ज़िन्दा है। उसका दिल धड़कता है। उसके लहू में गरमी है। वह प्यार कर सकती है। वह प्यार दे सकती है, माँग सकती है। **(अचानक टूटते हुए)** मैं कितनी अकेली हूँ।

(वापस कुर्सी पर बैठ जाती है।) मैं कितनी अकेली हूँ। मेरा दर्द कौन समझ सकता है। **(रोने लगती है।)**

लज्जा : **(अपने को सँभालकर)** तुम सोचते होगे मैं कितनी बेशर्म हूँ। औरत जो कहे—मुझे प्यार दो, सीने से लगाकर थपका दो, सहारा दो, वह बेशर्म। उसे अपनी इच्छा अपने सीने में घोंट देनी चाहिए। लेकिन मैं ऐसा नहीं कर पाती। मैंने हमेशा वही किया, जो एक औरत होने के नाते मुझे करना चाहिए था। क्योंकि मैं एक औरत हूँ, मुझे अपने पति से ज़्यादा नही पढ़ना चाहिए। मुझे पति की कमाई में आधा पेट खाकर सन्तोष करना चाहिए। इस घर के लिए मैंने क्या नहीं किया। अपने को दबा दिया, मार दिया, क्या मिला मुझे? कोई है जो मुझसे दो सीधे बोल बोले। मेरे दुख-दर्द को पूछे। कोई है जिसके कंधे पर सिर रखकर मैं रो सकूँ। **(सिगरेट जमीन पर फेंक कर पैरों से मसलती है फिर आहत गर्व से भीतर जाती है। अन्दर से आवाज के साथ दरवाजा बन्द करती है।)**

(अन्तराल-अन्धकार)

दृश्य—दायाँ कमरा

समय—दूसरे दिन प्रातःकाल

(बायें कमरे से होता विलायती दाहिने कमरे में आता है। दायें कमरे में वह रोहित के लिए देखता है। फिर ड्रेसिंग रूम के दरवाजे पर खटखटाता है।)

विलायती : **(पुकारते हुए)** रोहित साहब! रोहित साहब!

रोहित : **(भीतर से)** कौन-विलायती। ठहरो। अभी आता हूँ।

(विलायती कमरे में घूमकर, सामान उलट-पलटकर देखता है। एक किताब में से रेखा की तस्वीर निकलती है।)

विलायती : रेखा की तस्वीर! **(तस्वीर को उलटकर पढ़ते हुए)** तुमको, जो मेरे अपने हो—रेखा। **(तस्वीर जेब में रखते हुए)** वाह! मामला लैला मजनूँ का है।

(तभी बाथरूम का दरवाजा खुलता है। विलायती सजग हो जाता है।)

रोहित : क्या है विलायती?

विलायती : कल शाम जब आप लायब्रेरी से लौटे थे, तब यह काग़ज़ आपके सामान से उस कमरे में गिर गया था।

रोहित : मेरे सामान से गिर गया था?

विलायती : **(काग़ज़ देते हुए)** मैंने सोचा आपको दे दूँ।

(रोहित काग़ज़ खोलकर पढ़ता है।)

रोहित : **(अपने आप से, सोचते हुए)** धनेश।

विलायती : आपका नहीं है क्या?

रोहित : क्या?

विलायती : लगता है धनेश साहब का है।

रोहित : तुम धनेश साहब को जानते हो?

विलायती : ख़ूब जानता हूँ। अच्छी तरह जानता हूँ।

रोहित : कौन है यह?

विलायती : यह बातें बाद में होंगी। अगर यह काग़ज़ आपका नहीं है तो मुझे दे दीजिए। यह धनेश साहब को दे दूँगा। मैं अनपढ़ आदमी, ग़लती से समझा आपका है।

रोहित : क्या करते हैं धनेश साहब?

विलायती : देखिए साहब, दो बातें अलग-अलग। यह काग़ज़ धनेश साहब का है—एक बात। धनेश साहब क्या हैं—कैसे हैं—क्यों हैं, दूसरी बात। दोनों को मिलाइए नहीं।

रोहित : **(हतप्रभ-सा)** ठीक है। यह लो। धनेश साहब को दे देना।

विलायती : अगर आप इसको रखना चाहते हैं, तो बेशक रख सकते हैं। मुझे कोई एतराज़ नहीं।

रोहित : **(संकोच से)** रख लूँ?

विलायती : हाँ हाँ रख लीजिए। रख लीजिए।

रोहित : **(जेब में कागज रखता है।)** शुक्रिया।

विलायती : यह तो मेरा दिल है जो दूसरे का काग़ज़ आपको दे दिया।

रोहित : थैंक्यू।

विलायती : मगर आपका दिल कैसा है?

रोहित : मेरा दिल?

विलायती : सरकार, मैं आपके दर्दे दिल की बात नहीं कर रहा। मैं तो सिर्फ़ यह देखना चाहता हूँ कि आपका दिल कुछ देना भी जानता है या सिर्फ़ लेना ही।

रोहित : तुम्हारा मतलब है—

विलायती : **(काटते हुए)** नहीं समझे न। मैं भी नहीं समझता था। लेकिन नवाब पाँचताल का दिल देखकर जाना, ऐसा होता है दिल। इनाम देने में राजा ताँबागढ़ भी उनके आगे पानी भरते थे।

रोहित : **(अचानक समझकर)** ओह! आई एम सॉरी। **(पर्स से निकालकर बीस रुपये देता है।)**

विलायती : बस। बीस रुपये?

(रोहित बीस रुपये और देता है।)

विलायती : यह काग़ज़ तो अनमोल है। बड़े साहब तो इस ख़त के पाँच सौ रुपये देते और मेम साहब दो हज़ार रुपये तक दे देती हैं।

रोहित : वह लोग भी पैसे देते हैं?

विलायती : क्यों नहीं देंगे। नौकर रखा है घर के काम-काज के लिए या जासूसी के लिए! अगर जासूसी करवानी है तो उसके पैसे अलग नहीं होंगे?

रोहित : इसका मतलब है इस घर में—**(पर्स से सौ रुपये निकालकर)** यह लो सौ रुपये।

विलायती : **(रुपये लेकर)** यह तो हमारी आपकी बिज़नेस की बात है। आज शुरुआत हुई है, आगे भी चलेगी। पहली दफ़े कुछ कम ही सही। **(बायें कमरे में बाहर के दरवाजे पर कोई काल-बेल दबाता है।)**

विलायती : साहब, चलता हूँ। लगता है बाहर कोई आया है। देखिए किसी को बताइएगा नहीं। आपसी मामला आपस में ही रहना चाहिए। नवाब पाँचताल भी यही कहते थे।

दृश्य—बायाँ कमरा

(इसी बीच बायें कमरे में लज्जावती भीतर से आकर बाहर का दरवाजा खोलती है। धनेश का बाहर से प्रवेश।)

धनेश : ओह लज्जा **(वह लज्जा को कमर से उठाकर घुमा देता है।)**

लज्जा : क्या करते हो। **(अपने को छुड़ाते हुए)** कोई देख लेता तो—

दृश्य—दायाँ कमरा

विलायती : यह लिजिए। धनेश साहब तो आज खुद ही आ गये।
(दोनों बीच के दरवाजे की आड़ में धनेश और लज्जा को देखते हैं।)

दृश्य—बायाँ कमरा

धनेश : आज कम-से-कम छः महीने बाद देख रहा हूँ तुमको। लगता है तुम्हारी उम्र बढ़ती नहीं—घट रही है।

लज्जा : कुछ दिनों में सोलह साल की लगने लगूँगी?

धनेश : सोलह साल की तो तुम अभी भी दीखती हो।

लज्जा : बेईमान!

धनेश : तुम्हारा टेलीफ़ोन मिला, भागता चला आया।

लज्जा : **(धनेश के मुँह पर उँगली रखते हुए)** धीरे बोलो। **(दायें कमरे की ओर इशारा करके)** मैंने तुम्हें सब बता तो दिया है। देखना है, तुम क्या कर सकते हो। **(फिर बनावटी आवाज में)** अरे धनेश, तुम तो ख़ूब आये। मेरी सखी का बेटा—रोहित भी आजकल आया हुआ है। तुम्हारी ही उम्र का है। बहुत तेज़ है पढ़ने में। बहुत ही मिलनसार। तुम्हें मिलकर खुशी होगी। **(बीच के दरवाजे के निकट जाकर पुकारते हुए)** अरे रोहित—यहाँ तो आना। तुम्हारी मुलाक़ात करायें। **(रोहित का बीच के दरवाजे से बाँयें कमरे में प्रवेश।)**

दृश्य—बायाँ कमरा

लज्जा : रोहित, यह है धनेश। बहुत ही अच्छा लड़का है। रेखा का दोस्त है। घर ही जैसा है। और धनेश, रोहित के बारे में तो मैं बता चुकी हूँ—

धनेश : **(एकदम काटते हुए),** आपकी सखी का बेटा, पढ़ने में तेज, बहुत मिलनसार वगैरा-वगैरा...

रोहित : आपसे मिलकर बहुत ख़ुशी हुई।

धनेश : खुशी तो मुझे हुई। आप पूछेंगे क्यों?

रोहित : क्यों?

धनेश : इस दुनिया में इतनी रौनक है। इतनी बहार है। इस सबसे आँखें बन्द करके किताबों की दुनिया में जीने वाले कम ही होते हैं। ऐसे बिरले अक्लमन्दों को देखकर खुशी होती है।

रोहित : लगता है। आपकी पढ़ाई पूरी हो गयी है।?

धनेश : पूरी क्या हो गयी, मैंने पूरी कर दी। बी.ए. के बाद ही कान पकड़ लिए।

रोहित : आप कोई काम कर रहे हैं?

धनेश : पापा पुलिस इंस्पेक्टर हैं। नौकरी करो तो पुलिस की। बस रौब-ही-रौब। जिधर से निकल जाओ, उधर से लोग सलाम में झुके हैं।

रोहित : आप क्या काम कर रहे हैं?

धनेश : मैंने तो लज्जा से **(सँभालते हुए)** आण्टी से कह दिया है, बेफिक्र होकर मोटर चलाओ। जितनों को चाहे मार दो। पापा सब सँभाल लेंगे।

(विलायती भीतर जाने के लिए बायें कमरे से गुजरता है।)

लज्जा : विलायती, रेखा से कह दो धनेश आये हैं।

(विलायती का घर के भीतर प्रस्थान)

धनेश : अरे हाँ, रेखा कहाँ है? अभी तक दिखायी ही नहीं पड़ी। रेखा भी खूब है आण्टी! कभी तो एकदम 'टाम बाय'। बन्दरों की तरह उछलकूद करती घूमेंगी। कभी ऐसी सेण्टीमेण्टल–जैसे अब रोयी–अब रोयी।

रोहित : मिस्टर धनेश! आपने बताया नहीं कि पढ़ाई ख़त्म करने के बाद आप क्या करते हैं?

धनेश : बताया तो आपको...

रोहित : आपके पापा पुलिस इन्सपेक्टर हैं। लेकिन आप क्या करते हैं?

धनेश : **(झेंपता-सा)** मैं इंश्योरेंस ऐजेण्ट हूँ। **(अचानक विचार आते ही)** आप इंश्योर्ड हैं?

रोहित : नहीं?

धनेश : **(अपने पेशे में वापिस आकर)** देखिए न, इतने पढ़-लिखकर भी आप नासमझी कर रहे हैं। हर आदमी को फौरन इंश्योरेंस करा लेना चाहिए। जिन्दगी का क्या भरोसा। कब खत्म हो जाये। अभी अभी है, अभी नहीं। कच्चे धागे-सा कमजोर साँसों का तार, क्या पता कब टूट जाये।

(रेखा का भीतर से प्रवेश)

रेखा : इनकी उम्र सौ साल की है।

धनेश : तुम कैसे जानती हो?

लज्जा : हाँ, मैं भी जानती हूँ। रोहित की उम्र सौ साल की है। **(स्वर बदलकर)** तुम भी धनेश बस। क्या लेकर बैठ गये?

धनेश : **(अपनी गलती समझकर)** आई एम सॉरी। रेखा, तुमने आज का अखबार पढ़ा।

रेखा : क्यों?

धनेश : अगले महीने मिस युनिवर्स का चुनाव हो रहा है।

लज्जा : **(उठते हुए)** तुम बच्चों में मेरा क्या काम। मैं चाय भिजवाती हूँ। **(अन्दर जाती है।)**

रोहित : इंश्योरेंस और ब्यूटी कण्टेस्ट का क्या सम्बन्ध है?

धनेश : मैं तो रेखा से कह रहा था कि वह 'पार्टिसिपेट' करे तो जरूर 'मिस युनिवर्स' का ताज उसके सर पर होगा। कितनी .खूबसूरत लग रही है।

रेखा : **(सख्ती से)** तुम क्यों आये हो?

धनेश : तुमने बुलाया था।

रेखा : मैंने?

धनेश : हाँ—हाँ तुमने। तुमने टेलीफोन किया था।

रेखा : मैंने कोई टेलीफ़ोन नहीं किया।

धनेश : यह तुम क्या कह रही हो? तुम्हीं ने तो टेलीफोन पर बुलाया है। **(अभिनय का अतिरंजन)** अब अचानक तुमको क्या हो गया है? **(रोहित को देखकर)** ओह, शायद तुम इनके सामने...**(बात बनाते हुए)** मैं तो मजाक कर **रहा था,** सिर्फ मजाक। मैं तो अपने आप आया हूँ। बिल्कुल अपने **आप। तुमने** कोई टेलीफोन नहीं किया।

रोहित : मिस्टर धनेश, न आप अपने **आप** आये हैं, न रेखा ने आपको बुलाया है।

धनेश : **(चिढ़ाने की आवाज बनाते हुए)** तब आपके बुलाने पर आया हूँ। आपने टेलीफोन किया था?

रोहित : **(सख्ती से)** जी नहीं।

धनेश : तो?

रोहित : आपको टेलीफ़ोन लज्जा आण्टी ने किया था। आप उनके बुलाने

पर आये हैं। **(धनेश एक क्षण सन्नाटे में आ जाता है। किन्तु शीघ्र ही अपने को सँभालकर आक्रामक हो जाता है।)**

धनेश : आप कौन हैं ख्वामखाह।

रोहित : **(सख्ती से)** जी?

धनेश : बात रेखा से हो रही है। आप क्यों कूद पड़े हैं बीच में?

रोहित : आपने रेखा से कहा कि वह मेरी वजह से झूठ बोल रही है।

धनेश : दाल-भात में मूसलचन्द।

रोहित : फिर मैंने सच कहा।

धनेश : बड़ा सच कहा। आप नजूमी हैं। ज्योतिषी हैं।

रोहित : मैंने आपकी और लज्जा की बात खुद सुनी।

धनेश : कान बज रहे होंगे। उँह, यह छोटे शहर के लोग न जाने साले अपने आपको...।

रोहित : **(एकदम कालर पकड़कर)** एक लब्ज़ भी और बोले तो जान ले लूँगा। **(झटककर दूर गिरा देता है।)**

धनेश : **(एकदम चाकू निकालकर)** अब दिल्ली से तुम्हारी लाश वापस जायेगी।

(धीरे-धीरे रोहित की तरफ बढ़ता है। रेखा दौड़कर रोहित के सामने आ जाती है।)

रोहित : **(अतीव शान्ति से)** दो लाख।

धनेश : **(उसी क्रोध से)** क्या?

रोहित : दो लाख का इंश्योरेंस।

धनेश : किसका?

रोहित : मेरा।

धनेश : **(अविश्वास से)** क्या?

रोहित : हाँ मेरा! मैं अपना दो लाख का इंश्योरेंस करवाना चाहता हूँ।

धनेश : **(एकदम स्तम्भित-सा)** तुम्हारा इंश्योरेंस। **(कुछ क्षण सोचकर)** मुझे बेवकूफ बनाने चले हो।

रोहित : मैं वाक़ई अपना इंश्योरेंस चाहता हूँ। मेरे लिए क्या मुश्किल। मेरे पापा लखपती हैं। पूछ लो रेखा से।

रेखा : और क्या? धनेश, इनके पापा मुरादाबाद के सबसे बड़े रईस हैं। इनके लिए दो लाख रुपये तो कुछ भी नहीं।

(धनेश कुछ देर सोचता रहता है।)

रेखा : रोहित को तो कम-से-कम पाँच लाख का इंश्योरेंस करवाना चाहिए। **(लज्जा का भीतर से प्रवेश)** मम्मी, तुम्हीं बताओ। रोहित के पिता की मुरादाबाद में कोठी कैसी है?

लज्जा : कैसी क्या, एकदम महल है। क्यों क्या बात है?

रेखा : रोहित इनसे दो लाख रुपये की अपनी इंश्योरेंस चाहते हैं, लेकिन इनको विश्वास ही नहीं हो रहा है।

लज्जा : **(धनेश से)** अरे इतना बड़ा आसामी मुश्किल से मिलेगा।

धनेश : **(अचानक, जैसे विचार निद्रा से जागते हुए)** ठीक है। आज तुमसे ही बोहनी हो जाये। **(अपने बैग से कागज वगैरह निकालता है।)**

रोहित : मैंने भी सोचा, ज़िन्दगी का क्या भरोसा। कब ख़त्म हो जाये— अभी-अभी हैं, अभी नहीं है। कच्चे धागे-सा कमजोर साँसों का तार, क्या पता कब टूट जाये।

धनेश : **(बीमे के कागज पर लिखते हुए)** नाम—रोहित कुमार। **(दृष्टि कागज पर टिकाते हुए)** पिता का नाम—? **(रोहित रेखा को सस्मित देखता है। वह अब तक अपनी हँसी किसी तरह रोके हुए थी। रोहित से आँख मिलते ही, वह अचानक खिल-खिलाकर हँस पड़ती है। अप्रत्याशित हँसी सुनकर, धनेश दोनों को देखता है। हँसी का अर्थ समझ में आते ही वह क्रोध से उठ खड़ा होता है।)**

धनेश : तुम सब स्साले एक हो गये। छिपा लो अपने आँचल में। आशिक है तुम दोनों का।

रेखा : अगर इसी वक़्त तुम चले नहीं गये तो—

धनेश : तो क्या कर लेगी तू मेरा? तू कर ही क्या सकती है मेरा। मैं खुद ही रहना नहीं चाहता इस रण्डीखाने में। **(थूकता है, फिर तेज कदमों से घर के बाहर चला जाता है)**

(धनेश के जाते ही लज्जा बाहर का दरवाजा भीतर से बन्द करती है।)

लज्जा : रोहित, आई एम वैरी सॉरी फ़ार द इंसीडेण्ट।

(प्रस्थान—भीतर)

रेखा : जब उसने चाकू निकाला तो मेरा तो दिल ही काँप गया।

रोहित : धनेश से तुम्हारा क्या सम्बन्ध है?

रेखा : उसका हम लोगों के परिवार से परिचय है। वह आता जाता था। आज वह क़रीब छः महीने बाद आया था?

रोहित : क्यों?

रेखा : मैंने मना कर दिया था?

रोहित : क्यों?

रेखा : ऐसे ही।

रोहित : तुम्हारा उसका क्या सम्बन्ध है?

रेखा : यह तुम क्यों पूछ रहे हो?

रोहित : मुझे जवाब दो। तुम्हारा उसका क्या सम्बन्ध है?

रेखा : तुम मुझसे प्रेम करते हो?

रोहित : मेरी बात मत टालो।

रेखा : मैं बात नहीं टाल रही।

रोहित : तुम्हारा उससे क्या सम्बन्ध है?

रेखा : मैं तुम्हारे सवाल का ही जवाब दे रही हूँ। तुम मुझसे प्रेम करते हो?

रोहित : यह जवाब नहीं है।

रेखा : **(आग्रह से)** बोलो, तुम मुझसे प्रेम करते हो?

(रोहित उत्तर नहीं देता?)

रेखा : बताओ, तुम मुझसे प्रेम करते हो?

(रोहित रेखा को एक क्षण देखकर अवज्ञा से मुँह मोड़कर खड़ा हो जाता है।)

रेखा : अगर तुम मुझसे प्रेम करते हो तो यह प्रश्न बेमानी है। हम दोनों के प्रेम में किसी सन्देह का स्थान नहीं और अगर प्रेम नहीं करते, तो तुम्हें मेरे बारे में पूछने का कोई हक़ नहीं।

(तेज कदमों से घर के भीतर जाने को बढ़ती है।)

(रोहित जाती हुई रेखा के सामने, दरवाजा रोक के ऐसे खड़ा हो जाता है, जिससे वह अन्दर न जा सके।)

रोहित : तुम ऐसे नहीं जा सकती। तुमको बताना पड़ेगा।

रेखा : रास्ते से हट जाओ।

रोहित : तुम बताओगी कैसे नहीं? **(हाथ पकड़कर खींचते हुए दाहिने कमरे में ले जाता है और अपने बिस्तर पर झटककर गिरा देता है।)**

दृश्य–दायाँ कमरा

रोहित : बताओ, क्या था धनेश से तुम्हारा सम्बन्ध?

रेखा : **(उठकर)** 'ब्रूट'!

रोहित : तुम लोग तो बड़े तमीज़दार हो न। जैसी माँ, वैसी बेटी।

रेखा : **(आश्चर्य से)** क्या?

रोहित : रात को माँ कमरे के चक्कर लगाती है, दिन को बेटी प्रेम का ड्रामा करती है। दोनों को एक खिलौना मिल गया है—बेवक़ूफ़ बनाने को। दिल बहलाने को।

रेखा : **(आश्चर्य-चकित, निकट आते हुए)** माँ, तुम्हारे कमरे में रात को आयी थी?

रोहित : मैं तुम दोनों से नफ़रत करता हूँ। निकल जाओ यहाँ से। निकल जाओ। **(नफ़रत से खींचते हुए)** गेट आउट!

(रेखा एक क्षण को रोहित को देखती है, फिर अवज्ञा से भीतर के लिए प्रस्थान करती है)

(अन्तराल-अन्धकार)

दृश्य–दायाँ कमरा

समय–सायंकाल, उसी दिन

(बाहर से किसी के घण्टी बजाने की आवाज। विलायती भीतर से आकर दरवाजा खोलता है। गोपाल कृष्ण तथा ब्रह्मानन्द का प्रवेश। ब्रह्मानन्द दफ्तर से लौटे हैं। दोनों आते ही कुर्सी पर बैठते हैं। विलायती घर के भीतर जाता है।)

ब्रह्मा : यार, दिन भर फाइल, फाइल, फाइल पर फाइल। एकदम थक गया।

गोपाल : तभी तो कभी-कभी रिलेक्सेसन मिलना जरूरी हो जाता है।

ब्रह्मा : साले कल के लौंडे अफसर बने हैं। कानून सिखाते हैं ब्रह्मानन्द को। ऊँह।

गोपाल : तुममें यही तो ख़राबी है। दफ्तर की बात दफ्तर में ही खत्म होनी चाहिए। घर पर नहीं।

ब्रह्मा : स्साला घर! यह भी कोई घर है।

गोपाल : बड़ा सूना-सूना लग रहा है। रेखा भी नहीं दिखायी पड़ी।

ब्रह्मा : अन्दर होगी, या लाइब्रेरी गयी होगी। रिसर्च का भूत गले में डाल लिया है न।

गोपाल : वह क्या करे। घर में अकेली है। मन नहीं लगता होगा, इसलिए रिसर्च ज्वाइन कर ली है।

ब्रह्मा : मेरा बस चलता तो कल ही उसकी शादी कर दी होती, मगर यहाँ तो तुम जानते हो।

गोपाल : घर में दो चार बच्चे होते तो उसका मन भी लगता। **(अचानक स्वर बदलकर)** तुमको तो फेमिली प्लानिंग वाले इनाम देने वाले हैं।

ब्रह्मा : क्यों? क्योंकि मेरी एक ही बेटी है?

गोपाल : नहीं।

ब्रह्मा : तो?

गोपाल : तुम्हारा फेमिली प्लानिंग का तरीका बिल्कुल अनोखा है। यूनीक—अद्वितीय।

ब्रह्मा : क्या मतलब?

गोपाल : मतलब यह है कि तुम बीच के इस कमरे में सोते हो—घर के भीतर जाने के रास्ते में। तुम खुद तो भीतर जाते ही नहीं, तुम्हारे यहाँ सोने से और कोई भी भीतर नहीं जा सकता। नतीजा जाहिर है—**(अपने मजाक पर स्वयं ही हँसता है)**

ब्रह्मा : क्या फालतू बक रहे हो। **(बात बदलते हुए)** मैं बस थोड़ी ही देर में कपड़े बदलकर आया। **(अलमारी में से तौलिया, कपड़े इत्यादि निकालता है।)**

(गोपाल कृष्ण जेब से ट्रांजिस्टर निकालकर चलाता है।)

उद्घोषक : **(ट्रांजिस्टर पर)** लीजिए अब पुलिस से प्राप्त समाचार सुनिए।

गोपाल : **(परिहास में)** सुनाइए।

उद्घोषक : लगभग पाँच बजे एक टैक्सी और बस के एक्सीडेण्ट में टैक्सी में बैठी एक औरत की मृत्यु हो गयी। मरने के पहले उसे कुछ होश आया था। उसने अपना नाम लज्जावती बताया। रमेश नाम का दस साल का लड़का कल शाम से लापता है—

(गोपाल ट्रांजिस्टर बन्द कर देता है।)

ब्रह्मा : **(जाते-जाते रुककर)** क्या नाम बताया?

गोपाल : लज्जावती।

ब्रह्मा : **(एकदम सोच में डूबते हुए)** इसका मतलब हुआ कि वह—?

गोपाल : **(बैठते हुए)** हाँ, इसका मतलब हुआ कि वह—

ब्रह्मा : चली गयी?

गोपाल : चली गयी।

ब्रह्मा : इतने अचानक?

गोपाल : भरोसा नहीं होता।

ब्रह्मा : ऐसे कैसे हो सकता है?

गोपाल : लेकिन हो गया।

ब्रह्मा : मौत तो मौत ही है—

गोपाल : दुःख तो होता ही है।

ब्रह्मा : चाहे किसी की भी मौत हो।

गोपाल : फिर वह तो तुम्हारी पत्नी थी।

ब्रह्मा : हाँ पत्नी थी।

गोपाल : कितने साल हो गये सादी को?

ब्रह्मा : तेईस साल से एक मकान में रह रहे थे—साथ-साथ।

गोपाल : तेईस साल से।

ब्रह्मा : इतने दिन कुत्ता भी साथ रहे तो उससे भी मोहब्बत हो जाती है।

गोपाल : **(एकदम)** फिर वह तो औरत थी।

ब्रह्मा : **(एकदम)** मुझे उससे मोहब्बत नहीं थी।

गोपाल : वह तो ठीक है।

ब्रह्मा : कुत्ते से मोहब्बत हो जाती है, लेकिन औरत से नहीं।

गोपाल : औरत के साथ कुछ सालों तक तो मोहब्बत रहती है—

ब्रह्मा : हाँ, हाँ बस कुछ साल तक ही रहती है—तेईस साल तक नहीं।

गोपाल : तेईस साल। पूरी एक पीढ़ी बीत गयी।

ब्रह्मा : कुत्ते की मुहब्बत तेईस साल तक बनी रहती है। लेकिन औरत की मोहब्बत कुछ साल तो, हर साल बढ़ती है।

गोपाल : फिर उसके बाद?

ब्रह्मा : फिर उसके बाद, हर साल, साल-ब-साल घटती है और उसके बाद नफरत।

गोपाल : तुम्हारी अपनी फिलॉस्फी है।

ब्रह्मा : साल-ब-साल नफरत बढ़ती है।

गोपाल : नफरत कब घटती है।

ब्रह्मा : कभी नहीं। वह हमेशा बढ़ती है—बुढ़ापे-सी।

गोपाल : बुढ़ापे-सी। वाह क्या मिसाल दी है।

ब्रह्मा : **(अचानक)** अरे वह लज्जा कैसे हो सकती है। वह तो अपनी कार से जाती है। टैक्सी में कैसे हो सकती है।

गोपाल : सच में, वह टैक्सी में कैसे हो सकती है।

ब्रह्मा : इतनी-सी बात याद नहीं रही।

गोपाल : अच्छे बेवकूफ बने।

ब्रह्मा : **(संजीदगी से)** मैं इतना भागवान नहीं हूँ।

गोपाल : **(बिना समझे)** क्या?

ब्रह्मा : वेदों में लिखा है, आदमी को करम भोग पूरे भोगने पड़ते हैं। अभी मेरे करम भोग पूरे नहीं हुए।

गोपाल : अच्छा है, इसी जनम में पूरे कर लो। नहीं तो अगले जनम के लिए उधार रह गये तो—

ब्रह्मा : **(अपने आपसे)** किस साले चक्कर में पड़ गये। सूत न कपास, जुलाहे से लट्ठम लट्ठा। चलकर नहाया धोया जाये। **(तौलिया उठाकर घर के भीतर जाता है।)**

(कुछ ही क्षणों में लौटकर वापस जाता है।)

ब्रह्मा : **(चीखते हुए)** गोपाल!

गोपाल : **(घबराकर)** खैरियत तो है?

ब्रह्मा : अरे वह तो सचमुच ही लज्जा है।

गोपाल : लज्जा है।

ब्रह्मा : हाँ, लज्जा है।

गोपाल : तुम्हारी अकल तो ठीक है।

ब्रह्मा : वह लज्जा ही है।

गोपाल : कैसे?

ब्रह्मा : कल से उसकी कार बनने गयी है।

गोपाल : तो वह टैक्सी से दफ्तर गयी थी?

ब्रह्मा : और टैक्सी से लौट रही होगी।

गोपाल : तब तो वह लज्जा ही हो सकती है।

ब्रह्मा : अरे वही है।

गोपाल : तो इसका मतलब हुआ,—सचमुच चली गयी।

ब्रह्मा : गयी, एकदम गयी।

गोपाल : कितना अजीब लगता है।

ब्रह्मा : अजीब क्यों?

गोपाल : अभी-अभी थी, और अभी-अभी नहीं है।

ब्रह्मा : जब तुम मरोगे तब भी अजीब लगेगा। अभी-अभी था अभी-अभी नहीं है।

गोपाल : सायद सबके मरने पर यही लगता है।

ब्रह्मा : सिवा अपने मरने के

गोपाल : तो अब तुम इस घर के अकेले मालिक हो।

ब्रह्मा : सुनकर अच्छा नहीं लगता।

गोपाल : अब तो तुम्हारा करम भोग पूरा हुआ।

ब्रह्मा : पता नहीं कैसा लग रहा है।

गोपाल : क्यों?

ब्रह्मा : कुछ भी हो वह पतनी थी।

गोपाल : दुख का दिखावा करने की रसम होती है।

ब्रह्मा : हम लोगों में इतने सालों से बोलचाल नहीं थी—

गोपाल : **(व्यंग्य से)** और कुछ था?

ब्रह्मा : कुछ भी नहीं था, फिर भी चुपचाप साथ रहने की आदत थी।

गोपाल : एक दूसरे की पीठ के पीछे बुरा-भला कहने की आदत थी।

ब्रह्मा : आदत कोई भी हो, आदत तो आदत ही है—

गोपाल : **(पूरा करते हुए)** अच्छी या बुरी।

ब्रह्मा : नफरत की भी आदत हो जाती है। अब किससे नफरत करूँगा।

गोपाल : किसी बहाने सही, जाने वाले के लिए तुम्हें दुख तो हो रहा है।

ब्रह्मा : हाँ सचमुच दुख हो रहा है।

गोपाल : लज्जा ने अपनी इंस्योरेंस भी तो करवाई होगी।

ब्रह्मा : हाँ, लेकिन मुझे क्या?

गोपाल : कितने की इंस्योरेंस थी?

ब्रह्मा : एक लाख की।

गोपाल : मुबारक।

ब्रह्मा : क्यों?

गोपाल : अब बनो मत यार।

ब्रह्मा : मुझे उसके पैसे से क्या?

गोपाल : तुम्हें नहीं होगा तो और किसे होगा?

ब्रह्मा : जब जिन्दा रहते उसका पैसा नहीं लिया तो क्या अब लूँगा।

गोपाल : तो क्या ब्रह्मानन्द जी वह पैसा सरकार को बाँट दोगे? वाह, जयसंकर भोले भाले ब्रह्मानन्द जी महाराज की जय।

ब्रह्मा : लेकिन वह पैसा मुझे क्यों मिलेगा?

गोपाल : तुम्हीं तो उसके बारिस हुए।

ब्रह्मा : मैं?

गोपाल : तुम्हीं तो उसके पति थे। थे न?

(ब्रह्मानन्द उत्तर नहीं देता।)

गोपाल : अरे कागज पर तो थे ही?

ब्रह्मा : **(सहमति से)** वह तो ठीक है।

गोपाल : तब पति के नाते तुम्हीं बारिस हो। यही नहीं, प्रॉबिडेण्ट फण्ड का सारा पैसा भी तुम्हें मिलेगा।

ब्रह्मा : पता नहीं कितना होगा।

गोपाल : मैं बताता हूँ। मैं जानता हूँ वह आजकल 1500 रु. महीना कटाती थी। इसका मतलब हुआ 18,000/= रुपया साल। अठारह साल में 3,24,000 और–

ब्रह्मा : हमेशा तो इतना कटाती नहीं थी। पहले कम कटाती थी।

गोपाल : तीन-साढ़े तीन लाख नहीं हुआ, औसतन ढाई लाख तो जरूर होगा।

ब्रह्मा : इसका मतलब हुआ ढाई लाख?

गोपाल : अरे मुँह लटकाये क्या बैठे हो–पूरे ढाई लाख की लाटरी निकली है।

(ब्रह्मानन्द चुपचाप बैठा रहता है।)

गोपाल : यार, तुम्हारे यही तो चोंचले पसन्द नहीं आते। मन ही मन लड्डू फूट रहे होंगे, मगर ऊपर से क्या चेहरा बनाया है। वाह यार, मान गये तुमको। बहुत बड़े ऐक्टर हो।

ब्रह्मा : नहीं, यह बात नहीं है।

गोपाल : अच्छा बीवी के मरने पर डेढ़ आँसू गिराना जरूरी है। तो भाई गिराओ आँसू। मैं भी रस्म में साथ देता हूँ। **(देहातियों की तरह रोते हुए)** हाय लज्जा तुम चली गयीं, ब्रह्मानन्द को रंडुआ बना गयीं। **(ब्रह्मानन्द के गले लगते हुए)** हाय, अब क्या होगा? हाय मोरी मइया, अब क्या होगा?

(तब ही बाहर के द्वार से लज्जावती का प्रवेश। ब्रह्मानन्द उसे देख लेता है, लेकिन गोपाल नहीं देख पाता।)

ब्रह्मा : (हकलाते हुए) गो...गो...गोपाल...**(गोपाल के पेट में उँगली मारकर उसे सचेत करना चाहता है।)**

गोपाल : क्या गो गो करते हो? अब तो कहो कम, कम...(**तब ही उसकी निगाह लज्जा पर पड़ती है। एकदम अपने को सँभालकर**) ओह लज्जा देवी, आप।

लज्जा : हाँ मैं।

ब्रह्मा : (**तौलिया समेटकर**), मैं नहाने जा रहा हूँ। **(सरपट घर के अन्दर भाग जाता है।)**

लज्जा : यहाँ कोई नाटक हो रहा था?

गोपाल : आप तो जानती हैं, हम लोग बचपन में भी साथ पढ़ते थे। तब ही एक तीसरे साथी की नकल कर रहे थे।

लज्जा : इस उमर में?

गोपाल : बुढ़ापे में बचपन दोबारा आ जाता है। बुड्ढे, बालक एक समान। खड़ी क्यों हो? बैठिए। बैठिए न।

लज्जा : (**बैठते हुए**) आज फिर तुम लोगों का वही प्रोग्राम है?

गोपाल : क्या किया जाये। जीने का कोई बहाना तो ढूँढ़ना ही पड़ता है।

लज्जा : मुबारक। तुम्हें कोई बहाना तो मिल गया। मुबारक।

गोपाल : सुक्रिया।

लज्जा : मुझे तो कोई बहाना नहीं मिला।

गोपाल : तुमको बहानों की क्या कमी?

लज्जा : मैं बहुत थक गयी हूँ।

गोपाल : अगर लज्जा देवी थक जाएँ तो फूल की कली भी कहेगी कि मैं रोज-रोज मुस्कराते थक गयी।

लज्जा : मज़ाक छोड़ो गोपाल। मैं भी तो इनसान हूँ। रोज़-रोज़ भागते थक भी तो सकती हूँ।

गोपाल : भागना तो तुम्हारी आदत है।

लज्जा : भागते-भागते काँटा भी तो लग सकता है। मैं दर्द से कराह भी तो सकती हूँ।

गोपाल : तुम्हारे मुँह से यह सब बहुत अजीब लगता है।

लज्जा : लगता है मैं बूढ़ी हो रही हूँ।

गोपाल : तुम और बूढ़ी। जैसे दिन और रात। रेखा तुम्हारी बेटी नहीं, ऊपर नीचे की छोटी बहन लगती है।

लज्जा : चापलूस।

गोपाल : मुझे मौका दो न। तुम्हारी सभी थकान दूर न कर दूँ, तो मेरा नाम गोपाल कृष्ण नहीं।

लज्जा : **(अनसुना करके)** दस से पाँच तक बराबर दफ़्तर में सर खपाकर जब घर लौटती हूँ तो थक के चूर हो जाती हूँ। **(अपने आप)** घर लौटती हूँ, इस घर में। यह घर है? **(नफरत से)** यह घर है?

गोपाल : **(लज्जा की चूड़ियों से खेलते हुए)** कितने साल हो गये, उसकी याद अब भी है, मेरे रोयें-रोयें में। सच।

लज्जा : मुझे क्या मिला? क्या मिला इस घर में? नफ़रत, अवहेलना, बदनामी। इतने संघर्ष, इतनी मेहनत के बाद यही सब मिलना था, तो वह सब बेकार ही था।

गोपाल : **(हाथ पकड़कर, लाड़ से)** लज्जा...लज्जा, सुनो न लज्जा।

लज्जा : **(जैसे अपने ध्यान से लगाकर उसे सुनती है और आश्चर्य से उसे देखती है)** क्या है गोपाल?

गोपाल : तुम मुझे आज भी उतनी ही सुन्दर लगती हो—जैसी बरसों पहले, बरसों पहले...।

लज्जा : **(काटते हुए)** क्या पागलपने की बातें करते हो? **(हाथ छुड़ाती है।)**

गोपाल : बरसों पहले उस रात—**(रुककर)** क्या वह रात एक बार फिर वापस नहीं आ सकती?

लज्जा : नहीं, कभी नहीं।

गोपाल : क्यों?

लज्जा : क्योंकि गयी हुई रात दोबारा नहीं आती। जो बीत गया, बीत गया।

गोपाल : तो हम लोग एक नयी रात बनायेंगे। एक नयी याद बनायेंगे। सच लज्जा।

लज्जा : गोपाल, तुम क्या भूल गये? मुझे तुम्हारा यह पागलपन क़तई पसन्द नहीं। अगर तुम मुझसे बात करना चाहते हो तो यह पागलपन दूर करके ही मुझसे बात कर सकते हो।

(उठकर खड़ी हो जाती है।)

गोपाल : आज तुम कारपोरेसन में बहुत बड़ी आफिसर हो, चीफ वेलफेयर अफसर हो और मैं मामूली बाबू। इसीलिए न?

लज्जा : ईश्वर के लिए कोई और बात करो।

गोपाल : मुझे सब याद है। बरसों पहले तब तुम कारपोरेसन में मामूली 'इंवेस्टीगेटर' थीं।

लज्जा : **(तैश में)** हाँ, हाँ, मुझे भी सब याद है। बरसों पहले तब मैं कारपोरेशन में मामूली इंवेस्टीगेटर थी, घर-घर दरवाजे-दरवाजे दिन भर भटका करती थी। तब मैंने तुमसे कहा था कि तुम मेयर प्रेम बन्धु जी को जानते हो। उनसे मेरी सिफ़ारिश करके मेरा प्रोमोशन करवा सकते हो।

गोपाल : क्या मैंने झूठ कहा था? मेरे उनसे मिलाने के बाद ही तुम्हारा प्रोमोशन हुआ—बीसियों की सुपरसीड करके।

लज्जा : ऐहसान किस बात का जताते हो। मिलाने की तुमने फ़ीस माँगी थी, वह मैंने तुम्हें दी। बात बराबर।

गोपाल : प्रेमबन्धु जी तुमको हर साल एक प्रोमोसन दिलाते गये।

लज्जा : वह शौक़ीन आदमी थे। मैं उनसे काम लेना जानती थी और काम लिया। और भी लड़कियाँ थीं। वह उनसे काम नहीं ले पायीं। यह तो अपनी-अपनी अक़्ल है। तुम्हारी इसमें कौन-सी कारीगरी?

गोपाल : क्या तुम मुझसे इतनी नफरत करती हो। एक बार काम निकल जाने के बाद दूध से मक्खी-सा फेंक दिया?

लज्जा : न मैं तुमसे नफ़रत करती हूँ न प्यार।

गोपाल : मैं तो तुमसे प्यार करता हूँ।

लज्जा : प्यार?

गोपाल : सच लज्जा, मैं तुमसे अब भी प्यार करता हूँ। उसी रात से, बरसों पहले की उसी रात से।

लज्जा : **(व्यंग्य से)** वही प्यार! जिसकी क़सम तुम और ब्रह्मानन्द हर हफ़्ते ठर्रा पीकर वेश्याओं के सामने खाते हो?

गोपाल : **(चिढ़कर)** वह रंडिया तुमसे तो लाख दर्जे अच्छी होती हैं।

लज्जा : **(एकदम हँसकर)** वाह आ गये गाली-गलौज पर। कहाँ गया प्यार?

गोपाल : वह जो हैं वह हैं। मजबूरी में पेट भरने के लिए कुछ भी करें। तुम्हारी तरह सराफत, घर, गिरहस्थी का खोल नहीं पहनतीं।

लज्जा : तो फिर ले आओ उनको अपने घर।

गोपाल : हर इस उस आदमी के नीचे लेटकर प्रोमेसन पाये और सान बघारती हैं अपनी अफसरी की।

लज्जा : गोपाल, अपने आपे में रहो, नहीं तो...।

गोपाल : **(काटते हुए)** तुम मेरा इस घर में आना रोक दोगी। वह तुम नहीं रोक सकतीं। यह मकान ब्रह्मानन्द का है।

लज्जा : भाड़ में जाओ तुम और तुम्हारा ब्रह्मानन्द। कीचड़ में ईंट मारने से होगा ही क्या? **(अन्दर जाने लगती है।)**

गोपाल : **(एकदम रास्ता रोककर)** मैं अब भी सुलह करने को तैयार हूँ।

लज्जा : सुलह। तुमसे?

गोपाल : मैं जानता हूँ, तुम मुझसे नफरत करती हो। न तो अब मैं तुम्हें प्रोमेसन दिला सकता हूँ और न मैं अब नयी उमर का छोकरा हूँ, जिनकी तुम तलास किया करती हो।

लज्जा : **(सख्ती से)** गोपाल! **(उससे दूर हटकर खड़ी हो जाती है)**

गोपाल : मेरा मतलब है—धनेस—या रोहित जैसा—**(स्वर बदलकर)** सच पूछो तो लज्जा, तुम भी तो अब ढीली पड़ गयी हो। आखिर उम्र भी तो हुई। जब बेटी जवान होगी तो माँ कैसे जवान रह सकती है। रेखा को देखकर लगता है तुम्हीं दोबारा जवान हो गयी हो। दो एक बार तो मैं उसे धोखे में पुकार बैठा—लज्जा।

लज्जा : तुम घटिया आदमी हो। ख़तरनाक भी। मुझे रेखा से कहना होगा।

गोपाल : क्या कहोगी? गोपाल किसन मेरा पुराना प्रेमी है?

लज्जा : मैं कुछ भी हूँ, रेखा की माँ हूँ। मैं चाहूँगी वह तुमसे दूर रहे। उसकी जल्दी से जल्दी शादी हो जाये तो...।

गोपाल : मेरी तरफ से तो हाँ है। पण्डित को बुलायें, सायत निकलवाने?
(वह कुर्सी से गद्दी उठाकर मारती है। गोपाल बच जाता है, लेकिन वह घर के अन्दर से बाहर निकलते ब्रह्मानन्द को लगती है)
(ब्रह्मानन्द और लज्जा एक-दूसरे को एक क्षण देखते हैं।)

ब्रह्मानन्द : **(घटना की अवहेलना करते हुए)** बहुत देर हो गयी गोपाल, आओ चलें। **(चलते-चलते रुककर, पुकारते हुए।)** विलायती, विलायती।

विलायती : **(भीतर से)** जी सरकार!

ब्रह्मानन्द : आज रात को मैं खाना नहीं खाऊँगा। **(गोपाल से)** आओ चलें।
(दोनों का बाहर प्रस्थान)
(लज्जा दोनों को जाते हुए देखती है। फिर थकी-सी एक कुर्सी पर बैठ जाती है।)
(थोड़ी देर बाद बाहर से रेखा का प्रवेश)

लज्जा : दरवाज़ा बन्द कर दो।

(रेखा दरवाजा बन्द करती है।)

लज्जा : कहाँ से आ रही हो?

रेखा : **(ठिठककर)** ऐसे ही।

लज्जा : ऐसे ही क्या...?

रेखा : लाइब्रेरी गयी थी—और...**(कहते-कहते रुक जाती है।)**

लज्जा : और अपने प्रेमी से मिलने गयी थी?

रेखा : **(सख्ती से)** ममी!

लज्जा : इसीलिए सुबह जल्दी में खाना नहीं खाया?

रेखा : मैं चाहे जहाँ जाऊँ, कुछ भी करूँ, किसी से भी मिलूँ—तुमसे मतलब? कौन होती हो मुझसे पूछने वाली?

लज्जा : जब चाहा तब खाया, जब चाहा तब नहीं। क्या समझा है इसे? होटल या धर्मशाला?

रेखा : यह न घर है, न होटल और न धर्मशाला।

लज्जा : तो?

रेखा : जेल। जहाँ तरह-तरह की सज़ायें दी जाती हैं, 'टॉरचर' किया जाता है।

लज्जा : तो क्यों जेल में पड़ी है?

रेखा : निकल ही जाऊँगी।

लज्जा : देर किस बात की है?

रेखा : जिस दिन नौकरी मिलेगी उसी दिन चली जाऊँगी।

लज्जा : नौकरी मिल चुकी—

रेखा : कहो तो वैसे ही चली जाऊँ?

लज्जा : मुझे एम. ए. करने के पन्द्रह दिन के भीतर नौकरी मिल गयी थी, तुझे महीनों हो गये?

रेखा : यह मेरी ग़लती है?

लज्जा : आज यूनिवर्सिटी से लेटर आया है। पिछले महीने तुमने इण्टरव्यू दिया था?

रेखा : हाँ।

लज्जा : तुम 'सेलेक्ट' नहीं हुई?

रेखा : मैं क्या करूँ।

लज्जा : तू नहीं करेगी तो क्या मैं करूँगी?

रेखा : मैं कर ही क्या सकती हूँ?

लज्जा : 'सेलेक्शन कमेटी' के सब लोगों को तू जानती थी, फिर तेरा 'सेलेक्शन' क्यों नहीं हुआ?

रेखा : मैं क्या करूँ? **(दाँयें कमरे की ओर चल पड़ती है)**

लज्जा : औरत क्या नहीं कर सकती।

रेखा : **(रुककर, कुछ क्षण गौर से देखकर)** औरत क्या नहीं कर सकती? वह तुम्हारी तरह नौकरी पा सकती है। प्रमोशन पा सकती है।

लज्जा : **(एकदम क्रोध से रेखा की बाँह पकड़कर)** रेखा!

रेखा : **(अपने को छुड़ाकर)** औरत क्या नहीं कर सकती। वह अपने पति को निकम्मा बना सकती है। उसे शराबी और बेवक़ूफ़ बनने पर मजबूर कर सकती है।

लज्जा : अपने जिस बाप की हिमायत लेकर तू बोल रही है उसने मुझे क्या दिया है। अगर मैंने उसके अफ़सरों से कोशिश न की होती, वह 'सेक्शन ऑफिसर' भी न बन पाता। बना रहता बाबू का बाबू।

रेखा : अच्छा होता अगर 'प्रमोशन' न पाते। आज तुम्हारे आगे इज़्ज़त से सिर तो उठा पाते।

लज्जा : बड़ा मोह आ रहा है बाप पर। तो ले जा अपने साथ। मुझे नहीं ज़रूरत तुम दोनों में से किसी की।

रेखा : जिससे तुम बेशर्मी से अपने से आधी उम्र के लड़कों के कमरों में रात को जा सको।

लज्जा : क्या बकती है?

रेखा : तुम जानती हो।

लज्जा : मैं कुछ नहीं जानती।

रेखा : क्यों गयी थीं तुम रोहित के कमरे में?

लज्जा : मैं नहीं गयी थी।

रेखा : तुम गयी थीं।

लज्जा : **(चीखते हुए)** नहीं।

रेखा : तुम गयी थीं।

लज्जा : **(एकदम टूटकर)** नहीं, मैं नहीं गयी। **(फूटकर रोते हुए)** मैं नहीं गयी। मैं नहीं गयी। **(रोते हुए)** मैं जानकर नहीं गयी। अपने आप नहीं गयी। मैं नहीं जानती मैं कैसे चली गयी वहाँ। मैं जानकर नहीं गयी। **(रोती है)**

(रेखा रोती हुई लज्जा को घृणा से देखती है)

लज्जा : **(अपने को सँभालकर)** मैं कितनी अकेली हूँ। रात को मुझे नींद नहीं आती। पहले नींद की गोलियाँ खाकर नींद आती थी, अब गोलियाँ भी बेकार हैं। असर नहीं करती। मैं नींद के लिए तड़पती,

तरसती, घर में इस कमरे से उस कमरे में मँडराती हूँ—भूत-सी। उसी में कब चली गयी रोहित के कमरे में, मैं नहीं जानती। यह अकेलापन एक दिन मुझे खा लेगा। ख़त्म कर देगा। क्या मेरा दिल नहीं चाहता कि अपने छोटे-छोटे सुख-दुख किसी से बाँटूँ। मगर कौन है मेरा। मैं इतनी अकेली हूँ। कोई भी तो नहीं जिसके कंधे पर सिर रखकर रो सकूँ। अपना जी हल्का कर सकूँ। कोई भी तो नहीं। **(अचानक फिर रोने लगती है)** कोई भी तो नहीं।

(अन्तराल-अन्धकार)

दृश्य—बायाँ कमरा

(बाहर से घण्टी की आवाज। विलायती भीतर से आकर, कमरे की बत्ती जलाता है फिर दरवाजा खोलता है। रोहित का प्रवेश)

विलायती : आज तो बहुत देर कर दी रोहित साहब! आज सुबह खाना भी नहीं खाया।

रोहित : **(चलते हुए)** ऐसे ही कुछ—

दृश्य—दायाँ कमरा

(दायें कमरे में जाकर रोहित खिड़की के दरवाजे खोलता है। बाहर से लाल-नीली नियोन की रोशनी अन्दर आती है। थोड़ी देर खड़े होकर, वह कुर्सी पर थका-सा बैठता है। कुछ देर बाद हाथ में चाय की ट्रे लिए भीतर से रेखा का प्रवेश)

(चाय की ट्रे मेज पर रखकर रेखा बिजली का स्विच आन करती है। विचार में मग्न, आँख बन्द किये बैठा रोहित चौंककर उठ खड़ा होता है।)

रेखा : लगता है समाधि में थे। मेरा आना भी पता नहीं लगा।

(रोहित उत्तर नहीं देता।)

रेखा : बिना कुछ खाये ही सुबह चले गये। पता नहीं दिन में कुछ खाया भी? **(चाय का प्याला लेकर रोहित के एकदम निकट आती है।)**

रेखा : "ह्वाट डू यू वान्ट? टी, कॉफ़ी और भी...?" **(मुस्कराती है)**

(रोहित घूमकर उसकी ओर देखता है, फिर मुँह मोड़कर दूर चला जाता है।)

रेखा : तुम मुझसे नाराज़ हो? **(रुककर)** बहुत नाराज़ हो? मुझसे नाराज हो, अपने से तो नहीं, तो अपने को क्यों सज़ा दे रहे हो, भूखे रहकर।

(रोहित उत्तर नहीं देता)

रेखा : देखो रोहित, मैं तुम्हारे हाथ जोड़ती हूँ। तुम मुझसे नफ़रत क़रते हो तो करो, इस तरह चुप न रहो। तुम्हारी चुप्पी मैं सहन नहीं कर पाऊँगी। भगवान् के लिए बोलो। मुझे गाली दो। मुझे मारो। मेरा गला घोंट दो। लेकिन इस तरह से चुप न रहो। बोलो। कुछ बोलो। नहीं तो मैं पागल हो जाऊँगी। बोलो। **(अचानक चीखते हुए)** रो...हि...त!

रोहित : क्या है? इस तरह चीख़ने की क्या जरूरत?

रेखा : पूछो। तुम कुछ पूछना चाहते थे। पूछो।

रोहित : मुझे कुछ नहीं पूछना।

रेखा : मैं सब कुछ बताऊँगी। धनेश के बारे में। मम्मी और पिताजी के बारे में। जिसके भी बारे में तुम जानना चाहोगे।

रोहित : मुझे कुछ नहीं पूछना।

रेखा : मैं सच बताऊँगी। बिल्कुल सच। कुछ भी नहीं छिपाऊँगी–तुमसे।

रोहित : मैं सब कुछ जानता हूँ।

रेखा : क्या जानते हो?

रोहित : यही कि तुम अपनी माँ की बेटी हो–

रेखा : **(करुणा से)** रोहित, मुझे गाली न दो।

रोहित : **(जेब से चिट्ठी निकालकर)** यह देखती हो, क्या है?

रेखा : धनेश का ख़त।

रोहित : **(नफरत से)** धनेश का प्रेम-पत्र। अब भी तुम कहोगी, तुम मुझसे प्रेम करती हो।

(रोहित आवेश में रेखा के थप्पड़ मारता है, फिर अपने किये पर स्वयं ही स्तम्भित, सहमा-सा दूर हट जाता है।)

रेखा : रोहित, एक थप्पड़ और मारो।

रोहित : रेखा, मुझे समझने की कोशिश करो। हम छोटे शहर के लोग जिसे एक बार प्यार करते हैं उसे जी-जान से प्यार करते हैं। उसके लिए

जान भी दे सकते हैं। उसे इतना अपना समझते हैं कि बीच में किसी की परछाईं तक बर्दाश्त नहीं कर सकते। किसी तीसरे का नाम भी हमें पागल कर देता है। ख़ून में आग भर देता है। तुम लोगों की तरह नहीं, जिनके लिए प्रेम सिर्फ़ एक खिलवाड़ होता है। मन बहलाने के लिए। आज इसके साथ रेस्ट्राँ, तो कल उसके साथ सिनेमा और परसों किसी के साथ होटल के कमरे में।

रेखा : मैं तुम्हारा इन्तजार कर रही थी रोहित, सिर्फ़ तुम्हारा।

रोहित : अब यह सुनना भी अच्छा नहीं लगता।

रेखा : जो मैंने हमेशा सपना देखा तुम्हारे जैसे साथी का, जो मेरा हो, सिर्फ़ मेरा। जो अपना अकेला अधिकार मुझ पर जमाये। उस अधिकार के लिए लड़ सके, झगड़ सके, तुम्हारी तरह मुझे मार भी सके। पिताजी की तरह नहीं, जो सब कुछ सहकर, आँख बन्द कर लें।

रोहित : रेखा, अब मेरे और तुम्हारे बीच कुछ नहीं बचा। सब कुछ ख़त्म हो चुका है।

रेखा : तब दो अजनबियों की तरह बात करना और आसान है। अब मैं तुम्हें बिना किसी भावना के, तटस्थ होकर, बता सकती हूँ धनेश कौन है। मेरा धनेश का क्या सम्बन्ध है।

रोहित : मैं नहीं जानना चाहता।

रेखा : धनेश तो बहुत बाद में आया। कहानी तो बहुत पहले शुरू हुई थी। कहानी तो उस चार-पाँच साल की लड़की से शुरू होती है, जिसके माँ बाप नौकरानी के सहारे उसे घर छोड़कर रोज़ अपने-अपने दफ़्तर चले जाते थे। नौकरानी उसे मारती थी, झिड़कती थी। कभी-कभी उसका दूध ख़ूद पी जाती थी, फिर भी वह नौकरानी को अपना समझती थी। उसी के साथ सोती थी। उसके बिना रोती थी और एक दिन नौकरानी छोड़कर चली गयी। वह लड़की उस रात अपनी माँ के साथ सोयी, जो उसके लिए अजनबी थी। इसलिए नौकरानी के लिए कई बार रोयी। जितनी बार रोयी उतनी बार उसके गाल पर थप्पड़ पड़े। वह सहमकर चुप हो गयी है? लेकिन सोते में सिसकियाँ लेती रही।

रोहित : मुझे बताने से क्या फ़ायदा?

रेखा : क्या तुम सुन भी नहीं सकते? (रुककर) दूसरे दिन माँ उसे घर में अकेला छोड़कर बाहर से ताला बन्द करके दफ़्तर गयी। पहले

वह रोयी, रोती रही। फिर उसने बहुत जल्दी ही जान लिया कि रोने से कोई फ़ायदा नहीं। सहमी-सी, चुप, वह दिन भर अकेली बैठी रही। उसने आँसू पीना सीख लिया। वह अपनी उम्र से बहुत ज़्यादा समझने लगी। उसे पता लग गया कि उसके माँ और बाप दोनों ही उससे नफ़रत करते हैं। औलाद माँ-बाप के प्रेम की निशानी होती है, लेकिन वह लड़की उनकी नफ़रत की निशानी थी। रोहित, मैं अपने माँ-बाप की नफ़रत की निशानी हूँ।

रोहित : मत कहो मुझसे यह सब।

रेखा : पिता जी मुझमें मेरी मम्मी की सूरत देखते और मम्मी पिताजी की। दोनों मुझसे नफ़रत करते। किसी तरह मैं स्कूल गयी, तब ही मेरे पैरों में दर्द होने लगा। मैं अस्पताल मैं दाख़िल कर दी गयी। मैं महीनों अस्पताल में अकेली पड़ी रही। बिल्कुल अकेली। मेरे पैर का दर्द और बढ़ गया। डाक्टर बीमारी का पता नहीं लगा पाये। बहुत टेस्ट किये, महीनों अस्पताल में रखा, लेकिन सब बेकार। जब अस्पताल से निकली, तो कंधों के नीचे बैसाखी थी। बैसाखी लेकर स्कूल जाती, लड़कियाँ चिढ़ातीं—लँगड़ी-लँगड़ी। लेकिन ईश्वर इतना अन्यायी नहीं था। उसने मुझे अच्छा दिमाग़ दिया था। मैं क्लास में फ़र्स्ट आयी। दूसरे साल फिर फ़र्स्ट आयी। तीसरे साल फिर फ़र्स्ट आयी और मेरी टाँगे अपने आप ठीक हो गयी। फिर तो मैं दौड़ में फ़र्स्ट आयी। दौड़ में **(खुशी से)** लँगड़ी लड़की दौड़ में फ़र्स्ट आयी। लँगड़ी लड़की दौड़ में फ़र्स्ट। **(हँसते-हँसते रोने लगती है)** दौड़ में फ़र्स्ट...दौड़ में फ़र्स्ट...लँगड़ी लड़की। **(रोते हुए हिचकी बँध जाती है।)**

(रोहित पास जाकर रेखा के कंधे पर हाथ रखता है। हाथ के स्पर्श से रेखा सजग होती है और अपने को सँभालती है।)

रेखा : घर में मुझे जो नहीं मिला, उसकी कमी पूरी करने के लिए मैंने एक सपनों के संसार की रचना की। जब भी अकेली होती, सपनों में खो जाती। कल्पना का भविष्य कितना सुनहरा होता है, यह वही जानता है, जिसके जीवन में केवल अभाव ही हों। तभी सपने में मैंने देखा कि कोई राजकुमार मेरे लिए आने वाला है जो सिंड्रेला की तरह मुझे इस घर से ले जाएगा, अपनी जगमगाती दुनिया में। उन्हीं दिनों आया मेरे जीवन में धनेश। मैं समझी यही है वह

राजकुमार। लेकिन वह राजकुमार नहीं, काले पहाड़ का राक्षस था। मैं पहले प्यार की आँधी में भी राजकुमार में छिपे राक्षस की झलक पा गयी। इसके पहले कि मैं अपने आपको उस पर लुटा देती, मम्मी ने उसकी ओर हाथ बढ़ाया। मैंने ख़ुद ही उसे अपनी मम्मी को दे दिया।

रोहित : **(नफरत से)** तुम्हारी मम्मी!

रेखा : वह कहती हैं वह बहुत अकेली हैं। शायद अकेली हैं भी। तब ही ग़रीब की तरह हर एक के आगे हाथ फैलाती घूमती हैं। वह नहीं जानतीं, ग़रीबी मन की भी होती है। वह हाथ फैलाने से नहीं जाती।

रोहित : तुम बहुत समझदार हो।

रेखा : बिना माँ-बाप के बच्चे अपनी उम्र से जल्दी समझदार हो जाते हैं।

रोहित : हम लोग अच्छे दोस्त हो सकते हैं।

रेखा : दोस्त नहीं हैं क्या?

रोहित : **(सोचते हुए)** हैं क्यों नहीं। तब ही तो मुझे अपने बारे में बता रही हो।

रेखा : और तुम सुन रहे हो।

रोहित : **(सहमति से)** और मैं सुन रहा हूँ।

रेखा : और तब तुम आये, मुरादाबाद। मुझे लगा तुम्हीं वह राजकुमार हो जो मुझे ढूँढ़ते हुए यहाँ आये हो। मुझे इस घर से, इस क़ैदख़ाने से, इस नरक से मुक्ति दिलाने।

रोहित : रेखा, मैं आज रात को जा रहा हूँ।

रेखा : जा रहे हो?

रोहित : घण्टे भर बाद ही मेरी ट्रेन है। मैं टिकट लेकर आया हूँ।

रेखा : जाओ रोहित। हम लोगों को तुम्हें रोकने का अधिकार ही कहाँ है।

रोहित : रेखा!

रेखा : इस गन्दे, बदबूदार अँधेरे घर से अपनी उजली दुनिया में जितनी जल्दी जाओ, उतना ही अच्छा।

दृश्य–बायाँ कमरा

(बाहर दरवाजे पर जोर से भड़भड़ाने की आवाज। तेज-तेज घण्टी बजने की आवाज। विलायती भीतर से आकर बाहर का दरवाजा खोलता है। शराब के नशे में धुत्त, लड़खड़ाते हुए गोपाल कृष्ण तथा ब्रह्मानन्द का प्रवेश। दरवाजा खोलकर विलायती भीतर चला जाता है।)

दृश्य–दायाँ कमरा

(रेखा और रोहित बाँयें कमरे से दोनों को देखते हैं।)

दृश्य–बायाँ कमरा

गोपाल : जब आयी जवानी आँख पर–

ब्रह्मा : बिना लड़ाये रहा न जाये।

गोपाल : जब आये जवानी होंठ पर–

ब्रह्मा : **(सोफे पर लुढ़कते हुए)** बिना चुमाये रहा न जाये।

गोपाल : जब आये जवानी जाँघ पर–

(ब्रह्मानन्द जवाब नहीं देता।)

गोपाल : **(ब्रह्मानन्द को देखकर)** लुढ़क गया एकदम। **(अचानक उसकी निगाह दाँयें कमरे की रोशनी पर जाती है, वह उधर गाता हुआ बढ़ता है।)** जब आयी जवानी आँख पर–

दृश्य–दायाँ कमरा

(गोपाल का दायें कमरे में प्रवेश)

गोपाल : **(रेखा और रोहित को देखकर, अर्थपूर्ण स्वर और मुद्राओं में)** बिना लड़ाये रहा न जाये–**(लौटकर बायें कमरे में आता है।)**

दृश्य–बायाँ कमरा

(बायें कमरे में जाकर दाहिने कमरे की ओर देखकर, उधर हवाई-चुम्बन हाथों से

फेंकता है, फिर गाता है, घूमता, लँगड़ाता बाहर चला जाता है। ब्रह्मानन्द शराब के नशे में क़ै करता है।)

दृश्य—दायाँ कमरा

रेखा : चला गया। **(रुक्रकर)** यही है मेरी दुनिया।

रोहित : दरवाज़ा खुला छोड़ गया। मैं बन्द करता हूँ। **(बायें कमरे में जाता है)**

दृश्य—बायाँ कमरा

(रोहित बाहर का दरवाजा बन्द करता है। उसकी आवाज से ब्रह्मानन्द चौंककर उठ बैठता है)

ब्रह्मानन्द : दरवाज़ा किसने बन्द किया?

रोहित : मैंने।

ब्रह्मानन्द : कौन हो तुम दरवाजा बन्द करने वाले? यह तुम्हारे बाप का घर है—उल्लू के पट्ठे। **(मारने को हाथ चलाता है, लेकिन उसी झटके में खुद गिर जाता है)** बड़ा आया दरवाजा बन्द करने वाला। क्यों बन्द किया दरवाजा? बोलता नहीं साला। गूँगा हो गया? **(उठकर निकट आकर चीखते हुए)** खोलो दरवाजा।

(रोहित दरवाजा खोलने जाता है।)

ब्रह्मानन्द : **(हताश, थकित सोफे पर बैठते हुए)** नहीं...नहीं...नहीं...कोई फायदा नहीं। कोई फायदा नहीं। ऑक्सीजन कहीं नहीं है। बाहर भी ऑक्सीजन नहीं है। भीतर भी ऑक्सीजन नहीं है। कहीं ऑक्सीजन नहीं है। कहीं भी ऑक्सीजन नहीं। **(अतीव करुणा से)** कहाँ चली गयी ऑक्सीजन? कुछ पता नहीं। **(रोहित के निकट आकर)** किसने चुरा ली सब ऑक्सीजन। किसने चुरा ली। **(रोहित का कंधा पकड़कर)** इतनी भी ऑक्सीजन नहीं। बिल्कुल भी नहीं। कहाँ चली गयी? ऑक्सीजन किसने चुरा ली? **(रोते-रोते रोहित के पैरों पर अपना सर रख देता है, और वहीं लेट जाता है।)** चुटकी भर भी ऑक्सीजन नहीं।

(रोहित पैर छुड़ाकर दायें कमरे में जाता है।)

(जमीन पर पड़ा हुआ ब्रह्मानन्द कै करता है, फिर वहीं गिर जाता है और बेसुध हो जाता है।)

दृश्य—दायाँ कमरा

रोहित : कितनी बदबू है।

रेखा : मम्मी कहती हैं—हमारे पास क्या नहीं है—कार, टेलीविजन, फ्रिज, टी.वी. एयर कण्डीशनर, कूलर। लेकिन फिर भी इतनी बदबू है? गन्दगी है?

रोहित : मुझे अब जाना चाहिए।

रेखा : तुम ठीक कहते थे। इनके बिना भी तो आदमी सुखी रह सकता है। जीने के लिए कुछ और ही चाहिए। प्यार, विश्वास।

रोहित : रेखा, अब मुझे जाना चाहिए।

रेखा : हाँ रोहित, तुम्हें जाना चाहिए। जितनी जल्दी हो सके, तुम्हें यहाँ से जाना चाहिए। यहाँ की गन्दगी और बदबू में कोई कैसे रह सकता है?

(रोहित उत्तर नहीं देता)

रेखा : तुम्हारा सामान?

रोहित : मैंने सुबह ही पैक कर दिया था। थोड़ा-सा बचा है अभी रखे देता हूँ।

रेखा : तुम सामान रखो। मैं टैक्सी के लिए भीतर से टेलीफोन करती हूँ।

(रेखा दायें कमरे में जाने लगती है, वैसे ही पीछे से रोहित रेखा की बाँह पकड़ लेता है)

रेखा : क्या है?

रोहित : रेखा, मैं तुमसे कुछ कहना चाहता हूँ।

रेखा : कहो।

रोहित : इतने दिन इस घर में रहने पर, कुछ भी नहीं छिपा मुझसे। तुम्हारे पिताजी, मम्मी, गोपालकृष्ण, धनेश, विलायती—सबके सब ज़िम्मेदार हैं इस घर की गन्दगी के लिए। कैसे रहोगी तुम इस गन्दगी में?

रेखा : जैसे अब तक रहती आयी हूँ।

रोहित : नहीं रेखा, मैं तुम्हें इस गन्दगी में नहीं रहने दूँगा।

रेखा : कैसे नहीं रहने दोगे? कैसे निकालोगे मुझे इस गन्दगी से?

रोहित : तुमसे शादी करके।

रेखा : **(व्यंग्य से)** शादी!

रोहित : **(दृढ़ निश्चय से)** हाँ, शादी!

रेखा : **(करुणा से)** यह बात तो कब की ख़त्म हो चुकी रोहित।

रोहित : नहीं रेखा। वह ख़त्म नहीं हुई। सच, मैं तुमसे शादी करूँगा।

रेखा : **(दुर्बलता से)** रोहित!

रोहित : इस घर की गन्दगी और बदबू किसी को भी कुचलकर उसकी जान ले सकती है। मैं तुम्हें अब इसमें बिल्कुल नहीं रहने दूँगा। बोलो, चलोगी मेरे साथ?

रेखा : नहीं रोहित, नहीं। यह अब कैसे सम्भव हो सकता है?

रोहित : मैं इंजीनियर हूँ। इतना कमाता हूँ कि तुमको सपोर्ट कर सकूँ। तुम्हारा साथ मेरा सौभाग्य होगा। क्या तुम्हें मुझसे शादी करना स्वीकार है?

रेखा : मुझे सोचने दो।

रोहित : मैं यह जानता हूँ कि मैं यह कहने का अधिकार खो चुका हूँ। मैं नहीं जानता किन शब्दों में तुमसे माफ़ी माँगूँ। एक बार तुम मुझे माफ़ नहीं कर सकती?

रेखा : रोहित! कहीं अपनों से भी माफ़ी माँगते हैं?

रोहित : रेखा, मैं तुम्हें सब कुछ दूँगा। सब—कुछ। इज्ज़त, नाम, सुरक्षा, एक छोटा-सा घर **(रुककर)** और निधि भी।

(रेखा, रोहित की फैली बाँहों में समा जाती है। उसके सीने में अपना सर छिपाती है)

रेखा : मुझे तुम्हारी हर बात स्वीकार है। मैं नहीं रहना चाहती इस गन्दगी में। मैं तुम्हारे साथ चलने को तैयार हूँ।

रोहित : **(दुलार से)** तो आओ चलें।

रेखा : चलो।

रोहित : तुम कुछ अपना सामान लोगी?

रेखा : नहीं। मेरे सामान, मेरे अलंकार, सब कुछ तुम्हीं हो। मैं-मैं ऐसे ही तुम्हारे साथ चलूँगी।

रोहित : अपनी मम्मी से बता दो।

रेखा : कोई ज़रूरत नहीं। मैं उनके लिए एक ख़त लिखकर छोड़ जाऊँगी।

रोहित : विलायती को दस रुपये के साथ दे देंगे। वह मम्मी को कल सुबह ही देगा।

रेखा : तो मैं टैक्सी को फ़ोन करके आती हूँ।

(रेखा घर के भीतर जाती है। रोहित जल्दी-जल्दी सामान पैक करता है। थोड़ी देर बाद रेखा भीतर से आती है।)

रेखा : टैक्सी को फ़ोन कर दिया, बस दो मिनट में पहुँच जायेगी।

रोहित : यह लो पेन और काग़ज़। अपनी मम्मी को ख़त लिख दो।

(रेखा पेन और कागज लेकर बैठ जाती है। लिखने के पहले सोचती है।)

रोहित : अरे सोच क्या रही हो? जल्दी से साफ़-साफ़ लिख दो—चार लाइनों में...मैं रोहित के साथ जा रही हूँ, शादी करके उसके घर को स्वर्ग बनाने। तुम अपने घर .ख़ुश और हम अपने घर .ख़ुश। **(बाहर से टैक्सी के हार्न की आवाज़)**

रेखा : शायद टैक्सी आ गयी।

रोहित : मैं देखता हूँ।

(रोहित बाँयें कमरे से होता हुआ बाहर जाता है। रेखा वैसे ही सोचती बैठी रहती है। थोड़ी देर में रोहित वापस आता है)

रोहित : हाँ टैक्सी आ गयी। **(अपनी अटैची वगैरा उठाता है।)** अरे यह क्या? तुमने कुछ नहीं लिखा अब तक।

रेखा : रोहित, मैं नहीं जा रही तुम्हारे साथ।

रोहित : क्यों?

रेखा : मैं नहीं जाना चाहती।

रोहित : आख़िर क्यों?

रेखा : तुम मुझसे शादी करोगे?

रोहित : हाँ।

रेखा : क्यों?

रोहित : **(सोचते हुए)** क्योंकि क्योंकि...

रेखा : इस घर में बहुत बदबू है? सड़न है? कीचड़ है?

रोहित : हाँ।

रेखा : तुम शादी करके, मुझे इस कीचड़ से निकालना चाहते हो?

रोहित : हाँ।

रेखा : रोहित, मैं नहीं जा सकती तुम्हारे साथ।

रोहित : आख़िर क्यों?

रेखा : तुम मुझपर तरस खाकर मुझे इस कीचड़ से निकालना चाहते हो। मैं उस दिन का इन्तज़ार करूँगी जिस दिन कोई राजकुमार मुझ पर तरस खाकर नहीं, सिर्फ मेरे लिए, मेरे प्यार के लिए, मुझे इस घर से निकालेगा।

रोहित : **(झुँझलाकर)** तुम तो रेखा बस—

रेखा : **(दृढ़ निश्चय से)** नहीं, रोहित नहीं। तुम जाओ अब देर हो रही है। **(रोहित सोचता-सा खड़ा रहता है, तब आदेश के स्वर में)** जाओ रोहित।

रोहित : **(कोमलता से)** रेखा, मेरी रेखा! **(रेखा उत्तर नहीं देती।)**

रोहित : **(बाँहों में लेते हुए)** रेखा!

रेखा : **(दृढ़ता से)** जाओ रोहित। मैं कहती हूँ जाओ। **(चीख कर)** जाओ। **(सँभालकर अप्रत्याशित अवहेलना से स्तम्भित रोहित कुछ देर रेखा को देखता है। फिर क्रोधित-सा घर के बाहर जाता है। रोहित के जाने के बाद रेखा जैसे दुःख और पश्चाताप से टूटकर, कुर्सी पर बैठ जाती है। फिर अपने को कमरे की बत्ती बन्द करके खिड़की के बाहर देखती है। बाहर से आने वाली लाल-पीली नियोन लाईट के प्रकाश में उसका उदास चेहरा दिखायी पड़ता है। दायें कमरे में ब्रह्मानन्द क़्रे करते हैं। नैपथ्य से करुण संगीत उभरता है।* तभी घर के बाहर के दरवाजे से रोहित वापस आता है। वह दायें कमरे में जाकर चुपचाप खड़ा होकर रेखा को देखता है। रेखा को उसका आना पता नहीं चलता। तभी अचानक वह बढ़कर रेखा को उठाकर अपने कंधे पर रखता है। रेखा विरोध करती है। रोहित की पीठ पर हाथ मारती है, लेकिन रोहित पर असर नहीं होता। वह उसे लेकर घर के बाहर आता है। जाते-जाते दर्शकों की तरफ रोहित की पीठ होती है, तो उन्हें रेखा के मुख पर मुस्कान दिखायी पड़ती है।)**

(इति)

नोट :

नाटक के दो अन्त हो सकते हैं। सुखान्तिक अथवा दुखान्तिक। नाटक का उपरोक्त अन्त सुखान्तिक है। यदि निर्देशक नाटक का दुखान्तिक अन्त चाहें, तो * से चिन्हित कारुणिक बिन्दु पर नाटक को समाप्त कर सकते हैं।

इतिहास
(1995)

تحریک 1919
KHILAFAT TAHRIK-1919

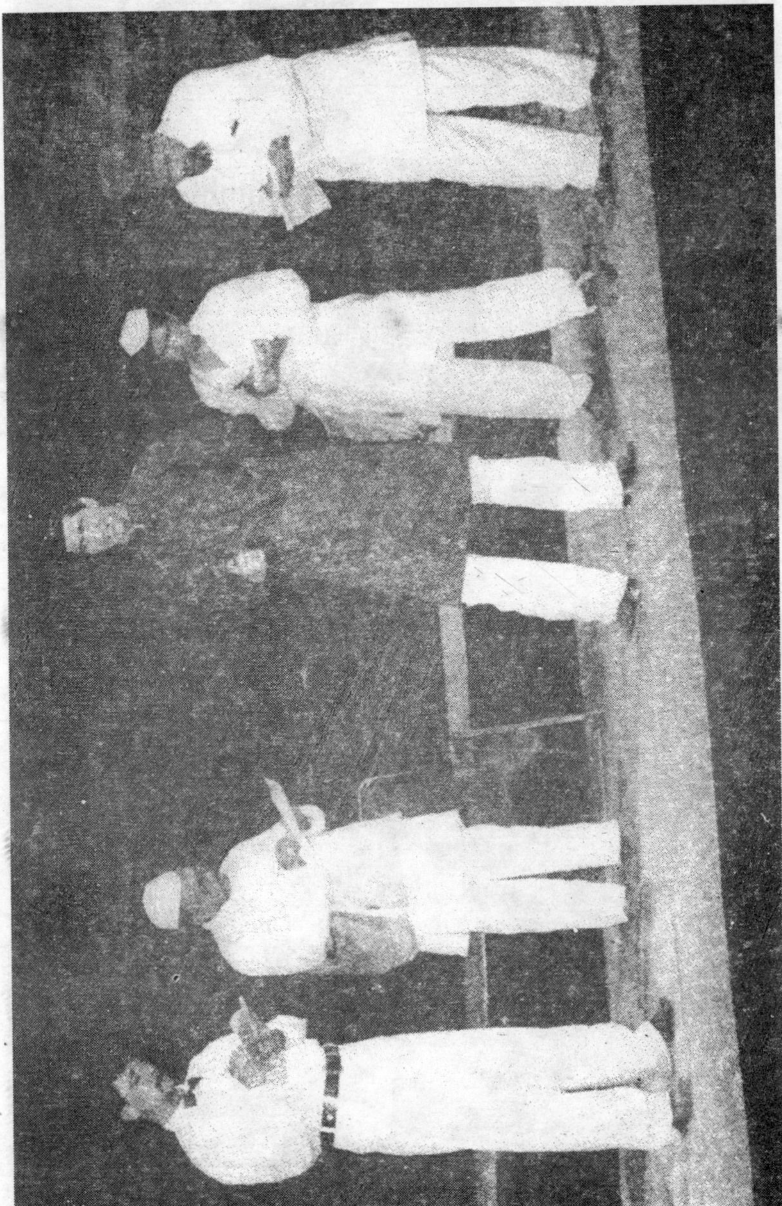

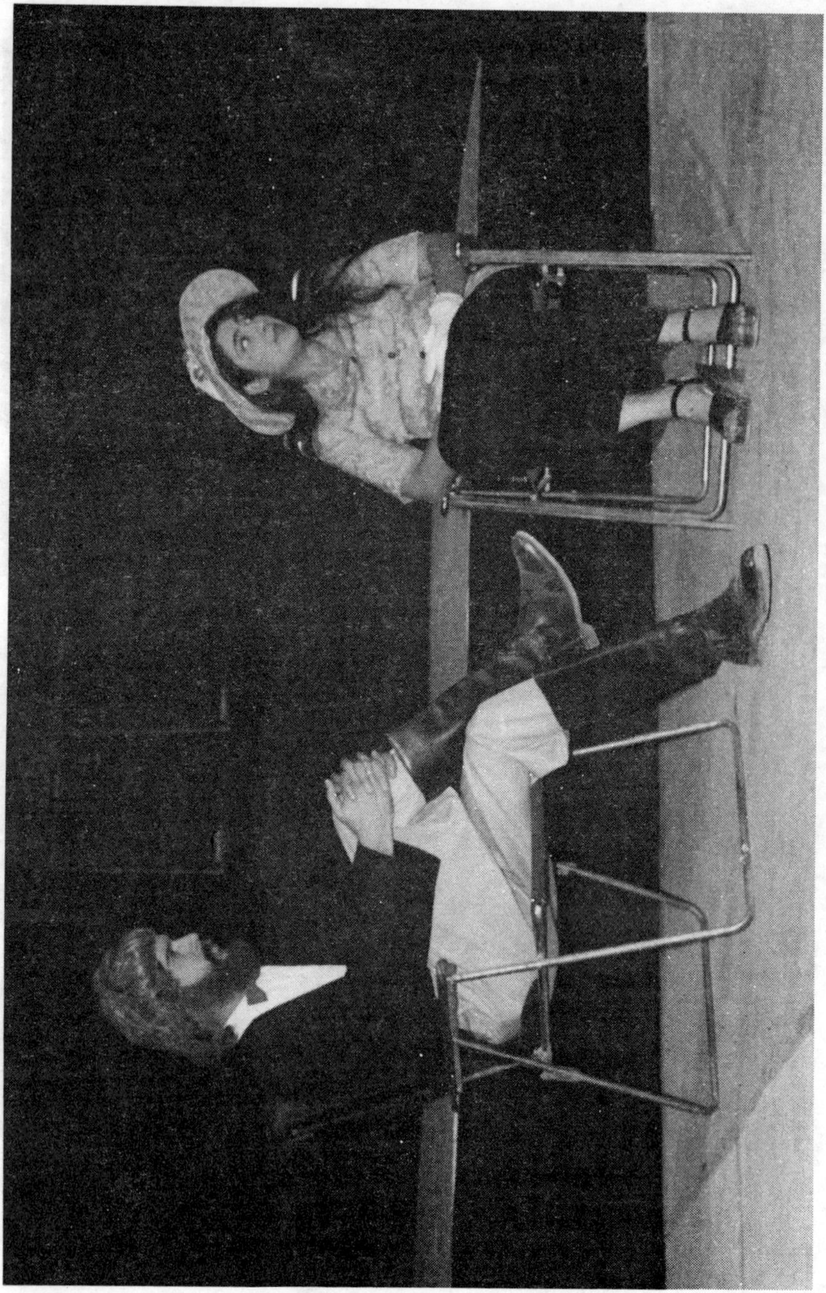

प्यारी बेटी प्राची

की स्मृति को

जो मुझे नाटक न लिखने पर डाँटती थी।

इतिहास नाटक की उद्घाटक-प्रस्तुतियाँ

13, 14 तथा 15 अप्रैल 1999 को राष्ट्रीय बाल भवन, दिल्ली

के प्रांगण में **स्नेह भारती** द्वारा संपन्न हुईं।

पुरोवाक

दया प्रकाश सिन्हा का वृत्त नाटक "इतिहास" सही अर्थों में भारतीय स्वतंत्रता संघर्ष का इतिहास है। वह 1857 से 1947 के बीच के ऐतिहासिक तथ्यों को पूर्ण-सत्यता के साथि उद्भासित करता है। सत्यनिष्ठा इतिहास लेखन की पहली और अंतिम कसौटी होनी चाहिए। किन्तु दुर्भाग्य से पिठले डेढ़ सौ वर्षों में औपनिवेशिक एवं मार्क्सवादी इतिहासकारों ने ऐतिहासिक सत्य की अपेक्षा, इतिहास के माध्यम से अपनी-अपनी विचारधारा को प्रतिष्ठित करने पर अधिक महत्व दिया है, और इसके लिए उन्होंने सत्य को अपने निहित उद्देश्य से तोड़-मरोड़ करके प्रस्तुत किया है।

सौभाग्य से श्री सिन्हा इस दुराग्रह से ग्रसित नहीं हैं। उन्होंने ऐतिहासिक तथ्यों को, जो जैसे हैं वैसे ही, बिना लाग-लपेट के, बिना किसी भूमिका या परिप्रेक्ष्य के, दर्शकों के सम्मुख बड़े साहस के साथ सजीव कर दिया है। उन्होंने यह दर्शकों पर छोड़ दिया है कि वे इतिहास को अपने-अपने दृष्टिकोण से देखें, समझें, परखें। वह इतिहासकार को इतिहास और पाठकों के बीच का "बिचौलिया" नहीं समझते हैं।

सौ वर्षों के अन्तराल में अलग-अलग समय पर जन्में, अलग-अलग व्यक्तियों और घटती घटनाओं के बीच एकत्व के सूत्र को पहचानने की श्री सिन्हा में दृष्टि है, जिससे कार्य, समय और चरित्र की विषमताओं के बावजूद नाटक का एक सुगठित, सुगुम्फित और ध्येय-केन्द्रित रचनात्मक स्वरूप उभर कर आया है। नाटक में स्वतंत्रता संघर्ष की दोनों मुख्य धाराओं-क्रांतिधरा और सुधारधारा, के साथ समान न्याय किया गया है। यह सम्भव है कि इतिहास का सच किसी को कडुआ भी लगे। सच कडुआ होता है। जो समाज कडुए सच को स्वीकार कर सकते हैं, वे ही विषपायी शिव के समान अमर हो सकते हैं।

जिस राष्ट्र के नेता इतिहास से सबक नहीं लेते, वह राष्ट्र ऐतिहासिक

गलतियां करता है। यह नाटक सामान्यजन में ऐतिहासिक चेतना के साथ-साथ राष्ट्रबोध भी जागृत करेगा। इस परिप्रेक्ष्य में यह वृत्त-नाटक विशेष रूप से स्वागतयोग्य है।

–कु. सी. सुदर्शन

सह सरकार्यवाह

राष्ट्रीय स्वयं सेवक संघ

भूमिका

पूर्वाभ्यास के दौरान और उसके पहले जिसने भी नाटक पढ़ा, उसने आश्चर्य से आखें फैलाते हुए कहा—"यह क्या लिख दिया? झगड़ा होगा।" मैंने पूछा "क्यों? मैंने जो लिखा है वह सच है।" उत्तर मिलता—"सच ही तो सहन नहीं होता किसी को। बड़ी हिम्मत की!" यह कैसा देश है! यह कैसा देश है जहाँ सच कहने के लिए साहस चाहिए!! जहाँ झूठ बोलने का रिवाज़ है, और सच बोलना अपवाद और साहस का कार्य!!!

मैं जानता हूँ कि यह मूर्तिपूजकों का देश है। अतएव यहाँ जिससे भी लोग प्रभावित होते हैं, उसे ऊँचे पर बैठाकर पूजने लगते हैं। पूजा के साथ रहस्यमय मिथक का प्रभामंडल भी अपने पूज्य के चारों ओर गढ़ लेते हैं। श्रद्धा में बन्द आँखें, आराध्य के वेश में छिपे बहुरूपी का देखने में असमर्थ होती हैं। वे अपने आराध्य के विरुद्ध एक शब्द भी नहीं सुन सकते। उनके होठों पर सदा अपने आराध्य का कीर्तन होता है, और कानों में आराध्य की आरती की घंटी। और जो उनके आराध्य के तिलिस्म को तोड़कर सच देखने-दिखाने का साहस करता है, उसे दुस्साहसी कहकर धिक्कारा जाता है। कुछ ऐसा ही दुस्साहस मैंने भी किया है।

मैंने इस नाटक में सत्य रूपायित करने का प्रयत्न किया है। विशुद्ध सत्य। सत्य के सिवा कुछ नहीं। सत्य लिखने का साहस मुझे महात्मा गांधी को पढ़ने से प्राप्त हुआ। यदि वह जीवित होते, तो मेरे दुस्साहस के लिए वह अवश्य ही मुझे आशीर्वाद देते।

वृत्त-नाटक 'इतिहास' का एक-एक शब्द इतिहास के कठोर, अविभाज्य तथ्यों पर आधारित है। अपने दावे की पुष्टि में इतिहास की विभिन्न पुस्तकों से प्राप्त कुछ उद्धरण नाटक के साथ परिशिष्ट में प्रस्तुत कर रहा हूँ। यदि यह नाटक किसी एक को भी प्रचार और भ्रम के कोहरे में छिपे सत्य के साक्षात्कार की प्रेरणा देता है, तो मैं समझूंगा कि मुझे इस नाटक को लिखने के लिए पारितोषक प्राप्त हो गया।

मैं इस अवसर पर लब्धप्रतिष्ठ विचारक और विद्वान श्री कु.सी. सुदर्शन के प्रति आभार प्रकट करना चाहूँगा, जिन्होंने कृपापूर्वक पुरोवाक् लिखकर नाटक को गरिमा से मंडित किया। मैं आभारी हूँ कलाप्रमी सांसद श्री वेद प्रकाश गोयल का, तथा सहृदय श्री शंभू कुमार कासलीवाल का, जिनके सहयोग से ही नाटक, प्रकाशन के पूर्व मंचस्थ किया जा सका।

अमोद वर्धन, काजल घोष, गोविन्द गुप्त, आर.के. ढींगरा, महेश भयाना, गुलशन बत्रा, पंकज चतुर्वेदी, रघु व्यास, डॉ. सत्य प्रकाश तथा विकास देशमुख को धन्यवाद नहीं दूंगा, जिन्होंने नाटक की प्रथम प्रस्तुति में अपार सहयोग दिया, क्योंकि मित्रों को धन्यवाद नहीं दिया जाता।

बैसाखी, अप्रैल 1999 **दया प्रकाश सिन्हा**

द्वितीय संस्करण की भूमिका

मैं प्रकाशन के पूर्व सभी नाटकों को स्वयम् मंचस्थ करके उनको रंगमंच की कसौटी पर परखता हूँ। इस नाटक के रिहर्सल के दौरान मैंने अनुभव किया कि इतने छोटे-छोटे दृश्यों और इतने अधिक पात्रों वाले इस नाटक को सामान्य नाटकों के रूप में मंचस्थ करना कठिन है। सर्वाधिक प्रभावी प्रस्तुति 'ध्वनि-प्रकाश नाटक' (Light & Sound Show) के रूप में ही हो सकती है। तब मैंने पूरे नाटक को, संगीत, संवादों और ध्वनि-प्रभावों के साथ, 'रेकार्ड' (ध्वन्यांकन) करवा दिया, जिससे प्रस्तुति के समय 'रिकार्डेड डॉयलोग' पर पात्रों को मौन रूप से संवाद बोलते हुए केवल होंठ हिलाने पड़ें। मेरा यह प्रयोग सफल रहा, जिसे मैंने देश के अनेक नगरों में प्रस्तुत किया।

नाटक के भावी निर्देशकों को मेरा परामर्श है कि इतिहास-वृत्त नाटक को 'ध्वनि-प्रकाशन' प्रस्तुति शैली में ही मंचस्थ करें।

दया प्रकाश सिन्हा

नयी दिल्ली
अप्रैल, 2007

इतिहास

(बिगुल बजने की आवाज के साथ 'यूनियन जैक' चढ़ता है।)

सूत्रधार : सन् 1857। उस समय पूरे हिन्दुस्तान पर 'यूनियन जैक' फहरा रहा था। ब्रिटिश साम्राज्य का सूरज अपने उत्कर्ष पर था। धीरे-धीरे लाल होता हुआ हिन्दुस्तान का नक्शा अब पूरी तरह लाल हो चुका था। मुगलों, मराठों और सिखों की शक्ति टूट चुकी थी। राजाओं, महाराजाओं, शहंशाहों, नवाबों, जागीरदारों ने हार मान कर अपने हथियार डाल दिये थे। लेकिन सामान्य हिन्दुस्तानी ने हार नहीं मानी थी। उनके दिलों में आज़ादी की चिनगारी अभी जिन्दा थी। वह चिनगारी बैरकपुर में 29 मार्च 1857 को विद्रोह की पहली लपट बन कर चमकी।

(दृश्य समाप्त)

दृश्य-1

(गेरुए वस्त्र पहने साधु से मंगल पांडे बात कर रहा है।)

मंगल पांडे : सबर करो। सबर करो। स्वामी जी यह बात तो आप कब से कहते चले आ रहे हैं।

स्वामी जी : मैं अभी भी यही कहूँगा।

मंगल पांडे : कब तक सबर करें। सबर की भी कोई हद होती है। कोई सीमा होती है।

स्वामी जी : इतनी बेसबरी से बनी हुई बात बिगड़ जाएगी।

मंगल पांडे : इतने महीनों से हम फौजी लोग एक छावनी से दूसरी छावनी कमल का फूल और रोटी लिए घूम रहे हैं।

स्वामी जी : हम सब जानते हैं।

मंगल पांडे : मैं ही नहीं, सब ही तिलंगे पूछते है कि कब तक हम चुप बैठें। सब हिन्दु सिपाहियों ने गंगा जी की कसम खाई है और मुसलमानों ने कुरान की। सबके खून में उबाल है। सब फिरंगियों को उखाड़ फेंकने को बेचैन हो रहे हैं। और आप आकर कहते हैं सबर करो।

स्वामी जी : बस 31 मई तक।

मंगल पांडे : न जाने कब आएगी 31 मई।

स्वामी जी : मैं पहले भी तुमको बता चुका हूँ। 31 मई को पूरे देश की छावनियों में एक साथ बगावत होगी। हिन्दुस्तानी सिपाही अपने अंग्रेज अफसरों का हुकुम नहीं मानेंगे।

मंगल पांडे : जेल में नहीं, उनके सीने में गोली उतार देंगे। जय काली माँ।

स्वामी जी : पूरे मुल्क में एक साथ बगावत होगी, तो अंग्रेज कुछ नहीं कर सकेंगे। लेकिन अगर अलग तिथियों में, अलग अलग जगह बग़ावत हुई, तो फिरंगी सब ही जगह कुचल देंगे।

मंगल पांडे : कुचल कर देंखे। मैं काली का भक्त हूँ। कल रात मैंने सपने में देखा-साक्षात काली माँ आई थी। वही अंगारे सी दहकती आँखें। गले में मुंडों की माला। एक हाथ में तलवार और दूसरे में खप्पर। काली माँ ने कहा– मैं प्यासी हूँ और उन्होंने अपना खप्पर बढ़ाया। मैंने कहा–दूँगा माँ, दूँगा। तेरे खप्पर को खून से भर दूँगा। फिरंगी के खून से भर दूँगा। बस तभी मेरी आँख खुल गयी। और तभी से मेरे सर पर खून सवार है। मैं 31 मई तक नहीं रुक सकता। काली माँ प्यासी है। फिरंगी खून से ही माँ की प्यास बुझेगी।

(अचानक अंग्रेज अफसर की नेपथ्य से आवाज़ आती है ''हू इज़ देयर'' स्वामी कंबल ओढ़ कर मुँह फेर लेता है।)

अंग्रेज अफसर : **(प्रवेश करते हुए)** यहाँ कैन्टोनमैन्ट के बाहर क्या करता? और यह कौन है? **(स्वामी से)** इधर देखो। इधर देखो। **(जबरदस्ती कंबल खींचता है)**

मंगल पांडे : क्या करते हो? यह हमारे स्वामी हैं।

अंग्रेज अफसर : व्हाट ब्लडी स्वामी। लेट मी सी। **(स्वामी को खींचकर उसका चेहरा अपने सामने करता है।)**

मंगल पांडे : ये हमारे स्वामी हैं।

अंग्रजी : यू शट अप। ब्लडी स्वाईन।

(मंगल पांडे अचानक बन्दूक तानकर गोली मारता है। अंग्रेज अफसर गिर पड़ता है।)

मंगल पांडे : **(नफरत से नकल करते हुए)** ब्लडी स्वाइन।

(दृश्य समाप्त)

सूत्रधार : मंगल पांडे की गोली की आवाज पूरे देश में सुनाई पड़ी। **(नेपथ्य में लगातार गोली चलने की आवाज)** उसकी गूंज में वह इन्कलाबी मंत्र था, जिसने हिन्दुस्तान की बूढ़ी रगों में बहते खून में बिजली सी भर दी। **(गगनिका पर भारत का नक्शा! उसमें बैरकपुर, फिर बेहरामपुर, फिर अम्बाला जगमगाते हैं)** बैरकपुर के बाद विद्रोह की चिन्गारी बेहरामपुर में चमकी, और फिर अम्बाला में। इन विद्रोहों को तो अंग्रेजों ने तुरन्त कुचल दिया। लेकिन वही चिन्गारी जब आग बनकर मेरठ में धधकी, तो उसने एक बार को कम्पनी की हुकूमत को जलाकर राख कर दिया। सिपाहियों की एक हिन्दुस्तानी टुकड़ी ने चर्बी लगे कारतूसों को इस्तेमाल करने से मना कर दिया।

1857 का स्वतन्त्ता संग्राम

दृश्य-2

(हिन्दुस्तानी सिपाही खड़े हैं। अंग्रेज कमाँडर आदेश देता है– अटेंशन। सिपाही हिलते नहीं।)

कमाण्डर : बहरा है। सुनता नहीं? अटेंशन। **(सिपाही हिलते नहीं।)**

कमाण्डर : अटेंशन।

सिपाही-1 : हम चरबी वाला कारतूस मुँह से नहीं काटेंगे। इसमें गाय की चर्बी है।

सिपाही-2 : इसमें सुअर की चर्बी है।

सिपाही-3 : हमने कम्पनी को अपना धरम नहीं बेचा।

सिपाही-2 : हम अपने धरम के लिए–

कमाण्डर : शट अप, यू बास्टर्ड।

(सब सिपाही बन्दूक उठा लेते हैं।)

ढिंढोरची : **(प्रवेश करके)** फलक खुदा का, मुल्क शहंशाह बहादुर शाह का। पहले सुनिये गौर से, फिर बात करिए और से। हर खासो-आम को इत्तला दी जाती है कि कम्पनी बहादुर की हुकूमत मेरठ में खलास। शहंशाह बहादुर शाह की हुकूमत फिर से बहाल।

(दृश्य समाप्त)

सूत्रधार : 1857 का विद्रोह अंग्रेजों द्वारा कुचल दिया गया। झांसी की रानी ने युद्ध में लड़ते हुए शहादत प्राप्त की। तात्याटोपे को गिरफ्तार कर फांसी पर लटका दिया गया, बाबू कुँवर सिंह भी युद्ध में शहीद हुए। बहादुर शाह ज़फर को गिरफ्तार करके रंगून भेज दिया गया। बेगम हजरत महल और नाना साहब अंग्रेजी फौज की आँखों में धूल झोंककर गायब हो गये। अंग्रेजों ने हिन्दुस्तान के बागी इलाकों को दुबारा विजय करके वहाँ के निवासियों से उनके विद्रोह का प्रतिशोध लिया। हजारों लागों को सड़क के किनारे पेड़ों पर ही फांसी पर लटका दिया। सैंकड़ों को तोप से उड़ा दिया। हिन्दुस्तानियों के दिलों में हत्या और लूटपात की ऐसी दहशत बैठाने की कोशिश की कि वे कभी भी विद्रोह का विचार मन में न ला सकें। काले लोगों को सभ्य बनाने के लिए आए गोरों के पाशविक अत्याचारों में बर्बरता की अति के दर्शन हुए।

(झांसी की रानी, तात्याटोपे, बाबू कुँवर सिंह, बेगम हजरत महल, नाना साहब के चित्र, पेड़ से फांसी पर लटके लोगों के चित्र। तोप के मुँह से बांधकर बागियों को तोप से उड़ाने के चित्र गगनिका पर दिखाई पड़ते हैं।)

फड़के

सूत्रधार : 1857 में प्रथम स्वतंत्रता युद्ध को कुचल कर भी अंग्रेज शान्ति से नहीं बैठ सके। इस विद्रोह की ज्वाला से निकली चिनगारी कभी

देश के इस कोने में, और कभी देश के उस कोने में अचानक शोले सी भड़क उठती थी। अँग्रेज हमेशा किसी आगामी संकट से आशंकित और भयभीत रहते।

ऐसी ही एक चिनगारी शोला बनकर महाराष्ट्र में चमकी। सन् 1870 के दशक में वासुदेव बलवन्त फड़के ने अंग्रेजी सत्ता समाप्त करने के लिए एक सेना गठित की। जिस प्रकार शिवाजी ने छापामार युद्ध से मुगल सेना को नष्ट-विनष्ट किया था, उसी तरह फड़के के छापामार अंग्रेजों की नींद हराम करने लगे।

दृश्य-3

(मुनादीवाला एक बल्लभधारी सिपाही के साथ दिखाई पड़ता है। पांच-सात लोग भी आते हैं।)

मुनादीवाला : **(ढोल बजाकर)** पहले सुनिये गौर से, फिर बात करिए और से। **(ढोल बजाता है)** सुनिये, सुनिये, सुनिये—फलक खुदा का, मुल्क अंग्रेज बहादुर का, हुक्म बम्बई के लाट साहब जनाब सर रिचर्ड टैंपल साहब बहादुर का। हर खासो आम को इत्तला दी जाती है कि वासुदेव बलवन्त फड़के अंग्रेजी राज का बाग़ी है। जो कोई भी उसे जिन्दा या मुर्दा पकड़वाएगा, उसे पचास हचार रुपये का इनाम दिया जाएगा। **(ढोल बजाता है।)**

(तब ही सिपाही की निगाह दीवार पर चिपके पोस्टर पर जाती है।)

सिपाही : यह पोस्टर किसने चिपकाया? **(पोस्टर पढ़ते हुए)** जो गवर्नर सर रिचर्ड टेंपल का सिर लाकर मुझे देगा उसे मैं पचास हजार रुपये दूँगा। वासुदेव बलवन्त फड़के। बाप रे बाप! यह पोस्टर तो फड़के ने निकलवाया है। **(खड़े हुए लोगों से)** इसे किसने चिपकाया?

आदमी-1 : हम नहीं जानते।

आदमी-2 : हम तो पढ़े लिखे नहीं है।

आदमी-3 : इसमें क्या लिखा है?

सिपाही : तुम्हारा सिर लिखा है।

(दृश्य समाप्त)

दृश्य-4

(गवर्नर दिखाई पड़ता है। उसके हाथ में वही पोस्टर है।)

गवर्नर : ओह जीसस। वह मेरे सर के लिए पचास हजार ऑफर कर रहा है। ओह माई गॉड। पचास हजार रुपये के लिए कोई भी डर्टी नेटिव मेरी गर्दन काट सकता है। ओह नो। **(गर्दन पर हाथ फेरते हुए)** ओह नो। **(उठाकर शॉल अपनी गर्दन के चारों ओर लपेटता है।) (सेक्रेटरी का प्रवेश)**

सेक्रेटरी : सर आपका वक्त हो गया।

गवर्नर : **(चौंककर)** क्या?

सेक्रेटरी : सर, आपको 4.30 बजे मीटिंग में पहुँचना है। गाड़ी खड़ी है।

गवर्नर : **(एकदम बिगड़कर)** गेट आउट। मुझे कहीं-नहीं जाना है। आई डोन्ट वान्ट टु डाई। वह फड़के मेरी जान लेना चाहता है। मुझे हर इंडियन फड़के लगता है। **(क्रोध से पुनः चिल्लाकर)** गेट आउट। ओ माई गॉड! मैं रिजायन करके वापस इंग्लैण्ड चला जाऊँगा।

(दृश्य समाप्त)

सूत्रधार : अंततः वासुदेव बलवंत फड़के अंग्रेजों द्वारा गिरफ्तार कर लिया गया। आजीवन कारावास के लिए उसे भारत के बाहर अदन भेजा गया।

दृश्य-5

(फड़के को जेल में यातना देने का दृश्य)

(दृश्य समाप्त)

सूत्रधार : जेल की यातनाओं और यंत्रणाओं को सहता हुआ यह भारत माँ का अनन्य तपः पुत्र 17 फरवरी, 1883 को सदा के लिए विदा हो गया।

कूफा आन्दोलन

सूत्रधार : 1857 के पश्चात, तथा 1885 में कांग्रेस की स्थापना के पूर्व, अनेक सशस्त्र विद्रोह अंग्रेजों के विरुद्ध घटित हुए। इनमें कूका

विद्रोह विशेष रूप से उल्लेखनीय है।

पंजाब के नामधारी सिख गुरु रामसिंह लोगों को देशभक्ति की दीक्षा दे रहे थे। उनका पंजाब में बहुत प्रभाव था, जिससे अंग्रेज सशंकित थे। उनके शिष्य कूके कहलाते थे। कूकों ने सन् 1872 में अंग्रेज छावनी पर हमला कर दिया। युद्ध में कूके पराजित हुए। अड़सठ कूके गिरफ्तार किये गये। उनमें से उन्चास को तोपों से बांधकर उड़ा देने का आर्डर अंग्रेज डिप्टी कमिश्नर कॅवैन ने दिया।

दृश्य-6

ढिंढोरची : बहुकुम डिप्टी कमिश्नर कॅवैन साहब बहादुर, हर खासो-आम को इत्तला दी जाती है कि ब्रितानी सरकार बहादुर के खिलाफ़ बगावत करने वाले नामधारी सिखों ने मलोध के किले और मलेरकोटला की छावनी पर हमला करने की जुर्रत की थी। ऐसे उन्चास सरकश बागियों को शहर के चौक पर तोप के मुँह से बांध कर कल सुबह ग्यारह बजे उड़ा दिया जाएगा। ब्रितानी सरकार सभी वफादार बाशिंदों को इस नायाब नज़ारे को देखने का हुक्म देती है। जो बागियों के तोप से उड़ाए जाने का नज़ारा नहीं देखने आएगा, उसे भी बागी समझा जाएगा।

दृश्य-7

(डिप्टी कमिश्नर कॅवैन तथा मिसेज़ कॅवैन आते हैं। पुलिस अफ़सर उनको सलाम करके, मकान की छत के बरामदे में बैठाते हैं। बरामदे के खंभे पर परदे पड़े हैं। परदे हटाकर, पीछे से नीचे देखा जा सकता है लेकिन नीचे वाले ऊपर नहीं देख सकते हैं।)

मिसेज़ केवन : **(पर्दे से नीचे झांकते हुए)** माई डियर, इट्स सो एकसाईटिंग। फिफ्टी पीपल विल बि ब्लोन अप बाई कैनन।

केवन : फ़िफ्टी नहीं; फ़ोटी नाइन।

मिसेज़ केवन : तुमने इनको फांसी पर क्यों नहीं लटकाने का आर्डर दिया?

केवन : मैं चाहता हूँ कि जब इन बदमाशों को तोप से उड़ाया जाए, तो ज्यादा से ज्यादा नेटिव्ज़ इसको देखें।

मिसेज़ केवन : इंजॉयमेंन्ट के लिए! ओह! व्हाट एन एन्जॉयमेंट!

केवन : नहीं। इंजॉयमेंन्ट नहीं।

मिसेज़ केवन : तो!

केवन : सबक देने के लिए। टु टीच देम ए लैसन। जब ये बदमाश बाग़ी तोप से उड़ाए जाएंगें तो तोप के धमाके की आवाज ये नेटिव्ज़ सुनें। इस धमाके की गूंज इनके दिल दिमाग में भर जाए, जिससे ये कभी अंग्रेजी सरकार के खिलाफ़ बगावत न कर सकें।

मिसेज़ केवन : ब्रिलिमेंट माई डियर हज़्वैन्ड, ब्रिलिएंट।

केवन : सिर्फ़ पन्द्रह साल पहले, 1857 की म्यूटिनी हुई थी। बड़ी मुश्किल से उसे हम लोगों ने कुचला है। अगर इन नेटिव्ज़ को दबा कर नहीं रखा गया तो ये फिर 1857 जैसा रिवोल्ट कर सकते हैं। नहीं, नहीं, वी केनोट एफोर्ड एनअदर रिवोल्ट। इट हैज़ टु बि निप्ड इन द बड; एज़ रुथलेसली एज़ पॉसिबल।

मिसेज़ केवन : डियर, एक तोप के गोले से एक बदमाश उड़ाया जाएगा।

केवन : नहीं। तोप के गोले प्रेशस हैं। इन्हें वेस्ट नहीं किया जा सकता। एक तोप से दस लोग बांध दिये जाएंगे और एक गोले से दस लोग उड़ा दिये जएंगे।

मिसेज़ केवन : तोप के धमाके के साथ ही, दस लोगों के बॉडीज के चिथड़े चिथड़े हो जाएंगे। उनके हाथ पैर हवा में उड़ते दिखाई देंगे। वाह! **(अचानक)** केवन, उधर देखो। उनके साथ एक तो बहुत छोटा बच्चा है। क्या वह भी बदमाश है।

केवन : हाँ, वह उन सबके साथ है।

मिसज़ केवन : वह बहुत प्यारा सा बच्चा है। उसे बुलवाओ तो यहाँ।

केवन : ऐ जवान, उस बच्चे को यहाँ ले कर आओ। **(जवान बच्चे को लाने जाता है)**

मिसेज़ केवन : ही इज जस्ट ए चाइल्ड। इग्नोरेण्ट। उसे हम इंगलिश एजूकेशन देंगे। उसे बेप्टाइज़ करवा देंगे। वह ब्रिटिश गवर्नमेंट का फेथफुल बन जाएगा। ठीक है न।

केवन : इट इज नॉट सो ईजी।

मिसेज़ केवन : यू लीव इट टू मी।

केवन : आलराइट, गिव इट ए ट्राई **(एक सिपाही के साथ हथकड़ी में बंधे एक तेरह साल के बच्चे का प्रवेश)**

मिसेज़ केवन : इसकी हथकड़ी खोल दो। **(सिपाही हथकड़ी खोल देता है)।**

केवन : हम तुम्हें माफ़ कर देंगे, और छोड़ देंगे, अगर तुम उस रास्कल गुरु रामसिंह का साथ छोड़ दो।

बालक : **(झपटकर, केवन की दाढ़ी पकड़कर)** मेरे गुरु को गाली देता है। गुरु को गाली।

केवन : दाढ़ी छोड़ो।

बालक : मैं तेरी जान ले लूँगा।

मिसेज़ केवन : दाढ़ी छोड़।

(सिपाही और मिसेज़ केवैन दाढ़ी छुड़ाने की कोशिश करते हैं। दाढ़ी छोड़ने के लिए कहते हैं। किन्तु वह बालक दाढ़ी नहीं छोड़ता। वह कहता जाता है–"मेरे गुरु को गाली दी। मैं तुमको नहीं छोडूंगा।")

केवन : हाथ काट दो इसके।

(सिपाही तलवार निकाल कर बालक के हाथ काटता है चीख के साथ बच्चा गिरता है। वैसे ही तोप के छूटने की आवाज सुनाई पड़ती है, जिसका धुआं मंच पर छा जाता है।)

(दृश्य समाप्त)

कांग्रेस की स्थापना

सूत्रधार : ब्रिटिश साम्राज्य के सभी राजनेताओं, विचारकों और प्रशासकों की केवल एक चिन्ता थी- कैसे हिन्दुस्तान में 1857 को दोबारा होने से रोका जाए? इस समस्या का समाधान ढूंढ़ा-एक अवकाश प्राप्त आई.सी.एस. अधिकारी ए.ओ. ह्यूम ने। वह सन् 1857 में अपना समाधान लेकर वाइसराय डफरिन से मिलने पहुँचा।

दृश्य-8

(क्लब में कई जोड़े (गोरे) बॉल-रूम डांस कर रहे हैं। वहीं एक कुर्सी पर बैठा वाइसराय डफ़रिन व्हिस्की पी रहा है। ह्यूम का प्रवेश)

ह्यूम : गुड मार्निंग सर।

डफरिन : आओ आओ, ह्यूम। बैठो।

ह्यूम : आज मैं आपके पास खास काम से आया हूँ।

डरफिन : पता नहीं कैसे तुमने इस मुल्क में 45 साल काट लिए? मुझसे तो एक-एक दिन काटना मुश्किल हो रहा है। हर तरफ से खबरें आ रही हैं कि हिन्दुस्तानी अंग्रेजी तख्ता पलटने का इन्तजार कर रहे हैं। तैयारी कर रहे हैं। हम एक बारूद के ढेर पर बैठे हैं। कहीं से भी उड़ती चिनगारी आई तो बस...

ह्यूम : इसी के बारे में मैं आपसे बात करने आया हूँ। मैंने इसके बारे में बहुत सोचा...

डफरिन : सोच तो हम सब रहे हैं। लेकिन यह बताओ इस प्रॉब्लेम का कोई सोल्यूशन है?

ह्यूम : **(आत्म-विश्वास से)** सोल्यूशन है।

डफरिन : सोल्यूशन है?

ह्यूम : हाँ। मेरे पास सोल्यूशन है।

डफरिन : गुड। क्या है सोल्यूशन? हम सुनना चाहेंगे।

ह्यूम : लार्ड मैकॉले के इंगलिश स्कूल बहुत अच्छे चल रहे हैं?

डफरिन : हाँ। उसमें नेटिव्ज बहुत जा रहे हैं। हमारे स्कूल भारी तादाद में ऐसे हिन्दुस्तानी पैदा कर रहे हैं जो सिर्फ कलर और ब्लड में हिन्दुस्तानी हैं, टेस्ट और थिंकिंग में इंगलिश। काला इंगलिश। **(हंसता है)** मैकॉले ने जैसा कहा था, वैसा ही हुआ।

ह्यूम : लेकिन एक जगह मैकॉले गलत साबित हुआ?

डफरिन : क्यों?

ह्यूम : इंगलिश एजूकेशन से नेटिव सोचने लगा है। उसका माइन्ड डवलप हो गया है। वह अपना फैसला खुद लेने लगा है।

डफरिन : ठीक कहते हो। सुरेन्द्र नाथ बनर्जी ने कलकत्ता में इंडियन नेशनल कांफ्रेन्स बनाई है।

ह्यूम : यही तो मैं कहा रहा हूँ। इंगलिश एजुकेटेड नेटिव अब अंग्रेजों की तरह एक्ट भी करने लगा है। उसने अँग्रेजों की तरह अपने पोलिटिकल राइट्स के लिए एक एसोसिएशन बनाया है। लेकिन इसमें एक खतरा है, जो अगर आप इजाजत दें तो मैं बताना चाहूँगा।

डफरिन : श्योर।

ह्यूम : अगर सुरेन्द्र नाथ बैनर्जी और उसके बंगाली दोस्तों पर निगाह नहीं रखी गयी तो एक वक्त आएगा, जब वह हमारे खिलाफ ही आंदोलन चलाने लगेंगे। इसलिए जरूरी है इन इंगलिश ऐजूकेटेड इंडियन्स के एसोसिएशन्स को हम, अंग्रेज खुद सपोर्ट करें और गाईड करें।

डफरिन : ओह कम ऑन मिस्टर ह्यूम। यू वान्ट अस टु जॉयन द नेटिव्ज?

ह्यूम : जी हाँ। मैं बिल्कुल यही चाहता हूँ। मैं चाहता हूँ जैसा एसोसिएशन इंडियन्स ने बनाया है, वैसा हम लोग बनवाएँ। उसमें अंग्रेज और हिन्दुस्तानी दोनों हों।

डफरिन : इंटेरेस्टिंग।

ह्यूम : हिन्दुस्तानियों को आजाद होने से हम रोक नहीं पायेंगे। एक न एक दिन वह आजाद हो जाएंगे। वह दो तरीकों से आज़ाद हो सकते हैं। एक—वह आपनी आज़ादी हमसे छीन लें। दूसरा—हमारे ज़रिए चलाए कॉस्टीट्यूशनल रिफोर्म से । इसके लिए हमें नेटिव्ज को यूरोपियन सुधारों के रास्ते पर आगे बढ़ाना होगा। नेटिव्ज की राजनैतिक शिक्षा के काम में समय लगेगा, लेकिन जब तक उनकी यह शिक्षा चलेगी, तब तक हम अंग्रेज बिल्कुल सुरक्षित रहेंगे। नेटिव्ज की एनर्जी यूरोपियन नौलेज को हासिल करने में लगेगी। इस तरह हमारे विरुद्ध आन्दोलन नहीं होगा, जो हमें नुकसान कर सके।

(डफरिन सोचता हुआ घूमता है)

डफरिन : ह्यूम मैं तुम्हारी बात समझ गया। ये काम तुम्हीं करोगे।

ह्यूम : मैं?

डफरिन : हाँ तुम। तुम इंडिया को अच्छी तरह जानते हो। तुम नेटिव्ज के लीडर्स को भी जानते हो। इनका एक एसोसिएशन बनाओ। तुम

और दूसरे अंग्रेज इस एसोसिएशन को डायरेक्शन देंगे। देखोगे कि वह एक्सट्रीमिस्ट के हाथों में न जाने पाए।

ह्यूम : ये एसोसिएशन नेटिव्ज के लिए यूरोपियन पैटर्न पर कॉस्टीट्यूशलन रिफोर्मस की माँग करेगा। उनके लिए संघर्ष करेगा। नेटिव्ज वाइसराय की एक्जेक्यूटिव काउंन्सिल में सीट माँगेंगे। सीट के लिए एलेक्शन लड़ेंगे।

डफरिन : इस एसोसिएशन के जरिये ब्रिटिश सरकार को पता लगता रहेगा कि नेजिव्ज की शिकायतें क्या हैं, वह क्या सोचते हैं। कैसे रिएक्ट करते हैं, और हमारे खिलाफ कोई कॉन्स्पीरेसी तो नहीं कर रहे हैं।

ह्यूम : मैं इंडियन नेशलन कांग्रेस की स्थापना करना चाहता हूँ। इसका पहला सेशन बंगालियों से दूर सन् 1885 में बम्बई में होगा। कांग्रेस का यह सेशन ब्रिटिश सरकार के प्रति वफादारी प्रकट करेगा और हुकूमत में भागीदारी की माँग धीरे-धीरे करेगा। मुझे आपका अप्रूवल चाहिए।

डफरिन : यू हैव माई कम्पलीट सपोर्ट। गो अहेड।

(दृश्य समाप्त)

सूत्रधार : इस तरह स्थापना हुई भारतीय राष्ट्रीय कांग्रेस की-एक अंग्रेज द्वारा ब्रिटिश साम्राज्य के हित में, एक ''सेफ्टी-वाल्व'' के रूप में। कांग्रेस की स्थापना से भारतीय स्वतंत्रता संघर्ष दो धाराओं में विभक्त हो गया। एक धारा जो 1857 की क्रान्ति से चली आ रही थी-क्रांति-धारा तथा दूसरी धारा जिसका प्रारम्भ कांग्रेस की स्थापना से हुआ-सुधार धारा। संक्षेप में कहा जाए तो भारत की स्वाधीनता का इतिहास क्रांतिधारा और सुधार धारा की टकराहट का इतिहास है।

कांग्रेस के प्रथम अधिवेशन की सर डब्ल्यू सी बैनर्जी ने अध्यक्षता की थी और ए.ओ. ह्यूम महामंत्री थे। प्रमुख हिन्दुस्तानियों के अतिरिक्त उसमें अनेक अंग्रेज अधिकारी भी मौजूद थे। अध्यक्ष पद से बोलते हुए श्री डब्ल्यू सी बैनर्जी ने कहा—

दृश्य-9

बैनर्जी : कांग्रेस का यह अधिवेशन एक इतिहास की रचना करता है। आज से एक राष्ट्रीय संस्था की स्थापना हुई है, जो अंग्रेजों और हिन्दुस्तानियों के रिश्ते को और मजबूत करेगी। विचार-विमर्श के बाद हमने ब्रिटिश सरकार से कुछ माँगे रखी हैं। हम उम्मीद करते हैं कि ब्रिटिश सरकार हमारी माँगों पर विचार करके अपनी स्वीकृति देगी।

एक : अगर सरकार ने हमारी माँगें नहीं मानीं तो हम क्या करेंगे?

दो : यह सवाल बेमानी है। हमें अंग्रेज़ कौम की उदारता और न्यायप्रियता में विश्वास है। हमें विश्वास है, ब्रिटिश हाउस ऑफ कामन्स में, और अंग्रेजों की स्वतंत्र-प्रियता में। ...वैसे भी अंग्रेजों ने जहाँ भी अपना झंडा फहराया है और सरकार बनाई है, वहाँ उन्होंने जन-प्रतिनिधि सरकारें ही बनाई हैं।

तीन : हमें अंग्रेजों की न्यायप्रियता पर भरोसा होना चाहिए।

चार : अंग्रेज कौम से ज्यादा ताकतवर और ईमानदार कौम धरती पर नहीं है।

पांच : अगर हमें सफलता नहीं मिलती, तो हम सरकार के पास दोबारा जाएंगे। और तिबारा जाएंगे। बार-बार जाएंगे।

बैनर्जी : अब हम यह अधिवेशन समाप्त करने जा रहे हैं। अंत में एक बार हम ब्रिटिश सरकार के प्रति अपनी कृतज्ञता व्यक्त करते हुए दादाभाई नौरोजी के शब्दों में कहेंगे—हम सब मर्दों की तरह बोलें और घोषणा करें कि हम अपनी रीढ़ की हड्डी तक ब्रिटिश सरकार के वफ़ादार हैं। अब सब खड़े होकर मलका विक्टोरिया के लिए थ्री चियर्स बोलेंगे—हिप हिप—

सब : हुर्रे **(कुल तीन बार यह दोहराया जाता है)**

(दृश्य समाप्त)

मुस्लिम अलगाववाद का प्रारंभ

सूत्रधार : कांग्रेस की स्थापना के प्रारम्भ से ही मुसलमानों ने अपने आपको प्रायः कांग्रेस से दूर रखा। कांग्रेसियों की हर चंद कोशिश नाकामयाब रही, लेकिन मुसलमान ज्यादातर कांग्रेस से दूर रहे। 1885 के पहले कांग्रेस सेशन में 72 प्रतिभागियों में केवल दो मुसलमान थे। 1886 के दूसरे कांग्रेस सेशन में 143 प्रतिभागी आए थे, उनमें केवल 33 मुसलमान थे। सुरेन्द्रनाथ बैनर्जी ने बाद में लिखा कि इस महान् राष्ट्रीय कार्य में अपने देशवासी मुसलमानों का सहयोग प्राप्त करने के लिए हम लोग हर संभव कोशिश करते थे। हम कभी-कभी मुसलमान प्रतिभागियों को यात्रा का किराया देते थे तथा दूसरी सुविधाएं भी देते थे। किन्तु मुसलमानों ने अधिकांशतः कांग्रेस को सहयोग नहीं दिया।

दृश्य-10

(प्रकाशवृत्त में सर सैय्यद अहमद खां उद्‌भासित)

सर सैय्यद : कांग्रेस की हिन्दुस्तान के लिए ब्रितानी सरकार जैसी रिप्रेजेन्टेटिव सरकार की माँग है, जिसमें मेजोरिटी की हुकूमत होती है। अगर ऐसा होता है तो इसका मतलब होगा—हिन्दू हिन्दुस्तान में हमेशा हुकूमत करेंगे और मुसलमान कभी नहीं। ...मैं नहीं समझता कि कौमी कांग्रेस का क्या मतलब है क्या? इसके माने यह समझा जाए कि अलग-अलग ज़ातों, मज़हबों के लोग जो हिन्दुस्तान में रहते हैं, वह एक कौम के हैं या एक कौम के हो सकते हैं। वह कांग्रेस जो हिन्दुस्तान को एक क़ौम समझती है, वह किसी भी नाम से आए मैं ऐसी हर कांग्रेस को नामंजूर करता हूँ।

(दृश्य समाप्त)

सूत्रधार : दोकौमी सिद्धांत, जिसके आधार पर मोहम्मद अली जिन्ना ने देश को विभाजित किया, असल में सर सैय्यद की ही देन थी। सर सैय्यद ने अंग्रेजों द्वारा हिन्दुस्तानियों को गुलाम बनाए रखने का एक नया हथियार दिया-हिन्दुस्तान में हिन्दु-मुस्लिम विभेद।

अंग्रेजों ने इस हथियार का पूरी तरह इस्तेमाल किया। अंग्रेजों ने मुस्लिम सांप्रदायिकता को भड़काकर भारत की उभरती हुई राष्ट्रीयता को क्षीण करने का उपक्रम किया। बंगाल विशेषकर कलकत्ता उस समय राष्ट्रवादी आंदोलनों का गढ़ बन रहा था। अतएव वाइसराय लॉर्ड कर्जन ने क्रांतिकारी गतिविधियों को रोकने के लिए मुस्लिम सांप्रदायिकता का सहारा लिया। बंगाल को विभाजित करके दो भागों में बांट देने का उसने निश्चय किया।

दृश्य-11

(गवर्नर जनरल की अंतरंग बैठक)

कर्जन : बंगाल पार्टीशन के जरिये ब्रिटिश गवर्नमेंट की यह कोशिश है कि कलकत्ते की इम्पोर्टेन्स को कम करके बंगाली आबादी का बंटवारा किया जाए। इस तरह एक सेंटर फिनिश हो जाएगा, जहाँ से बंगाल और पूरे देश में कांग्रेस पार्टी की गाइडेन्स होती है और अंग्रेजी सरकार के खिलाफ साजिशें की जाती हैं।

एक : इंटेलीजेन्स की रिपोर्ट है कि अगर बंगाल विभाजित हुआ तो दंगे होंगे। आंदोलन होंगे।

कर्जन : मैं जानता हूँ। इसका अपोजीशन होगा। अगर हमने इसको अभी नहीं दबाया तो हम बंगाल को कभी डिवाइड नहीं कर पायेंगे। अपोजीशन को न दबा पाने का मतलब होगा– पहले से ही मजबूत ताकत को और मजबूत बनने का मौका देना।

दो : इस डिवीजन से बंगाली कैसे कमजोर होंगे? लार्ड कर्जन, इसे और एलूसिडेट करें।

कर्जन : सिम्पल। ईस्ट बंगाल, जिसका कैपिटल ढाका होगा, उसमें एक करोड़ बीस लाख बंगाली हिन्दू होंगे और एक करोड़ अस्सी लाख मुसलमान। मुसलमान हमारे साथ हैं। वे मेजारिटी में होने की वजह से बंगाली हिन्दुओं को दबाकर रखेंगे।

दो : और पश्चिमी बंगाल में?

कर्जन : एक करोड़ सत्तर लाख बंगाली, लेकिन 3 करोड़ सत्तर लाख

उड़िया और हिन्दी बोलने वाले। इस तरह हम बंगाल के पार्टीशन के बाद दोनों ही बंगाल में बंगाली हिन्दुओं को माइनार्टि में बना देंगे। ये बंगाली हिन्दू ही ब्रिटिश राज के असली दुश्मन हैं।

(दृश्य समाप्त)

सूत्रधार : प्रस्तावित बंगाल विभाजन के विरुद्ध जबर्दस्त विरोध की लहरें उठीं। हजारों विरोध-सभाएं हुईं, परचे बांटे गये, अंग्रेज सरकार को अनगिनत ज्ञापन भेजे गये, हज़ारों हज़ारों दस्तख़तों के साथ याचिकाएं दी गयीं। "हितवादी", "बंगाली" और "संजीवनी" नामक अखबारों और पत्रिकाओं के माध्यम से आंदोलन छेड़ा गया, लेकिन सरकार टस-से-मस न हुई। सरकार ने 10 जुलाई, 1905 को ऐलान कर दिया कि 16 अक्टूबर, 1905 से विभाजन प्रभावी होगा। बस फिर क्या था। पूरे बंगाल में जैसे आग लग गयी। 7 अगस्त, 1905 को कलकत्ते के टाउन हॉल में ऐतिहासिक बैठक हुई। इसमें सुरेन्द्रनाथ बैनर्जी अध्यक्ष थे।

दृश्य-12

(सुरेन्द्रनाथ बैनर्जी प्रकाशवृत्त में उद्‌भासित होते हैं)

बैनर्जी : अगर हम इंग्लैण्ड में बने माल को खरीदना बंद कर दें तो इंग्लैण्ड की कमर टूट जाएगी। ब्रिटिश राज से बदला लेने का एक यही रास्ता है। हम लोग आज से विदेशी वस्तुओं का बहिष्कार करते हैं। साथ ही हम शपथ लेते हैं कि केवल स्वदेशी वस्तुओं का उपयोग करेंगे। वन्देमातरम्!

(वन्देमातरम् के साथ विदेशी कपड़ों की होली)

(दृश्य समाप्त)

सूत्रधार : बंगाल में स्वदेशी आंदोलन के कर्णधार थे विपिन चन्द्र पाल, सरदार भगतसिंह के चाचा अजीत सिंह तथा अरविन्द घोष। स्वदेशी आंदोलन बंगाल तक ही सीमित नहीं रहा। लाला लाजपतराय और अजीत सिंह के नेतृत्व में स्वदेशी आंदोलन पंजाब में भी पहुँचा। रावलपिंडी, मुलतान, कांगड़ा और हरिद्वार में विदेशी वस्तुओं की होली जलाई गयी। सैय्यद हैदर रज़ा के नेतृत्व में दिल्ली में तथा

चिदम्बरम पिल्लै के नेतृत्व में मद्रास प्रेसीडेंसी में स्वदेशी आंदोलन ने जोर पकड़ा। लोकमान्य तिलक ने मुंबई और पुणे में स्वदेशी का संदेश पहुँचाया। **(गगनिका पर तिलक, अजित सिंह, लाजपतराय, विपिन चन्द्र पाल, सैय्यद हैदर रजा के चित्र)** बंग-भंग के विरुद्ध स्वदेशी आंदोलन 1857 की क्रांति के बाद पहला स्वतंत्रता-संघर्ष था, जिसकी अनुगूंज पूरे देश में सुनाई पड़ी थी।

वन्देमातरम्

दृश्य-13

(एक अंग्रेज सार्जेन्ट और एक हिन्दुस्तानी सिपाही मंच पर आते हैं। अचानक नेपथ्य से वन्देमातरम् की आवाज सुनाई पड़ती है।)

सिपाही : हुजूर, वन्देमातरम्!

सार्जेन्ट : वन्देमातरम् बोला?

सिपाही : हुजूर बोला। वन्देमातरम्।

सार्जेन्ट : **(बिगड़कर)** वन्देमातरम् बोलता?

सिपाही : **(घबराकर)** हाँ हुजूर बोलता।

सार्जेन्ट : तुम बागी हो गया। तुम वन्देमातरम् बोलता! आई विल किल यू। **(सिपाही का गला पकड़ता है।)**

सिपाही : मैं नहीं बोला। हुजूर, मैं वन्देमातरम् नहीं बोला।

सार्जेन्ट : तो कौन बोला?

सिपाही : उधर बोला। लड़का लोग बोला। बागी लोग बोला।

सार्जेन्ट : कहाँ है वह लड़का लोग?

सिपाही : उधर! उधर!

(सार्जेन्ट सिपाही द्वारा बताई गयी दिशा में जाता है। लड़का दूसरी ओर से भागता मंच पर आता है। उसे सिपाही पकड़ लेता है।)

सिपाही : किधर भागते हो बच्चू। मेरे शिकंजे से बच पाना आसान नहीं है। मैंने अंग्रेज का नमक खाया है। मैं जयकिशन नहीं जो मुझसे बच

जाओ। मैं अब जैक्सन हूँ। जैक्सन। मैंने मैंचेस्टर की वर्दी पहनी है, लिवरपूल का नमक खाया है। तुम बोले थे वन्देमातरम्?

(लड़का गले से आवाज़ निकालकर और हाथ के इशारे से बताता है कि वह बहरा और गूंगा है।)

सिपाही : ऐं, यह तो बहरा–गूंगा है। यह कैसे बोलेगा वन्देमातरम्?

(सार्जेन्ट दौड़ता हुआ वापस आता है।)

सार्जेन्ट : वह बदमाश तो भाग गया। ये कौन है? क्या यह भी वन्देमातरम् बोला था?

सिपाही : यह तो बहरा-गूंगा है। यह कैसे बोलेगा?

सार्जेन्ट : यह झूठा है। सब बंगाली हिन्दू बागी हैं। **(नेपथ्य से वन्देमातरम् की आवाज़ आती है)**। **(उधर जाने को बढ़ता है)** मैं देखता हूँ उस बदमाश को।

लड़का-2 : **(दूसरी तरफ से प्रवेश करते हुए)** साहब! साहब!

सार्जेन्ट : **(जाते-जाते रुककर)** क्या है?

लड़का-2 : गॉड सेव द किंग!

सार्जेन्ट : क्या माँगता?

लड़का-2 : साहब, मैं जानता हूँ कि वह लड़का जो वन्देमातरम् बोलता है, कहाँ छिपा है।

सार्जेन्ट : कहाँ छिपा है? बताओगे, तो इनाम मिलेगा। **(दो लड़के और आ जाते हैं।)**

लड़का-3 : साहब! हम लोग भी जानते हैं उस लड़के को।

लड़का-4 : वह वन्देमातरम् बोलने वाला लड़का! साहब मैं भी उसको जानता हूँ।

सार्जेन्ट : तो बताओ कहाँ है वह ? एक बार मिल जाए तो फिर नहीं बोल पायेगा।

लड़का-2 : आप वन्देमातरम् बोलने वाले को ढूंढ रहे हैं।

सार्जेन्ट : हाँ।

लड़का-2 : वह तो मैं हूँ। मैं ही बोलता हूँ वन्देमातरम।

सार्जेन्ट : **(लड़के-2 की तरफ डंडा मारने को बढ़ता है।)** यू रास्कल! **(लड़का-2 नेपथ्य में भाग जाता है। सार्जेन्ट उसके पीछे जाता है,**

तो लड़का-3 वन्देमातरम् बोलता है। सार्जेन्ट लड़का-2 को छोड़कर लड़का-3 के पीछे भागता है, तभी लड़का-4 पीछे से बोलता है—वन्देमातरम्।)

सार्जेन्ट : **(सिपाही से)** उसको छोड़ो। उन बदमाशों का पीछा करो। **(जैसे ही सिपाही लड़का-1 को छोड़कर लड़का-4 के पीछे भागता है, तो वह भी वन्देमातरम् बोलता है। चार लड़के चार तरफ से एक-एक करके "वन्देमातरम्" बोलते हैं। सार्जेन्ट कभी एक के पीछे, तो कभी दूसरे के पीछे भागता है।)**

सिपाही : **(सार्जेन्ट की ओर इशारा करके)** यह वन्देमातरम् तो अंग्रेजी सरकार को नचा रहा है। जब गूंगा भी वन्देमातरम् बोलने लगे, तो समझो हो गयी छुट्टी अंग्रेजों की।

(नेपथ्य से वन्देमातरम् गायन)

(दृश्य समाप्त)

दृश्य-14

(वन्देमातरम् गाते हुए लोगों का दल)

(दृश्य समाप्त)

सूत्रधार : 16 अक्टूबर, 1905 को जिस दिन बंगाल का विभाजन हुआ, पूरे बंगाल में शोक-दिवस मनाया गया। लोगों ने उपवास किया उनके घरों में चूल्हे नहीं जले। राष्ट्रीय गीत गाते प्रभातफेरियाँ निकलीं। हजारों लोगों ने गंगा में स्नान करके काली के मन्दिर में जाकर संघर्ष चलाए रखने के लिए शपथ ली। एक-दूसरे को राखी बांधी। अब तक कांग्रेस के अधिवेशन रईसों और वकीलों की महफिल होते थे, जिसमें वे हर साल बड़े दिन की छुट्टी काटने भाग लेते थे। स्वदेशी आंदोलन सही अर्थों में पहला धरती से जुड़े लोगों का आंदोलन था, जिसकी बैठकों में 70-75 हजार लोग भाग लेते थे, और एक साथ गगनभेदी शब्दों में वन्देमातरम् का जयघोष करते थे। वन्देमातरम् इस आंदोलन का युद्धघोष था।

मुसलमान प्रतिनिधि मंडल-1.10.1906

सूत्रधार : बंगाल के विभाजन से भड़के वन्देमातरम् आन्दोलन की तीव्रता को देखकर अंग्रेजों को लगा कि अगर कुछ कारगर उपाय नहीं किये गये तो उनका हिन्दुस्तान से जल्दी ही बोरिया बिस्तर उठ जाएगा। उन्होंने राष्ट्रीय आन्दोलन को शिथिल करने के लिए हिन्दुओं और मुसलमानों के बीच खाई डालने की योजना बनाई।

अंग्रेजों की योजना के अनुसार मुसलमानों का एक डेलीगेशन आगा खां की अध्यक्षता में अक्टूबर 1906 को वाइसराय मिन्टो से मिला। जैसा वाइसराय लार्ड मिन्टो ने चाहा था, उसमें सभी सूबों के नामी-गिरामी मुसलमान शामिल थे। इस डेलीगेशन ने वायसराय को वही "एड्रेस" पेश किया जिसका मसविदा अलीगढ़ कॉलेज के प्रिन्सिपल सार्कीबौल्ड ने तैयार करवाया था।

दृश्य-15

(वाइसराय कुर्सी पर बैठा हुआ दिखाई पड़ता है। मुस्लिम डेलीगेशन के सदस्य प्रवेश करके वाइसराय को सलाम करते हैं)

मिन्टो : **(सलाम का उत्तर देते हुए)** सलोम! सलोम! मैं ऑल इंडिया मोहमडन डेपूटेशन को 'वेलकम' करता हूँ। मुझे इस बात की खुशी है कि इस डेपूटेशन के लीडर आगा खॉन साहब हैं, जो ब्रिटिश एम्पायर के दोस्त हैं। मैं उनको भी वेलकम करता हूँ। **(सब ताली बजाते हैं।)**

मिन्टो : मैं आगा खां साहब से रिक्वेस्ट करूँगा कि वह अपनी माँगों को 'इन ब्रीफ' मुझे बताएं।

आगा खां : मैं सबसे पहले हिन्दोस्तान के सभी मुसलमानों की तरफ से जनाब वाइसराय साहब को यक़ीन दिलाना चाहूँगा कि सब मुसलमान दिलो-जान से बर्तानी हुकूमत के वफ़ादार हैं।

मिन्टो : थैंक्यू वेरी मच।

आगा खां : हिन्दोस्तान के मुस्लिम उम्मां की कुछ माँगें हैं। माँगों की तहरीर मैं आपकी ख़िदमत में बाद में पेश करूँगा। फ़िलहाल उनमें से कुछ ख़ास माँगों की तरफ आपकी तवज्जोह चाहूँगा। हिन्दोस्तान में ब्रिटिश सरकार की तर्ज़ पर बनाई गइ "रिप्रेज़ेन्टेटिव" सरकार मुसलमानों को कबूल नहीं होगी। "मेजोरिटी" के ज़रिये बनाई गयी सरकार "माइनोरिटीज़" के साथ इंसाफ नहीं कर सकती। हम मुसलमान अपनी क़ौम की भलाई 'अनसिम्पेथेटिक मेजोरिटी' के फैसले पर छोड़ने को तैयार नहीं हैं।

मिन्टो : यू आर राइट।

आगा खां : किसी भी क़ौम का दर्जा सरकारी नौकरी में उसके हिस्से पर मुनस्सर होता है। इसलिए हमारी दरख़्वास्त है कि गज़टेड नौकरियों में, मातहत नौकरियों में और बाबू की नौकरियों में मुसलमानों को वाजिब हिस्सा मिले। शुक्रिया। **(सलाम करके बैठ जाता है)।**

मिन्टो : **(पढ़ते हुए)** आग़ा खां साहब और आपके साथ आए सब मुआज़्ज़िज़ मुसलमान साहिबान, मैं आपका शुक्रगुजार हूँ कि आपने मुझे मुसलमानों की वाजिब माँगों की, और हमारी "एम्पायर" की "पॉलिटकल हिस्ट्री" में भागीदारी करने के उनके फैसले की तारीफ़ करने का मौक़ा दिया। आपकी माँग का लुब्बेलुबाब यह है कि कोई भी "रिप्रेजेन्टेटिव सिस्टम", चाहे वह म्युनिसिपेल्टी में हो या डिस्ट्रीक्ट बोर्ड में या लेजिस्लेटिव काउंसिल में, अगर लागू किया जाए, तो मुस्लिम कम्युनिटी का रेप्रजेन्टेशन कम्युनिटी की शक्ल में होना चाहिए।

"आप लोगों की यह माँग जस्ट है" कि आप लोगों के इंटेरेस्ट का केलकुलेशन आपकी पोपुलेशन के ज़रिए नहीं होना चाहिए, बल्कि आपकी कौम की पालिटिकल इम्पोर्टेन्स और एम्पायर को दी गयी आपकी ख़िदमत पर मुनस्सर होना चाहिए।

(दृश्य समाप्त)

सूत्रधार : अंग्रेजों का अपने देश से हजारों मील दूर भारत में अपने राज को बनाए रखने का केवल एक नुस्खा था–

"हिन्दुस्तानियों को हिन्दुस्तानियों से लड़ाना।"

दिसम्बर 1906 में मुस्लिम लीग की स्थापना के पहले भारत की आजादी की लड़ाई में दो धारायें थी। एक क्रान्तिधारा, दूसरी सुधार धारा। अब एक तीसरी धारा का श्रीगणेश हुआ... मुस्लिम-अलगाव की धारा।

नरमदल और गरमदल

दृश्य-16

कांग्रेसी 1 : ये गरम दल के लोग बाल गंगाधर तिलक को कांग्रेस के सूरत अधिवेशन का प्रेसीडेन्ट बनाना चाहते हैं।

कांग्रेसी 2 : हमें क्या करना चाहिए?

कांग्रेसी 1 : यह भी तय हो गया है। हम लोग तिलक को कांग्रेस का प्रेसीडेन्ट नहीं बनने देंगे।

कांग्रेसी 2 : तो किसको बनाएंगे?

कांग्रेसी 1 : रासबिहारी घोष को।

कांग्रेसी 2 : इतना आसान नहीं है तिलक को हटाना। मराठे उनकी पूजा करते हैं। गुजराती भी उनके कम भक्त नहीं हैं।

कांग्रेसी 1 : हमें मालूम है। उसका भी इन्तजाम कर लिया है।

कांग्रेसी 2 : क्या इन्तजाम कर लिया है?

कांग्रेसी 1 : इतने आदमी बुला लिए गये हैं कि गरम दल वाले उनके आगे कम पड़ जाएंगे। हम लोग नहीं चाहते कि अंग्रेजों से सीधी लड़ाई लड़कर आफ़त मोल लें।

कांग्रेसी 2 : तिलक जी तो यही चाहते हैं– हम अंग्रेज को उखाड़ फेंके।

कांग्रेसी 1 : **(चिढ़ाते हुए)** अंग्रेज को उखाड़ फेंके। अंग्रेज कोई गाजर-मूली हैं, जो उखाड़ फेंकेंगे। अंग्रेज इतने कमज़ोर होते तो पूरे हिन्दुस्तान पर उनका राज न होता। पूरी दुनिया में उनकी हकूमत है। अंग्रेजी राज में कभी सूरज नहीं डूबता।

कांग्रेसी 2 : ठीक कहते हो। ऐसे अंग्रेजों से लड़ाई करना। ये तो वही हुआ ''आ बैल मुझे मार''। जानबूझ कर आग में कूदना।

कांग्रेसी 1 : अंग्रेजों ने वादा किया है कि जब हिन्दुस्तानी इस क़ाबिल हो जाएंगे कि वह इस मुलक में अपनी हुकूमत चला सकें तो वह खुद-ब-खुद चले जाएंगे। अंग्रेज भले आदमी हैं। हमें उन पर भरोसा करना चाहिए। लेकिन ये तिलक जैसे गरम दल के लोग कांग्रेस को बदनाम करेंगे और हम सबको मरवायेंगे।

कांग्रेसी 2 : तो अब करना क्या है?

कांग्रेसी 1 : सब इन्तजाम हो गया है। हम तिलक को प्रेसीडेन्ट नहीं बनने देंगे। ब्रितानी सरकार हमारे साथ है। वह भी परदे के पीछे से नरम दल की मदद कर रही है। बस देखते चलो। तिलक और उनके गरम दल को तो दूध की मक्खी की तरह से कांग्रेस से निकाल दिया जाएगा।

कांग्रेसी 2 : कैसे?

कांग्रेसी 1 : कहा न, सब इन्तजाम कर दिया है। सन् 1907 का यह सूरत का कांग्रेस अधिवेशन इतिहास में याद किया जाएगा। **(आँख मारकर)** बस देखते जाओ।

(दृश्य समाप्त)

सूरत कांग्रेस-1907

दृश्य-17

(सूरत अधिवेशन। कुछ नेता मंच पर हैं। बाकी सब सामने बैठे हैं)

नेता 1 : मैं कांग्रेस के सूरत अधिवेशन के लिए अध्यक्ष पद के लिए बाबू रास बिहारी घोष का नाम प्रस्तावित करता हूँ।
(भीड़ ताली बजाती है)

नेता 2 : मैं श्री बाल गंगाधर तिलक का नाम प्रस्तावित करता हूँ।
(भीड़ चिल्लाती है– नहीं नहीं)।
(कुछ लोग आगे बढ़कर नेता-2 को भगा देते हैं। एक व्यक्ति पीछे से जूता फेंकने का उपक्रम करता है। दृश्य "जड़" हो जाता है।)

सूत्रधार : गरम दल को लगा कि नरम दल वाले साजिश करके बाल गंगाधर

तिलक को कांग्रेस का अध्यक्ष नहीं बनने देना चाहते। इसलिए गरम दल के किसी एक अनुयायी ने मंच पर जूता फैंका, जो सर सुरेन्द्रनाथ बनर्जी के सिर को छूता हुआ सर फीरोजशाह मेहता से टकराया। बस फिर क्या था। दोनों दलों में खुलकर जूतम-पैज़ार शुरू हो गयी।

(कांग्रेस के अधिवेशन के सामने सफेद पर्दा आ जाता है जिस पर परछाई में दोनो दलों की हाथापाई दिखाई पड़ती है और शोर-शराबा सुनाई पड़ता है।)

(दृश्य समाप्त)

क्रान्तिधारा

(गगनिका पर खुदीराम बोस तथा प्रफुल्ल कुमार चाकी के चित्र)

सूत्रधार : तीस अप्रैल 1908 का दिन भारतीय इतिहास में सुनहरे अक्षरों में लिखा जाएगा। 30 अप्रैल 1908 को खुदीराम बोस ने कलकत्ता के चीफ प्रेसीडेन्सी मजिस्ट्रेट मि0 किंग्सफोर्ड को मारने के लिए उनकी बग्घी पर बम फेंका था। भारतीय स्वतंत्रता के लिए किसी अंग्रेज पर फेंके जा कर विस्फोटित होने वाला यह पहला हिन्दुस्तानी बम था।

(बम की आवाज)

दृश्य-18

(पुलिस की सीटियों की आवाज़। दो नवयुवक दो अलग-अलग दिशाओं में भागते हैं। पुलिस दोनों का पीछा कर रही है। एक नवयुवक को पुलिस घेरकर, उस पर गोली चलाती है। वह नवयुवक वहीं गिरकर शहीद हो जाता है। दूसरे युवक को पुलिस घेरकर गिरफ्तार कर लेती है।)

(दृश्य समाप्त)

सूत्रधार : बम-विस्फोट के बाद खुदीराम बोस तथा उनके साथी प्रफुल्ल कुमार चाकी दो दिशाओं में अलग-अलग भागे। प्रफुल्ल कुमार

चाकी पुलिस मुठभेड़ में शहीद हो गया। खुदीराम को गिरफ्तार करके मुकदमा चलाया गया। उसे फांसी की सज़ा सुनाई गयी। 11अगस्त 1908 को एक हाथ में गीता लेकर वन्देमातरम् का उद्घोष करके खुदीराम बोस हंसते-हंसते फांसी पर लटक गया। उसकी आयु मात्र सत्रह वर्ष थी।

(गगनिका पर खुदीराम बोस का चित्र)

सूत्रधार : क्रान्ति के इस दौर में हजारों नवयुवकों ने ब्रितानी साम्राज्य को उखाड़ फेंकने के लिए शस्त्र उठाए। इस महासमर में अनेकों ने अपने प्राण और लहू से भारत माँ के चरणों में महावर रचा।

सूत्रधार : जिस समय भारत माँ के सपूत अपनी तरूणाई के प्रथम आवेश में भारत माँ के चरणों में अपने शीश अर्पण कर रहे थे, उस समय सुदूर दक्षिण अफ्रीका में कांग्रेस के भावी कर्णधार महात्मा गांधी अपने अहिंसात्मक सत्याग्रह के प्रयोग कर रहे थे।

(गगनिका पर महात्मा गांधी का चित्र)

महात्मा गांधी को भारतीय क्रांतिकारियों की हिंसात्मक गतिविधियां स्वीकार नहीं थी। उन्होंने अपने अख़बार *इंडियन ओपीनियन* में सन् 1908 में लिखा–

दृश्य-19

(प्रकाशवृत्त महात्मा गांधी को उद्भासित करता है। महात्मा गांधी मेज़ पर बैठे लिखते दिखाई पड़ते हैं। फिर वह अपने लिखे को पढ़ते हैं।)

गांधी : "बहुत से लोग बम फूटने पर खुश होते हैं। इसमें उनकी नासमझी और अज्ञान ही पता लगता है। अगर सब अंग्रेजों की हत्या हो जाए, तो जो उनकी हत्या करेंगे वह हिन्दुस्तान के मालिक बन जाएंगे और हिन्दुस्तान गुलाम ही बना रहेगा। वह बम जिससे अंग्रेजों की हत्या होगी, वह बम अंग्रेजों के जाने के बाद भारत पर गिरेगा"।

(दृश्य समाप्त)

सूत्रधार : उस समय भारत के बाहर विदेशों में भी भारतीय चुपचाप नहीं

थे। अंग्रेजी हुकूमत को उखाड़ फेंकने के लिए वह भी कटिबद्ध थे। 1857 के प्रथम स्वतंत्रता युद्ध की अर्धशताब्दी स्वातंत्र्य-वीर विनायक दामोदर सावरकर की पहल पर इन लोगों ने लंदन में 1908 में मनाई।

मदनलाल धींगरा

दृश्य-20

(मदन लाल क्रोध में सावरकर के पास आकर बैठ जाता है।)

सावरकर : क्या बात है मदनलाल। बहुत ख़ामोश हो। क्या गुस्से में हो।

धींगरा : हाँ मैं गुस्से में हूँ। लेकिन तुमसे नहीं सावरकार।

सावरकर : तो किससे?

धींगरा : उन फिरंगियों से। हरामज़ादे!

सावरकर : क्या हुआ?

धींगरा : 1857 की अर्धशताब्दी पर जो बैज तुमने दिया था, वह मैं कोट में लगाकर कालेज गया था। वहाँ दूसरे गोरे लड़कों ने मज़ाक बनाया। मैं एक-एक को देख लूँगा।

सावरकर : इन सबके पीछे सर कर्ज़न वाइली का हाथ है। वह हम हिन्दुस्तानियों के पीछे पड़ा है। अगर देखना ही है तो सर कर्ज़न वाइली को देखो।

धींगरा : मैं किसी से नहीं डरता। उसे भी देख लूँगा। मैं प्रण करता हूँ।

सावरकर : धींगरा, यह चाय के प्याले का तूफ़ान है?

धींगरा : नहीं, यह क्रान्तिकारी के हृदय का तूफ़ान है। जब चाहो देख लेना, सावरकर।

सावरकर : देखूँ?

धींगरा : हाँ देख लो।

सावरकर : हथेली खोलकर मेज पर रखो। **(धींगरा वैसे ही करता है।)** इस सूजे से हाथ में छेद कर दूँ? डरोगे नहीं?

धींगरा : डर किस चिड़िया का नाम है? कर दो छेद। **(सावरकर हथेली में सूजा घुसाता है। धींगरा अडिग रहता है।)**

सावरकर : धींगरा तुम पास हो गये। तुम बेशक सर कर्ज़न वाइली का उद्धार कर सकते हो, जैसे भगवान राम ने रावण का उद्धार किया था और कृष्ण ने कंस का।

(दृश्य समाप्त)

सूत्रधार : उन दिनों इंग्लैंड में पढ़ने वाले भारतीय विद्यार्थियों को अंग्रेज भक्त बनाये रखने के लिए सरकार द्वारा प्रायोजित 'इंडियन नेशलन असोसिएशन' स्थापित करवाया था। योजनानुसार धींगरा सावरकर का साथ छोड़कर 'इंडियन नेशनल असोसिएशन' का सदस्य बन गया। एक जुलाई 1908 को असोसिएशन के वार्षिकोत्सव में जब सर कर्ज़न वाइली मुख्य अतिथि बनकर पहुँचा तो उसका स्वागत करने मदनलाल धींगरा सबसे आगे बढ़-चढ़कर था।

दृश्य-21

(वाइली का प्रवेश। दो तीन हिन्दुस्तानी विद्यार्थी उसके गले में माला डालते हैं)

धींगरा : सर, वैलकम टू इंडियन नेशनल असोसिएशन।

वाइली : हलो। **(हाथ बढ़ता है तभी मदनलाल उस पर रिवाल्वर से गोली बरसाता है। वाइली चीखता हुआ गिर पड़ता है।)**

(दृश्य समाप्त)

दृश्य-22

(प्रकाशवृत्त में धींगरा दिखाई पड़ता है।)

धींगरा : **(कैदी कटघरे से)**

मैं यह स्वीकर करता हूँ मैंने एक अंग्रेज़ का खून बहाया है। वह इसलिए बहाया है कि मैं भारतीय देशभक्त नौजावानों को फांसी पर लटकाए जाने का बदला ले सकूं।

मैंने जो कुछ किया है, ठीक किया है। अंग्रेजों को भारत को अपने कब्जे में रखने का कोई अधिकार नहीं है। अगर जर्मन लोग इंग्लैड पर अधिकार कर लें तो अंग्रेज लोग वही करेंगे जो मैंने किया है। आप लोग मुझे मृत्युदंड दे सकते हैं। मेरी मृत्यु

अंग्रेजी शासन के विरुद्ध आग भड़काने का काम करेगी। भारत माता की जय!

(दृश्य समाप्त)

दृश्य-23

(प्रकाशवृत्त में गांधी जी दिखाई पड़ते हैं।)

गांधी : मैं यह नहीं मानता कि धींगरा के कार्य से देश का हित हुआ है। मैं यह कहना चाहूँगा कि जो लोग यह समझते हैं कि ऐसी हत्यायें देश का भला करेंगी, वे नासमझ हैं। ...अगर इन हत्याओं की वजह से ब्रिटिश चले भी जायें तो उनकी जगह कौन हुकूमत करेगा? इसका केवल एक उत्तर है—हत्यारे। ...हिन्दुस्तान हत्यारों की हुकूमत से कुछ नहीं पायेगा।...

(दृश्य समाप्त)

सूत्रधार : कांग्रेस में नरम दल और गरम दल के झगड़े में ब्रिटिश सरकार नरम दल को बचाने आगे आई। उसने गरम दल के नेता बाल गंगाधर तिलक को गिरफ्तार करके छह साल के लिए भारत से दूर माँडले जेल में डाल दिया। इसी प्रकार लाला लाजपत राय को भी विदेश में शरण लेनी पड़ी। गरम दल के अन्य नेताओं को भी जेल में डाल दिया गया। गरम दल के नेताओं को जेल में डाल दिये जाने के बाद, नरम दल के गोपाल कृष्ण गोखले का कांग्रेस पर एकछत्र कब्जा हो गया। कांग्रेस एक बार फिर से अंग्रेजों के हित साधने वाली अंग्रेजों की वफादार संस्था बन गयी।

इन्हीं दिनों दक्षिण अफ्रीका में प्रवासी भारतीयों के नेताओं में मोहनदास करमचन्द गांधी का नाम अखबारों में जोर-शोर से छप रहा था।

गांधी जी ने दिसम्बर 1913 में दक्षिण अफ्रीका का अंतिम सत्याग्रह घोषित किया।

(केवल गांधी का चित्र बड़ा होकर गगनिका पर दिखाई पड़ता है।)

दृश्य-24

(गांधी जी का प्रेस कान्फ्रेंस)

पत्रकार : गांधी जी आपने सत्याग्रह डिक्लेयर किया है। क्यों?

गांधी : आप सब जानते हैं कि यहाँ दक्षिण अफ्रीका में रहने वाले हिन्दुस्तानियों की शिकायतें हैं और उनकी शिकायतों पर जांच करने के लिए स्मट्स गवर्नमेंट ने तीन मेम्बर्स की कमीशन बनाई है।

पत्रकार : आप नहीं चाहते कि जांच हो?

गांधी : मैं तो चाहता ही हूँ कि जांच हो। ट्रूथ इज माई गॉड, माई रेलीजन।

पत्रकार : तब फिर सत्याग्रह क्यों?

गांधी : हमने सरकार से अपील की थी कि कमीशन में कम-से-कम एक इंडियन मेम्बर होना चाहिए। लेकिन गवर्नमेंट ने हमारी अपील रिजेक्ट कर दी।

पत्रकार : इसी पर आप सत्याग्रह करेंगे?

गांधी : हाँ। पहली जनवरी 1914 को हम सत्याग्रह "लांच" करेंगे। हम और हमारे अंग्रेजबन्धु पॉलक और कैलेनबॅक सत्याग्रहियों का एक जत्था लेकर डर्बन से कूच करेंगे।

पत्रकार : अगर गवर्नमेंट ने गिरफ्तार कर लिया?

गांधी : हम लोग गिरफ्तार होने के लिए ही डर्बन से कूच करेंगे। गवर्नमेंट हमें गिरफ्तार करेगी तो हम गिरफ्तार हो जाएंगे। हम रेज़िस्ट नहीं होंगे। यही सत्याग्रह का नियम है। **(तब ही तेज कदमों से एक आदमी आता है और गांधी जी को एक ओर ले जाकर कान में कुछ कहता है।)**

गांधी : दोस्तों अभी एक ख़बर मिली है। दक्षिण अफ्रीका की रेलरोड कंपनी के गोरे कर्मचारियों ने हड़ताल कर दी है। तोड़फोड़ भी की है और हिंसा की कार्यवाही भी की है।

पत्रकार : इस बारे में आपको क्या कहना है?

गांधी : रेलरोड के गोरे कर्मचारियों की हड़ताल से साउथ अफ्रीका की सरकार भी परेशान है। इसलिए मैंने यह फैसला लिया है कि हम

अपना सत्याग्रह का ऐलान वापस लेते हैं। विरोधियों को नष्ट करना, कष्ट पहुँचाना, नीचा दिखाना और उनके संकट से फायदा उठाना सत्याग्रही का धर्म नहीं है।

(पत्रकार केलनबॅक, पॉलक आदि सब ताली बजाते हैं)

पत्रकार : आपकी आगे क्या योजना है?

गांधी : मिस्टर गोपाल कृष्ण गोखले ने मुझे हिन्दुस्तान आने का संदेश भेजा है। मैं अफ्रीका छोड़कर हिन्दुस्तान जा रहा हूँ। जनवरी 1915 तक मैं हिन्दुस्तान पहुँच जाऊँगा।

जलियाँवाला बाग

दृश्य-25

संचालक : भाईयों और बहनो, आज बैसाखी का दिन है। आज यहाँ जलियाँवाला बाग में हिन्दू, मुसलमान और सिख सब बैसाखी के पवित्र दिन पर देशभक्ति का त्यौहार मनाने इकट्ठे हुए हैं। सरकार ने रौलेट एक्ट बनाया है। यह शैतानी पंजा है, जो हम सबको जकड़कर कुचल देगा। इस नये कानून के तहत सरकार जिसको चाहे, जब चाहे और जब तक चाहे, जेल में डाल सकती है। यह ऐसा कानून है जिसके खिलाफ वकील नहीं, दलील नहीं, अपील नहीं। गवर्नर माइकेल ओ डायर ने अन्याय और अत्याचार की हद कर दी है। हमारे नेता सतपाल और सैफुद्दीन किचलू को जेल में डाल दिया है। यह 13 अप्रैल 1919 का पाक दिन, इतिहास में हमेशा याद किया जाएगा, क्योंकि आज हम सब अन्याय के खिलाफ शांतिपूर्वक अपनी आवाज बुलन्द करने यहाँ जलियांवाला बाग में एकजुट हुए हैं।

(अचानक गोली चलने की आवाज।)

(लोग इधर उधर भागते हैं। गोली खाकर गिरते हैं। चीख़, पुकार, खून)

(दृश्य समाप्त)

ख़िलाफत आन्दोलन

दृश्य-26

(मंच पर पीछे बैनर लगा है (अंग्रेजी और उर्दू में) –''ऑल इंडिया खिलाफत तहरीक'')

संचालक : बिरादरे आलम, यह दौर मुसलमानों के लिए इम्तहान का वक़्त है। अंग्रेज मुसलमानों के दुश्मन हैं। अंग्रेज़ टर्की में ख़िलाफ़त को मिटा देना चाहते हैं। अगर ख़िलाफ़त खत्म कर दी गयी तो दुनियाभर के मुसलमान यतीम हो जाएंगे। हिन्दुस्तान के मुसलमान ऐसा नहीं होने देंगे। वह अपनी जान पर खेल जाएंगे। अंग्रेजों की साज़िश कामयाब नहीं होने देंगे। हमारे बीच आज महात्मा गांधी मौजूद हैं। वह भरोसा दिला रहे हैं कि मुसलमानों की खिलाफत की लड़ाई में हिन्दू भी साथ देंगे। मैं महात्मा गांधी से दरख़्वास्त करूँगा कि इस मसले पर अपने ख़्यालात इज़हार करें।

गांधी : मेरे मुसलमान भाइयों, हकीम– अजमल खां साहब, जनाब डाक्टर अंसारी, जनाब मौलाना मोहम्मद बारी। मैं मुसलमान भाईयों को विश्वास दिलाना चाहता हूँ कि सारे हिन्दू आपके साथ हैं। मेरे लिए ख़िलाफत का मामला उतना ही अहम है, जितना मुसलमान भाइयों के लिए। ख़िलाफत के सवाल पर अगर जरूरत पड़े तो मैं स्वराज के सवाल को भी 'सस्पैंड' कर सकता हूँ। अंग्रेज सरकार ने मुझे क़ैसरे हिन्द का मैडल दिया था। जुलूवार और बोर वार में सेवा के लिए वार मैडल मिले थे। मेरे लिए यह इज्ज़त बहुत क़ीमती रही है। जब तक मेरे मुसलमान भाइयों को तुर्की के ख़लीफा पर की गयी नाइंसाफी से कष्ट होता है, तब तक मेरे लिए यह मैडल बेमानी है। मैं इन मैडल्स को वापस करता हूँ।

(ज़ोरदार ताली)

गांधी : मेरी सलाह है कि ख़िलाफ़त पर अंग्रेज़ों की नाइंसाफ़ी को रोकने

के लिए हमें उनके ख़िलाफ़ असहयोग आन्दोलन चलाना चाहिए। हिन्दु और मुसलमान मिलकर अंग्रेज सरकार से अहसयोग करेंगे। विद्यार्थी स्कूल छोड़ देंगे। सरकारी नौकरी छोड़ देंगे। वकील अदालत में नहीं जाएंगे। विदेशी कपड़ों और सामान की होली जलाएं। कांग्रेस भी इसमें मदद करेगी। मैं चाहता हूँ कि ख़िलाफत कांफ्रेस और कांग्रेस एक रूह और एक जिस्म होकर अंग्रेजों के ख़िलाफ असहयोग आन्दोलन छेड़ें।

(जोरदार ताली)

गांधी : खिलाफ़त हिन्दु-मुसलमान एकता लाने का ऐसा अवसर है, जो अगले सौ सालों में नहीं आएगा। खिलाफ़त आंदोलन करेंगे, तो मैं विश्वास दिलाता हूँ कि स्वराज एक साल में मिल जाएगा।

(दृश्य समाप्त)

दृश्य-27

(जुलूस-हिन्दू और मुसलमान दोनों।)

(नारे :) हिन्दू मुस्लिम एकता जिन्दाबाद!
गांधी जी जिन्दाबाद।
मौलाना मोहम्मद अली जिन्दाबाद।
मौलाना शौकत अली जिन्दाबाद।

(दृश्य समाप्त)

सूत्रधार : लगभग 50 हजार हिन्दू और मुसलमान खिलाफ़त आन्दोलन में जेल गये। सरकार ने अली बन्धुओं, मोतीलाल नेहरू, जवाहरलाल नेहरू, सी.आर. दास, अबुल कलाम आजाद, लाला लाजपत राय, सुभाषचन्द्र बोस, आदि सब बड़े नेताओं को गिरफ्तार कर लिया। सिर्फ गांधी जी को गिरफ्तार नहीं किया। एक साल बीत जाने पर भी स्वराज नहीं आया। आन्दोलन थमने लगा तो गांधी जी ने सात दिनों के भीतर सविनय अवज्ञा आन्दोलन प्रारंभ करने की घोषणा की।

दृश्य-28

अखबार वाला : आज की ताज़ा ख़बर।
चौरी चौरा में 22 पुलिसवाले मरे। जनता ने थाने में आग लगा दी। 22 पुलिस वाले-जिन्दा जल मरे। आज की ताजा ख़बर।

(दृश्य समाप्त)

दृश्य-29

(गांधी जी पर प्रकाशवृत्त)

गांधी : मैं अहिंसा का पुजारी हूँ। यह हिंसा! आन्दोलन अशुद्ध हो गया। मैं आन्दोलन वापस लेता हूँ। मैं पांच दिन उपवास करूँगा।

(दृश्य समाप्त)

दृश्य-30

गांधी : जवाहर अभी पूर्ण स्वराज माँगने का वक्त नहीं आया है। हमें हालात के मुताबिक काम करना चाहिए।

नेहरू : बापू कब आएंगे वो हालात जब हम पूर्ण स्वराज माँगेंगे। क्या हम हमेशा ही अंग्रेजों के गुलाम बने रहें, स्वराज पाकर भी आप यही चाहते हैं बापू?

गांधी : थोड़ा सब्र करो जवाहर।

नेहरू : बापू कब तक?

गांधी : एक साल तक। अगर एक साल में अंग्रेज हमें ब्रिटिश कामनवेल्थ में शामिल नहीं करते तो मैं खुद ही स्वराज की जगह पूर्ण स्वराज की माँग का प्रस्ताव करूँगा। और हाँ जवाहर तुम्हें भगतसिंह और चंद्रशेखर आजाद की रिपब्लिकन आर्मी की तरफदारी में नहीं पड़ना चाहिए।

(दृश्य समाप्त)

क्रान्तिधारा

सूत्रधार : जिस समय कांग्रेस में आजादी की लड़ाई के लक्ष्य पर बहस हो रही थी, जब अधिकांश कांग्रेसी और गांधी जी अंग्रेजी ताज के नीचे ही डोमीनियन स्टेटस की माँग कर रहे थे, उस समय अंग्रेजों को देश से पूरी तरह उखाड़ फेंकने के लिए क्रान्तिकारी नौजवान भारत माता के चरणों को अपने लहू से पखार रहे थे। **(राजेन्द्र नाथ लाहिड़ी की गगनिका पर तस्वीर)**

सूत्रधार : काकोरी षडयंत्र केस में राजेन्द्र नाथ लाहिड़ी को फांसी की सजा सुनाई गयी। फांसी के दिन जब जेलर उसे लाने उसकी बैरक में पहुँचा तो देखा कि वह पूजा पाठ करके फांसी के लिए तैयार बैठा है। वह खुश-खुश जेलर के साथ फांसी घर पहुँचा। फांसी के तख्ते पर खड़े होकर—"भारत माता की जय" और "वन्देमातरम्" का घोष किया और 17 दिसम्बर 1929 को फांसी पर लटक गया। उस समय उसकी आयु 26 वर्ष थी।

(गगनिका पर रोशनसिंह, राम प्रसाद बिस्मिल और अशफाकुल्ला के चित्र)

सूत्रधार : हिन्दुस्तान के इतिहास में 19 दिसम्बर 1927 काले दिन के रूप में हमेशा याद किया जाएगा। इस एक ही दिन भारत के तीन महान क्रान्तिकारियों को अलग-अलग नगरों में फांसी दी गयी। राम प्रसाद बिस्मिल को गोरखपुर में, रोशन सिंह को नैनी में और अशफाकुल्ला को फैजाबाद में।

(गगनिका पर केवल राम प्रसाद बिस्मिल की तस्वीर रह जाती है।)

सूत्रधार : फांसी के पहले राम प्रसाद बिस्मिल से पूछा गया- उनकी अंतिम इच्छा क्या है। बिस्मिल ने जबाव दिया—अंग्रेजी राज का विनाश।

(गगनिका पर बिस्मिल की जगह रोशन सिंह का चित्र)

सूत्रधार : फांसी के समय रोशन सिंह के एक हाथ में गीता थी। पूरी शक्ति से-वन्देमातरम् का घोष करके उसने मृत्यु का वरण कर लिया। रोशनसिंह की आयु 26 वर्ष थी। बिस्मिल शायर थे। मशहूर

गीत—"शहीदों की चिताओं पर लगेंगे हर बरस मेले"—बिस्मिल ने ही लिखा था। फांसी का फंदा गले में पड़ने से पहले उन्होंने आकाश की ओर देखा और ईश्वर से कहा—

दृश्य-31

(बन्दीवेश में बिस्मिल)

बिस्मिल : "मालिक तेरी रज़ा रहे और तू ही तू रहे।
बाकी न मैं रहूँ न मेरी आरजू रहे"।।

(दृश्य समाप्त)

सूत्रधार : फांसी के वक्त नौजवान बिस्मिल की आयु 30 वर्ष की थी।

(गगनिका पर रोशनसिंह की जगह अशफाकुल्ला का चित्र)

सूत्रधार : रोशनसिंह को फांसी के कुछ दिन पूर्व किसी ने बताया कि उनके पिता ने अंग्रेजों को क्षमा याचना की अर्जी दी थी। बस रोशन सिंह गुस्से से आग-बबूला हो गये और जब उनके पिता उनसे मिलने आए—

दृश्य-32

रोशन सिंह : **(क्रोध से)** क्या मुँह लेकर आप मुझसे मिलने आए हैं? आपने अंग्रेजों से मेरी जान के लीए भीख माँग कर हमारे खानदान की बेइज्जती कर दी।

पिता : क्या बकते हो। रोशन सिंह का बाप दोगला नहीं है। उसके शरीर में असली खून है। उसने सरकार के आगे हाथ नहीं पसारे।

रोशन सिंह : तो क्या ये अंग्रेजों की चाल थी।

पिता : हो सकता है!

सूत्रधार : अशफाकुल्ला से मिलने उनके भाई रियासतुल्ला अपने दो बच्चों के साथ आए।

दृश्य-33

(भाई और दोनों बच्चे रो रहे हैं)

अशफाकुल्ला : **(बच्चों को अपने से चिपकाकर भाई की आँखों से आँसू पोंछते हुए)** अरे ये क्या भाई, एक मुसलमान को भी फांसी पर चढ़कर सबूत देने दो कि मुसलमान भी भारत माता के बेटे हैं। मुझे तो अपने ऊपर फ़ख्र है कि मैं मुसलमानों में पहला खुशनसीब हूँ जिसे यह सबूत देने का मौका मिल रहा है। मैं अगर फाँसी पर चढ़ रहा हूँ तो अपने वतन अपने देश के लिए और क़ौम के लिए। तुम्हें तो मुझ पर फ़ख्र होना चाहिए। मेरे भाई तुम लोग रोओ नहीं।

(दृश्य समाप्त)

सूत्रधार : 13 सितम्बर 1929 को भगत सिंह के साथी जतीन्द्र नाथ दास ने जेल में 63 दिन की भूख हड़ताल बाद के अपना जीवन बलिदान कर दिया। पूरे देश में शोक छा गया। जब जतीन्द्र नाथ दास का शव कलकत्ते पहुँचा तो सुभाष चन्द्र बोस रातभर शव के पास बैठे रहे और दूसरे दिन नंगे पैर नंगे सर, लाखों लोगों के साथ दाह संस्कार में गये। जतीन्द्र दास की आयु केवल 24 वर्ष की थी।

(गगनिका पर जतीन्द्र दास के चित्र के स्थान पर भगतसिंह का चित्र)

भगत सिंह

(बम विस्फोट)

सूत्रधार : आठ अप्रैल 1929 दिल्ली में केन्द्रीय असेम्बली में एक बम विस्फोट हुआ। इस विस्फोट में किसी की मृत्यु नहीं हुई। किन्तु इसका धमाका इतना जोरदार था कि बूढ़ा सोता हुआ हिन्दुस्तान चौंक कर जग उठा। भगतसिंह और बटुकेश्वर दत्त का यह काम था।

सूत्रधार : दिल्ली के एक बड़े ठेकेदार सर सोभा सिंह उस दिन अतिथि गैलरी

में बैठे थे। वह जहाँ बैठे थे, वहाँ से सीधे भगतसिंह और उसके साथी को देख सकते थे। उन्होंने भगतसिंह को गिरफ्तार करने में सहायता दी। बाद में जेल में भगतसिंह की शिनाख़्त भी की।

दृश्य-34

मजिस्ट्रेट : आपका नाम?

सोभासिंह : सोभा सिंह।

मजिस्ट्रेट : पेशा?

सोभासिंह : ठेकेदारी। मैं सरकारी ठेके लेता हूँ। सिर्फ सरकारी।

मजिस्ट्रेट : ठीक है। यहाँ दस लोग खड़े हैं। पहचानिए इन लोगों में से उन मुलज़िमों को जिनको आपने असेम्बली में बम फेंकते देखा था। जिन पर आप हाथ रखेंगे, वह कतार में से एक कदम आगे आ जाएंगे।

(सोभासिंह लाइन में खड़े दस लोगों को एक-एक करके देखते हैं। फिर भगतसिंह और बटुकेश्वर दत्त पर हाथ रख देते हैं।)

(भगत सिंह और बटुकेश्वर दत्त लाइन से आगे निकल नारे लगाते हैं–'भारत माता की जय।' वन्देमातरम्।)

(सोभासिंह से मजिस्ट्रेट हाथ मिलाता है।)

(दृश्य समाप्त)

जवाहर लाल नेहरू

सूत्रधार : कांग्रेस अध्यक्ष मोतीलाल नेहरू बूढ़े थे, और बीमार रहते थे। हर हिन्दुस्तानी की तरह उनके दिल में भी अपने बेटे जवाहर लाल नेहरू के लिए प्रेम लबालब भरा था। अपनी जमीन, जायदाद, आनन्द भवन आदि के साथ वह अपने बाद अपने पुत्र का भी कांग्रेस की गद्दी पर राजतिलक चाहते थे। अतएव उन्होंने गांधी जी से अनुरोध ही नहीं किया, बल्कि बार-बार दबाव डाला।

दृश्य-35

(मोती लाल तथा महात्मा गांधी)

मोतीलाल : गांधी जी मैं पिछले एक साल से आपसे रिक्वेस्ट कर रहा हूँ—जवाहर के बारे में।

गांधी : मैं सोच रहा हूँ।

मोतीलाल : **(डायरी देखकर)** मैंने 11 जुलाई 1928 को आपको खत लिखा था।

गांधी : इतने सीनियर्स हैं। बल्लभ भाई पटेल के लिए पांच प्रान्तीय कांग्रेस कमीटियों ने सिफारिश की है। जवाहर के लिए सिर्फ तीन प्रान्तीय कमीटियों ने।

मोतीलाल : प्रान्तीय कांग्रेस कमीटियाँ कुछ भी चाहें। मैं तो यह जानता हूँ कि आप कांग्रेस हैं। आप जो चाहेंगे वही होगा। अगर कांग्रेस को आगे बढ़ना है तो यह जरूरी है कि उसकी जगह नौजवानों में हो। अगर जवाहर लाल को कांग्रेस प्रेसीडेन्ट बनाया जाता है तो करोड़ों नौजवान कांग्रेस में खिंचे चले आएंगे। जवाहर लाल नौजवानों का प्यारा है।

गांधी : वल्लभ भाई पटेल से क्या कहें?

मोतीलाल : बल्लभभाई एक साल बाद कांग्रेस प्रेसीडेन्ट हो सकते हैं।

(दृश्य समाप्त)

सूत्रधार : गांधी जी को मोतीलाल की ज़िद के आगे झुकना पड़ा। गांधी जी के हस्तक्षेप से सरदार पटेल के स्थान पर जवाहर लाल कांग्रेस के अध्यक्ष बनाए गये। उनकी अध्यक्षता में कांग्रेस का लक्ष्य पूर्ण स्वराज घोषित किया गया। अंग्रेजों के विरुद्ध पूर्ण स्वराज की लड़ाई में गांधी जी ने नमक सत्याग्रह घोषित किया। उन्होंने साबरमती आश्रम से दांडी मार्च घोषित किया।

दृश्य-36

(पर्दे पर छाया में डांडी-यात्रा का दृश्य। गीत–"वैष्णव जन तो तैने कहिए, जो पीर पराई जाने रे")

(मंच पर विदेशी कपड़ों की होली जलाने के लिए लोग आकर

एक-एक कपड़ा डालते हैं। लोग नारे लगा रहे हैं–''महात्मा गांधी जी की जय। महात्मा गांधी की जय''। जैसे ही एक आदमी दिया सलाई जलाकर आग लगाने बढ़ता है, वहाँ पुलिस आ जाती है। वह लोगों पर डंडे बरसाती है। जिसके हाथ झंडा है, वह जैसे ही गिरता है तो दूसरा झंडा उठा लेता है और चुनौती में पुकारता है–''महात्मा गांधी की जय।'' पुलिस वाले उसको पीटकर उसके हाथ से झंडा छीन कर फेंकते हैं। वैसे ही तीसरा युवक झंडा उठाकर कहता है–''महात्मा गांधी की जय।'' पुलिस उधर बढ़ती है। वैसे ही दृश्य समाप्त।)

(दृश्य समाप्त)

दृश्य-37

(मोहम्मद अली जिन्ना से पत्रकार प्रश्न पूछ रहे हैं)

पत्रकार-1 : जिन्ना साहब, पूरे मुल्क में जो आन्दोलन की आंधी चल रही है, उससे आप दूर क्यों हैं? आप इसमें क्यों नहीं है?

जिन्ना : व्हाई शुड आई बी इन इट।

पत्रकार-2 : आप तो कांग्रेस के अरसे तक मेम्बर रहे हैं?

जिन्ना : सो व्हाट?

पत्रकार-1 : साठ हजार से ज्यादा सत्याग्रही जेल में हैं।

पत्रकार-2 : विदेशी कपड़ों के बहिष्कार से सूती कपड़ों का इंपोर्ट टैक्स एक चौथाई रह गया है।

पत्रकार-1 : बम्बई की 16 मिलें जिनके मालिक अंग्रेज हैं, बन्द हो गयी हैं। ऐसे मौके पर जब मुकम्मल आजादी के लिए जंग छिड़ी है–आप खामोश हैं।

जिन्ना : यह मुकम्मल आजादी के लिए मूवमेंट नहीं है, इसलिए हमने गांधी के साथ आने से इंकार कर दिया है। ये मूवमेंट है, हिन्दुस्तान के सात करोड़ मुसलमानों को हिन्दू महासभा का मोहताज़ बनाने का।

(दृश्य समाप्त)

गांधी इरविन वार्ता

सूत्रधार : नमक सत्याग्रह और सविनय अवज्ञा आन्दोलन में लगभग नब्बे हजार लोग जेल में थे। गांधी जी तथा दूसरे कांग्रेसी नेता भी जेल में थे। 25 जनवरी 1931 को सरकार ने गांधी और कांग्रेस कार्यकारिणी समिति के सभी सदस्यों को बिना शर्त छोड़ दिया और गांधी जी को वायसराय से वार्ता के लिए आमंत्रित किया। पन्द्रह दिन की वार्ता के बाद गांधी इरविन समझौता हुआ। गांधी ने गोलमेज कांफ्रेस में भाग लेना स्वीकार किया और सरकार ने सभी अहिंसक सत्याग्रहियों को जेल से छोड़ दिया।

भगत सिंह और साथियों को फांसी की सज़ा घोषित हो चुकी थी। 17 फरवरी से 5 मार्च 1931 तक गांधी इरविन वार्ता चली। इसमें भगत सिंह की फांसी का भी उल्लेख आया, लेकिन वाइसराय ने साफ शब्दों में उसमें दखल देने से मना कर दिया। गांधी जी चुप रह गये।

सूत्रधार : पूरे देश को गांधी जी से उम्मीद थी कि वह वाइसराय लार्ड इरविन से कहकर भगतसिंह, राजगुरु और सुखदेव की जान बचाने के लिए कहेंगे। दूसरी तरफ अंग्रेजों को उम्मीद थी कि भगतसिंह को फांसी दिये जाने के बाद देश में दंगा-फसाद न उठने देने के लिए गांधी जी उनकी मदद करेंगे। 19 मार्च 1931 को ह्यूबर्ट एमर्सन, चीफ सेक्रेटरी भारत सरकार की गांधी जी से वार्ता हुई।

दृश्य-38

गांधी जी : मैंने सुना है कि भगतसिंह और उसके दो साथियों को फांसी देने के लिए 23 मार्च या 24 मार्च निश्चित है।

एमर्सन : तो?

गांधी जी : एक दिक्कत है। 24 मार्च को नया कांग्रेस प्रेसीडेन्ट कराची में अपनी गद्दी सम्हालेगा।

एमर्सन : सरकार ने इस बात पर गंभीरता से विचार किया और अन्त में इस नतीजे पर पहुँचे कि फांसी टालना ठीक नहीं है। इससे उनकी

उम्मीद जाग जाएगी और वह समझेंगे कि उनकी फांसी, लाइफटर्म में कम्यूट होने जा रही है। इससे सिर्फ उनकी और उनके घरवालों की तकलीफ बढ़ेगी। यह आपकी दृष्टि से भी ठीक नहीं होगा क्योंकि लोग समझने लगेंगे कि कम्यूटेशन का विचार हो रहा है, जो सही नहीं है।

गांधी : यह बात तो ठीक है। फिर भी मुझे लगता है कि सजा कम्यूट कर देना शायद अधिक बेहतर होगा।

इरविन : गांधी जी, सरकार को खतरा है कि इनकी फांसी से कंट्री में हलचल होगी। हम लोगों ने आपसे रिक्वेस्ट की थी कि अगले कुछ हफ्तों तक दिल्ली में पब्लिक मीटिंग न होने देने में सरकार की मदद दें।

गांधी : मैं आपको विश्वास दिलाता हूँ कि मैं इस मामले में सरकार की पूरी मदद करूँगा।

एमर्सन : सुभाष बोस ने 20 मार्च को भगतसिंह की सिम्पेथी में एक पब्लिक मीटिंग का ऐलान किया है। इसमें प्रोवोकेटिव स्पीचेज दी जाएंगी। अगर यह मीटिंग नहीं रोकी गयी तो सिचुएशन अनकंट्रोलेबल हो जाएगी।

गांधी : मि0 एमर्सन। रिलेक्स। जस्ट डॉन्ट वरी। मुझे इस पब्लिक मीटिंग की इन्फोर्मेशन है। मैंने जरूरी सभी एहतियात ले ली हैं। मेरी सलाह है कि वहाँ पुलिस नहीं दिखाई पड़नी चाहिए और न बैठक में किसी तरह की रुकावट होनी चाहिए। लोगों में नाराज़गी है। अच्छा है वह अपने दिल की भड़ास निकाल लें। कुछ नहीं होगा। मेरी जिम्मेदारी।

एमर्सन : थेंक यू वैरी मच गांधी जी। थैंक्यू फॉर एडवाइस।
(दोनों हाथ मिलाते हैं।)

(दृश्य समाप्त)

दृश्य-39

(नेपथ्य से "मेरा रंग दे बसन्ती चोला" का गान। भगतसिंह, राजगुरु और सुखदेव फांसी घर में लाए जाते

हैं। उनके हाथ बांधे जाते हैं। तीनों "वन्दे मातरम्" का नारा लगाते हैं। फांसी का फंदा उनके गले में डाला जाता है।)

(दृश्य समाप्त)

सूत्रधार : और 23 मार्च 1931 को शाम भगतसिंह, राजगुरु और सुखदेव को फांसी दे दी गयी।

सुभाष बोस

सूत्रधार : भगत सिंह को फांसी के बाद, सशस्त्र क्रान्तिकारियों और अहिंसक गांधीवादियों के बीच खाई और बढ़ गयी। सुभाष बोस मानसिक रूप से क्रान्तिकारियों के साथ थे, इसके कारण, सुभाष बोस और महात्मा गांधी में बुनियादी मतभेद था। सुभाष बोस अंग्रेजों को भारत से उखाड़ फेंकना चाहते थे, जबकि गांधी जी अंग्रेजों पर नैतिक दबाव डालकर स्वराज पाने की आशा करते थे। गांधी जी ने अतिवादी सुभाष बोस को हाशिए पर करने के लिए जवाहर लाल नेहरू को 1936 और 1937 मे कांग्रेस का प्रेसीडेन्ट बनावाया था। इस बीच में सुभाष बोस की लोकप्रियता का लगातार विस्तार हो रहा था। गांधीवादियों के विरोध के बावजूद सुभाष बोस 1938 में कांग्रेस प्रेसीडेंट निर्वाचित हुए। जब उन्होंने दूसरी पारी माँगी तो गांधी जी ने खुलकर विरोध किया। और डॉ0 पट्टाभि सीतारमय्या को सुभाष बोस के खिलाफ खड़ा किया। फिर भी सीतारमय्या पराजित हुए।

दृश्य-40

गांधी : इसमें कोई शक नहीं कि सुभाष बोस ने पट्टाभि सीतारमय्या के खिलाफ जीत हासिल की है। ...मैं यह मानता हूँ कि मैं शुरू से ही उनके दोबारा कांग्रेस प्रेसीडेन्ट बनने के खिलाफ था...यह पट्टाभि सीतारमय्या से ज्यादा मेरी हार है...सुभाष बोस का ख्याल है कि उसकी नीतियां और कार्यक्रम सबसे अधिक प्रगतिशील

और साहस से भरे हैं। ...जो सुभाष बोस के खिलाफ हैं, उनको बाधा नहीं डालनी चाहिए, उन्हें अनुपस्थित हो जाना चाहिए।

नेहरू : मैं कुछ आपको बताना चाहता हूँ।

गांधी : क्या ख़बर लाए हो जवाहर?

नेहरू : बापू हम सब वर्किंग कमेटी के मेम्बर्स ने रिज़ाइन कर दिया है वर्किंग कमेटी में प्रेसीडेन्ट सुभाष बोस अकेला बचा है।

गांधी : वह नयी वर्किंग कमेटी बना लेगा।

नेहरू : बापू वह यही तो नहीं कर सकता। गोविन्द वल्लभ पन्त ने यह प्रस्ताव पारित करवा दिया है कि सुभाष बोस अपनी वर्किंग कमेटी गांधी जी की सलाह से बनाएं।

गांधी : मैं कोई सलाह नहीं दूँगा। सुभाष बोस को अपनी पसन्द के एकमन लोगों को वर्किंग कमेटी में रखना चाहिए।

(दृश्य समाप्त)

सूत्रधार : गांधी जी और उनके भक्तों ने सुभाष बोस के चारों और ऐसा चक्रव्यूह बनाया, जिससे वह निकल न सके। पन्त प्रस्ताव ने सुभाष बोस के हाथ बांध दिये थे। कांग्रेस प्रेसीडेन्ट होते हुए भी वह कांग्रेस प्रेसीडेन्ट के सामान्य अधिकारों से वंचित थे। वह अपनी वर्किंग कमेटी स्वयम् मनोनीत नहीं कर सकते थे। उसके लिए गांधी जी की सहमति आवश्यक थी। और गांधी जी सहमति देने को तैयार नहीं थे। इस घेरेबन्दी से परेशान होकर सुभाष बोस ने प्रेसीडेन्ट पद से त्याग-पत्र दे दिया। यह गांधी जी की विजय थी। नरमदल की विजय थी।

द्वितीय विश्वयुद्ध

दृश्य-41

(गर्जन की आवाज़। बिजली चमकने और गिरने की आवाज। तूफान और इस सबके ऊपर हिटलर की तस्वीर)

(दृश्य समाप्त)

सूत्रधार : पहली सितम्बर 1939 को हिटलर की जर्मन फौजौं ने पोलेण्ड पर

आक्रमण कर दिया। उस समय नेहरू चीन से वापस लौट रहे थे। रंगून में उन्होंने द्वितीय विश्वयृद्ध के बारे में सुना तो उन्होंने प्रेसवालों से कहा–

दृश्य-42

नेहरू : यह वक्त अंगेजों से अपनी आजादी माँगने का नहीं है। हम लोग जर्मनी, इटली और जापान के साम्राज्यवाद के खिलाफ हैं और यूरोप के कमजोर होते हुए साम्राज्यवाद के पक्ष में है। हम लोग जर्मनी की विजय नहीं चाहते हैं।

(दृश्य समाप्त)

दृश्य-43

गांधी : मेरी अपनी सहानुभूति फ्रांस और इंग्लैण्ड के साथ है। अंग्रेजों को इस युद्ध में जो सहायता दी जाए वह बिना किसी शर्त के दी जाए।

(दृश्य समाप्त)

दृश्य-44

सुभाष बोस : इस मौके पर अंग्रेजों की मदद का सवाल नहीं उठता। अंग्रेजों की मुसीबत हमारे लिए एक मौका है। हमें इस मौके का फायदा उठाना चाहिए। हमें अंग्रेजों के विरुद्ध युद्ध छेड़कर अपनी आजादी प्राप्त करनी चाहिए।

(दृश्य समाप्त)

दृश्य-45

अखबार वाला: आज की ताज़ा–ख़बर, खबर ही ख़बर, पाकिस्तान। मुस्लिम लीग की माँग पाकिस्तान, जिन्ना की माँग पाकिस्तान।

(दृश्य समाप्त)

दृश्य-46

पत्रकार : जिन्ना साहब लाहौर सेशन में मुस्लिम लीग ने पाकिस्तान की माँग का प्रस्ताव पास किया है। क्या इस माँग की कोई जस्टीफिकेशन हैं?

जिन्ना : व्हाइ नॉट?

पत्रकार : जरा खुलासा करके बताएंगे।

जिन्ना : मुसलमान किसी भी डेफिनेशन से हिन्दुओं से अलग एक क़ौम है। उनका अपना एक घर होना चाहिए। अपना मुल्क होना चाहिए।

पत्रकार : क्या हिन्दुस्तान उनका अपना नहीं है?

जिन्ना : नहीं! यहाँ मुसलमानों को अपना कोई हक नहीं है। अगर पाकिस्तान नहीं बना तो यहाँ मुसलमानों का वजूद ख़त्म कर दिया जाएगा।

पत्रकार : गांधी जी तो देश के विभाजन के ख़िलाफ हैं।

जिन्ना : मि0 गांधी चाहते हैं कि हिन्दू राज्य के तहत मुसलमानों को कुचल दें और उन्हें अपना गुलाम बना कर रखें।

पत्रकार : कांग्रेस भी तो पार्टीशन के ख़िलाफ है।

जिन्ना : कांग्रेस का हाइकमान दूसरी सभी कॉम्यूनिटिज व कल्चर को ख़त्म करके हिन्दु राज्य को कायम करने के लिए डिटरमिन्ड है।

पत्रकार : आप ऐसा कैसे कह सकते है?

जिन्ना : कांग्रेस कास्ट हिन्दूज का एक फासिस्ट ऑर्गनाइजेशन है जो ब्रिटिश संगीनों की मदद से मुसलमानों व दूसरी माइनरीटिज के लोगों पर हावी होना चाहती है और हम पर हुकूमत करना चाहती है।

पत्रकार : अगर कांग्रेस पार्टीशन को तैयार नहीं हो तो।

जिन्ना : उसे तैयार होना होगा। पार्टीशन नहीं तो सिविलवार। हम पाकिस्तान लेकर रहेंगे।

(दृश्य समाप्त)

सूत्रधार : 2 जुलाई 1940 को सुभाष बोस को गिरफ्तार करके जेल में डाल दिया गया। अपनी गिरफ्तारी के विरोध में सुभाष बोस ने भूख हड़ताल करने का निश्चय किया। अपने निश्चय को एक पत्र के द्वारा उन्होंने सरकार को भेजा।

दृश्य-47

(एक अंग्रेज अफसर सुभाष बोस का पत्र पढ़ रहा है और सुभाष बोस बोलते हुए दिखाई पड़ते हैं)

सुभाष बोस : अंग्रेज सरकार अपने पशुबल से मुझे जेल में बन्द रखने के लिए कटिबद्ध है। उत्तर में मुझे कहना है–''मुझे जेल से मुक्त करो नहीं तो मैं जीवित नहीं रहूँगा। देश जीवित रह सके, इसके लिए यदि आवश्यक हो तो व्यक्ति को अपने प्राण उत्सर्ग कर देने पड़तें हैं। आज मुझे मृत्यु वरण करना चाहिए जिससे हिन्दुस्तान जीवित रहे और स्वतंत्रता तथा सम्मान प्राप्त करे।''

(दृश्य समाप्त)

सूत्रधार : ब्रिटिश सरकार को नोटिस देकर सुभाष बोस ने खाना-पीना बन्द कर दिया। सरकार ने घबराकर 5 दिसम्बर 1940 सुभाष बोस को छोड़ दिया। सुभाष बोस बीमार थे। उन्होंने बाहर के लोगों से मिलना-जुलना बन्द कर दिया था। बीमार बोस से भी अंग्रेजों को खतरा था। इसलिए उनके घर पर चौबीसों घंटे सी.आई.डी. का पहरा रहता था। बिना पुलिस की जानकारी के परिन्दा भी उस घर में पर नहीं मार सकता था। तब ही विस्फोट हुआ। लोग हक्के-बक्के रह गये। आश्चर्य से उनकी आँखे खुली की खुली रह गयीं। शब्द मुँह में ही रह गये।

दृश्य-48

अखबार वाला: आज की ताज़ा खबर,
आज की गरमागरम ख़बर
पिंजड़े से पंछी उड़ गया।
पुलिस की आँखों में धूल झोंक, सुभाष चन्द्र बोस
ग़ायब।
(तमाम लोग अखबार पढ़ते हुए दिखाई पड़ते हैं)

(दृश्य समाप्त)

सूत्रधार : सुभाष बोस काबुल होते हुए जर्मनी पहुँचे। वहाँ हिटलर से मिले। जर्मन सेना के अंतर्गत भारतीय युद्ध बन्दियों की टुकड़ी "इंडियन लीजन" बनाई। जनवरी 1942 में जापानियों के सिंगापुर पर कब्जे के बाद पहली बार जर्मनी से 5 फरवरी, 1942 को सुभाष बोस ने रेडियो पर प्रसारण कर-भारतीयों को अपना संदेश दिया–

दृश्य-49

(एक घर में कुछ लोग रेडियो सुन रहे हैं)

रेडियो स्वर : मैं सुभाष चन्द्र बोस बोल रहा हूँ। मेरे प्यारे देशवासियों, सिंगापुर के पतन का अर्थ है–ब्रिटिश साम्राज्य का अन्त। आधुनिक इतिहास में ब्रिटिश साम्राज्य स्वतंत्रता और प्रगति का सबसे दुष्ट शत्रु है...

हिन्दुस्तानी ब्रिटिश साम्राज्यवाद से किसी तरह सुलह नहीं कर सकते और तब तक संघर्ष करते रहेंगे जब तक पूर्ण-स्वतंत्रता नहीं मिल जाती। जय हिन्द!

(रेडियो सुनने वालने सब खुशी से नाचने लगते हैं। चिल्लाते हैं–सुभाष बोस जिन्दा है। एक दूसरे के गले मिलते हैं।)

(दृश्य समाप्त)

1942 का आन्दोलन

सूत्रधार : सुभाष बोस की बहादुरी और मर्दानगी की कथाएं, गाँव की चौपाल और खलिहानों तक में गूंजने लगीं। गांधीवादियों ने सुभाष बोस को कांग्रेस के प्रेसीडेन्ट पद को छोड़ने के लिए विवश किया था। अब तीन वर्ष बाद अपनी कीर्ति और यश से वह उसी कांग्रेस को चकाचौंध कर रहा था। जनता में क्रान्तिकारी तेवर का उभार था। इसने कांग्रेस को प्रभावित किया। और वह गांधी जी, जो युद्धकाल में अंग्रेजों के विरुद्ध किसी प्रकार का

आन्दोलन छेड़ने के विरोधी थे, अब एक नया आन्दोलन चलाने को तैयार हो गये। आठ अगस्त 1942 को गांधी जी ने भारत छोड़ो आन्दोलन का प्रस्ताव रखा।

दृश्य-50

(गांधी सत्याग्रहियों को भाषण दे रहे हैं)

गांधी : सन् बयालीस का यह आन्दोलन हमारी लड़ाई का फैसला करेगा। हर सत्याग्रही हड़ताल, असहयोग और अहिंसा के दूसरे सब तरीकों का इस्तेमाल करते हुए आन्दोलन की किसी भी सीमा तक जाने के लिए आज़ाद है। सत्याग्रही मरने के लिए बाहर आएं। जीने के लिए नहीं। राष्ट्र का उद्धार तभी होगा जब लोग मृत्यु को ढूंढने और उसका सामना करने के लिए बाहर निकलेंगे। हमारा नारा होगा-करो या मरो।

(तालियां बजती हैं।)

मैं यहाँ यह साफ करना चाहूँगा कि भारत-छोड़ो आन्दोलन दो-तीन हफ्ते बाद शुरू होगा। इस बीच मैं वाइसरय को खत लिखकर सत्याग्रह का नोटिस दूँगा।

(दृश्य समाप्त)

सूत्रधार : इससे पहले कि गांधी जी औपचारिक रीति से सन् 42 में आन्दोलन की पुष्टि करते, अंग्रेजों ने 9 अगस्त 1942 को सभी बड़े और मध्य स्तर के कांग्रेसी नेताओं को बन्दी बना लिया। पर नेता विहीन जनता ने हार नहीं मानी। जनता ने आन्दोलन की बागडोर अपने हाथ में ले ली।

दृश्य-51

(पीठ पर सीढ़ी लादे दो लड़के आते हैं। सीढ़ी खड़ी करके एक लड़का उस पर चढ़कर तार काट रहा है। तभी उसके गोली लगती है। वह गिर पड़ता है। दूसरा लड़का जमीन पर

लेट जाता है। गोली चलाने वाला अंग्रेज अफसर वहाँ आता है। वैसे ही लेटा हुआ दूसरा लड़का उसको गोली मारकर चिल्लाता है–''महात्मा गांधी की जय''।)

(दृश्य समाप्त)

सूत्रधार : पुलिस और फौज की गोलियों से 940 आदमी मरे और 1630 आदमी घायल हुए। पुलिस और फौज ने 538 बार गोली चलाई और हवाई जहाजों से सौ बार हमले हुए। अस्सी हजार से ज्यादा लोग गिरफ्तार हुए और 18 हजार लोग नज़रबन्द किये गये। 60 स्थानों पर क्रान्तिकारियों को कुचलने के लिए सेना को बुलाना पड़ा। क्रान्ति की चपेट में 59 रेल गाड़िया गिराई गयी। 318 रेलवे स्टेशनों में आग लगाइ गयी। 954 डाकखानों पर हमले हुए। 12 हजार स्थानों पर टेलीग्राफ के तार काटे गये।

1942 का आन्दोलन गांधी जी के 1921 और 1930 के अहिंसात्मक आन्दोलन की परम्परा में नहीं था। 1942 में इतनी हिंसा हुई कि इसे खुदीराम बोस, सावरकर, चन्द्रशेखर आजाद, भगतसिंह और सूर्यसेन की परम्परा का क्रान्तिकारी आन्दोलन कहना अधिक उचित होगा। नेताविहिन इस आन्दोलन का नेतृत्व स्वयम् जनता के हाथ में था।

आई. एन. ए.

दृश्य-52

(सिंगापुर में पब्लिक मीटिंग का एक दृश्य)

संचालक : हिन्दुस्तानी भाइयों और बहनों, थोड़ी देर में सुभाष बाबू हमारे बीच होंगे। यह हमारा सौभाग्य है कि वतन से दूर, यहाँ सिंगापुर में एक हिन्दुस्तानी नेता हमारे बीच आ रहे हैं। सुभाष बाबू पनडुब्बी में तीन महीने का सफर कर जर्मनी से यहाँ आए हैं। ऐसे जवां मर्द जिसने ब्रितानी हुकूमत को जड़ से हिला दिया और अंग्रेजों के दाँत खट्टे कर दिये–लो देखो वे आ रहे हैं। **(सुभाष**

चन्द्र बोस आकर हाथ जोड़ते हैं।) सब लोग ताली बज़ाकर उनका स्वागत कीजिए। **(सब जोर से ताली बजाते हैं)**

(दृश्य समाप्त)

सूत्रधार : सिंगापुर में रास बिहारी बोस और मोहन सिंह द्वारा स्थापित आज़ाद हिन्दी फ़ौज पहले से थी। सुभाष बोस के आ जाने से आज़ाद हिन्द फौज में एक नया जोश और एक नया जीवन आ गया। चार जुलाई 1943 को सुभाष बोस ने आज़ाद हिन्द फौज की कमान सम्हाली।

दृश्य-53

(नेता जी खड़े हैं। सैनिक उनको सलामी देते हैं। सलामी लेने के बाद नेता जी उनको भाषण देते हैं)

सुभाष : मेरे देश के बहादुर सिपाहियों! दूर पहाड़ियों, नदियों, और जंगलों के उस पार हमारी भारतमाता है। वह बन्दी है। गुलामी की जंजीरों से जकड़ी वह रो रही है। तुम लोग उसकी सिसकी सुन रहे होगे। वह अपने बच्चों को बुला रही है। उनसे कह रही है कि मेरे बच्चों आओ, आकर मेरी जंजीरें काटो। मुझे आज़ाद करो। भारत माँ के बच्चे तुम लोग हो। तुम जाओगे उसे आज़ाद करने? मैं तुमसे कुछ वादा नहीं करता। सिर्फ एक वादा है—सिर्फ एक सौदा है। तुम मुझे खून दो, मैं तुम्हें आज़ादी दूँगा।

एक सैनिक : **(नारा लगाते हुए)** नेता जी—

सैनिक सब : जिन्दाबाद।

(नेपथ्य से गीत सुनाई पड़ता है)

गीत : क़दम क़दम बढ़ाए जा
खुशी के गीत गाए जा
ये जिन्दगी है क़ौम की
तू क़ौम पे लुटाए जा

(दृश्य समाप्त)

नाविक विद्रोह

दृश्य-54

(नौ सेना का अंग्रेज अधिकारी अपने केबिन में बैठा शराब पी रहा है। बाहर से शोर की आवाज)
(सन्तरी के रोकने की आवाज–'अन्दर नहीं जा सकते।' लोगों की आवाज : 'हमें अन्दर जाने दो')

अधिकारी : कौन है?

सन्तरी : **(बाहर से)** साहब कुछ रेटिंग्ज आपसे मिलना चाहते हैं।

अधिकारी : आने दो।

(पांच-सात नौसैनिक अन्दर आते हैं)

अधिकारी : क्या है?

नौसैनिक-1 : हमें जो खाना दिया जाता है, वह खाने लायक नहीं है।

अधिकारी : तो मत खाओ।

नौसैनिक-1 : गोरों का खाना हमसे अच्छा है।

अधिकारी : तो?

नौसैनिक-2 : हम और गोरे एक ही काम करें तब भी गोरों को हमसे ज्यादा तनखा मिलती है। ज्यादा अलाउन्स मिलता है। अच्छा खाना मिलता है।

अधिकारी : तो?

नौसैनिक-3 : यह बेइंसाफी है।

नौसैनिक-1 : हमें भी अच्छा खाना मिलना चाहिए।

अधिकारी : नहीं मिलेगा।

नौसैनिक-4 : कैसे नहीं मिलेगा? हम भूख हड़ताल कर देंगे।

अधिकारी : कर दो भूख हड़ताल। भूखे मर जाओ। अगर जिन्दा रहना है तो जो मिलता है वहीं खाना पड़ेगा। समझा। इंडियन। सुअर का बच्चा।

नौसैनिक-2 : ख़बरदार जो गाली दी। मैं तुम्हारी जान ले लूँगा।

(सब क्रोध में अधिकारी को मारने के लिए हाथ उठाते हैं। दृश्य जड़ हो जाता है।)

दृश्य-55

(एक अंग्रेज प्रकाशवृत्त में दिखाई पड़ता है)

एक अंग्रेज : **(टेलीफोन पर)** हैलो—हैलो नेवल हैडक्वाटर! सर यह म्यूटिनी है। एस.एम.आई.एस. तलवार के "नेवल रेटिंग्ज" स्ट्राइक पर हैं। बोम्बे हारबर के 20 जहाजों पर भी यह स्ट्राइक फैल गया है। कभी भी कुछ हो सकता है। अगर जल्दी मदद नहीं आई तो म्यूटिनी भड़क सकती है, वैसी ही जैसी 1857 में। हमको यह लोग मार डालेंगे। हम सब खत्म हो जायेंगे। जल्दी मदद भेजिए। जल्दी। अर्जेन्टली। **(घबराकर बैठ जाता है)**

(दृश्य समाप्त)

सूत्रधार : विद्रोह ने अम्बाला, कराची, मद्रास, कलकत्ता और रंगून के नौसेना केन्द्रों के साथ-साथ आर्मी और एयर फोर्स को भी प्रभावित किया। एयर फोर्स के बहुत से कर्मचारियों ने अपने अंग्रेज अधिकारियों के विरुद्ध विद्रोह का झण्डा उठाया। विरोध नेवी और एयरफोर्स तक ही सीमित नहीं रहा। जनता, मजदूर, विद्यार्थी भी इसमें शामिल हो गये। केवल बम्बई में इस अभियान में 228 नागरिक मारे गये और 1086 घायल हुए। यद्यपि विद्रोहियों ने सरदार पटेल के परामर्श पर आत्म-समर्पण कर दिया किन्तु इसका घाव इतना गहरा और गम्भीर था कि ब्रिटिश सरकार ने जल्द से जल्द भारत छोड़ देने का निश्चय किया। नौसैनिक विद्रोह 18 फरवरी 1946 को हुआ था। उसके दूसरे दिन 19 फरवरी 1946 को ब्रिटिश प्रधानमंत्री एटली ने हाउस ऑफ कॉमन्स में भारत को स्वतंत्र करने की योजना बनाने के लिए अपने तीन मंत्रियों का कैबिनेट मिशन भारत भेजने का ऐलान किया।

सूत्रधार : देश की आजादी के कारणों के केन्द्र में नेवी विद्रोह था। 18 फरवरी 1946 को नेवी विद्रोह हुआ। इसके ठीक एक महीने बाद 18 मार्च 1946 को ब्रिटिश सरकार ने जवाहरलाल नेहरू को सिंगापुर भेज कर लॉर्ड और लेडी माउंटबेटेन से एक योजना के अन्तर्गत दोस्ती करवाई।

नेहरू, एडविना और माउन्टबैटेन

दृश्य-56

माउंटबैटेन : एडविना, जल्दी करो। नेहरू की फ्लाइट का टाईम हो रहा है। **(टेलीफोन की घंटी बजती है। टेलीफोन उठाकर)** यस वी आर रेडी। ठीक है। नेहरू मेरी लिमोज़िन में एयरपोर्ट से आएगा। हाँ, हाँ मेरी लिमोज़िन ले जाओ। हम दोनों ओपेन कार में चलेंगे। वेलकम गेट्स तो बन गये होंगे। ठीक। हाँ सड़क के दोनों ओर इंडियन्स होंगे। नेहरू को वेव करेंगे। फिर हम लोग मीटिंग के वेन्यू में जाएंगे। ओ.के.। सब ठीक होना चाहिए।

(टेलीफोन रखकर)

एडविना : **(प्रवेश करते हुए)** डिकी! नेहरू कल तक तो हमारे जेल में था। आज उसका ऐसे वेलकम किया जा रहा है जैसे वह किसी स्टेट का प्रेसीडेन्ट या प्राइम मिनिस्टर हो।

माउंटबैटेन : माई डियर, वह इंडिया का फ्यूचर प्राइम मिनिस्टर है।

एडविना : क्या यह डिसाइड हो गया है?

माउंटबैटेन : नहीं। लेकिन हम लोग यही चाहते हैं। हम लोग नेहरू को प्राइम मिनिस्टर बनवाने की पूरी कोशिश करेंगे।

(दृश्य समाप्त)

सूत्रधार : दक्षिण पूर्व एशिया में अलाइड फोर्सेज़ के सुप्रीम कमांडर माउंटबैटेन ने जवाहर लाल नेहरू का सिंगापुर में शानदार स्वागत करके उनका दिल जीत लिया और जब स्थानीय हिन्दुस्तानियों की मीटिंग को सम्बोधित करने नेहरू जी को लेकर माउंटबैटेन वाई.एम.सी.ए. की बिल्डिंग में पहंचे, वहाँ एडविना उनके स्वागत में पहले से मौजूद थी। इससे पहले कि जवाहर लाल नेहरू लेडी माउंटबैटेन से हाथ मिलाते, वहाँ नेहरू के प्रशंसक स्थानीय हिन्दुस्तानियों की भीड़ जुट आई। वह पंडित नेहरू जिन्दाबाद के नारे लगा रही थी। उस भीड़भाड़ और रेल-पेल में लेडी माउंटबैटेन जमीन पर गिर पड़ी। जवाहर लाल ने उन्हें गोद में उठाकर जमीन

पर खड़ा किया। दोनों ने एक दूसरे को देखा। उस क्षण आँखों ही आँखों में नेहरू और एडविना के बीच कुछ ऐसा हुआ जिसने भारत के इतिहास की दिशा बदल दी।

दृश्य-57

(नेहरू, माउंटबैटेन और एडविना बैठे हैं। एडविना नेहरू की सिगरेट जलाती है)

एडविना : यू इंडियन्स हेट अस?

नेहरू : ओह नो। नोट एट ऑल।

एडविना : बट व्हाई यू वान्ट अस टुलीव इंडिया।

नेहरू : हम अंग्रेजी राज के खिलाफ हैं। अंग्रेजों के नहीं। सच तो यह है कि गांधी जी अक्सर कहते हैं—हम चाहते हैं कि अंग्रेजी राज जाए लेकिन अंग्रेज बने रहें।

एडविना : तो अंग्रेजी राज के जाने के बाद मैं इंडिया में रह सकती हूँ?

नेहरू : हाँ बेशक।

एडविना : **(हंसकर)** कहाँ रहूँगी? तुम्हारे घर में? रहने दोगे अपने घर में? **(नेहरू का हाथ पकड़ती है)**

नेहरू : जरूर। जरूर।

माउंटबैटेन : **(उठते हुए)** एक्सक्यूज मी। आई विल गेट सम शेम्पेन। वी विल सेलीब्रेट। **(जाता है)**

एडविना : **(नेहरू को देखते हुए)** हलो। इंडियाज़ फ्यूचर प्राइम मिनिस्टर। मैं प्राइम मिनिस्टर के घर में रहूँगी। आई एम सो लकी।

नेहरू : **(घड़ी देखकर)** सिंगापुर में एक आई. एन. ए. मैमोरियल है?

एडविना : हाँ। है तो?

नेहरू : वहाँ "रीद" रखने मुझे जाना है।

एडविना : क्या तुम आई.एन.ए. मैमोरियल जाओगे?

नेहरू : हाँ।

एडविना : डोन्ट टैल इट टु डिकी। हम अंग्रेजों की निगाह में बोस सबसे बड़ा ग़द्दार था। उसने इंडियन सोल्जर्स को अंग्रेजी राज के लिए

ली गयी वफ़ादारी की कसम तोड़ने के लिए उकसाया? क्या यह ठीक काम था? कभी नहीं। इट वाज सो इम्मोरल"।

नेहरू : **(असमंजस में)** शायद–

एडविना : **(नेहरू के निकट आकर आत्मीयता से)** जवाहर लाल, लेट मी टेल यू वन थिंग, जल्दी ही अंग्रेज इंडिया छोड़कर चले जाएंगे। हम सब चाहते है कि फ्री इंडिया के तुम प्राइम मिनिस्टर बनो। एज़ प्राइम मिनिस्टर क्या तुम नहीं चाहोगे कि फ्री इंडिया की आर्मी डिसिपिलन्ड हो? वह अपनी वफादारी की कसम पर डटी रहे?

नेहरू : हाँ, क्यों नहीं?

एडविना : अगर आई.एन.ए. मॅमोरियल पर "रीद" रखने गये, तो आर्मी को गलत मैसेज जाएगा। फ्री इंडिया में तुमको ही इसे फेस करना पड़ेगा। **(अधिक आत्मीयता से)** माई डियर जवाहर, तुम्हें आई. एन.ए. मैमोरियल का प्रोग्राम कैंसिल कर देना चाहिए।

नेहरू : ठीक है। मैं कैंसिल करता हूँ।

(माउंटबैटेन शराब की ट्रे ढकेलते हुए आते हैं)

माउंटबेटेन : लेट अस सेलीब्रेट अवर फ्रैन्डशिप।

(दृश्य समाप्त)

भारत को आज़ाद करने का ब्रिटिश राज का फैसला

सूत्रधार : मई 1945 में जर्मनी ने आत्म समर्पण कर दिया। द्वितीय विश्वयुद्ध में ब्रिटेन विजयी हुआ। किन्तु यह विजय ब्रिटेन के लिए तत्काल सुख और समृद्धि का संदेश नहीं ला सकी। छह वर्षों की लगातार बमबारी से लंदन में एक भी साबुत इमारत नहीं बची थी। चारों ओर खंडहर थे। टूटी इमारतों की बरसात में सड़ती लकडियों की दुर्गन्ध, फूटी सड़कों के गड्ढ़ों में भरा पानी और कीचड़, बन्द पड़ी फैक्टरियां और उन सबके ऊपर, उदासी का धुंध।

ब्रिटेन अपने छह लाख अस्सी हजार नौजवानों को खो चुका था। नौजवानों की पूरी की पूरी एक पीढ़ी साफ हो चुकी थी। विधवाओं, बच्चों और शोकग्रस्त माताओं के पुनःस्थापन की

समस्या। बीस लाख लोग बेकार थे। ऐसे समय जब चुनाव हुआ तो चर्चिल और उनकी टोरी पार्टी पराजित हुई। लेबर पार्टी सत्ता में आई और क्लीमेंट एटली प्राधमंत्री बने।

(क्लीमेंट एटली प्रकाश में उद्भासित होता है।)

एटली के सम्मुख सबसे बड़ा प्रश्न भारत का था। भारत का क्या किया जाए? क्या उसे आजाद कर दिया जाए? अगर नहीं तो उस पर कैसे ब्रिटेन का कब्जा बनाए रखा जाए? इस मसले पर 31 दिसम्बर 1946 को ब्रिटेन की कैबिनेट में विचार विमर्श हुआ।

दृश्य-58

एटली : मैंने कैबिनेट की इस कोर कमेटी की मीटिंग आप लोगों से इन्फोरमल कंसलटेशन के लिए बुलाई है। ब्रिटेन इस वक्त बहुत डिफीकल्ट टाइम्स से गुजर रहा है। हमें हाई डेसिशन लेने हैं। मैं मिस्टर बेविन से इंडियन प्रॉब्लम प्रॅज़ेन्ट करने को कहना चाहूँगा।

बेविन : हमें लगता है कि इंडिया जो ब्रिटिश ताज का सबसे बड़ा हीरा है, शायद हमारे हाथ से निकल जाए।

सदस्य एक : ओह नो!

बेविन : आई एम सॉरी, लेकिन वक्त आ गया है जब हमें ट्रूथ फ़ेस करना पड़ेगा।

एटली : जैंटिलमैन, देयर इज़ नो ऑलटरनेटिव टु लीविंग इंडिया। हमारे पास इंडिया भेजने के लिए इंगलिश सोल्जर्स नहीं है। इंडस्ट्री और बैंकिंग कॉलेप्स कर गये हैं। पैट्रोल नहीं है। कोयला नहीं है। इस हालत में हम इंडिया पर हुकूमत नहीं कर सकते। इस सबसे ऊपर 'सुभाष—फैक्टर' है। 'आई.एन.ए.—फैक्टर' है। हम इंडियन सोल्जर्स पर ज़रा भी ट्रस्ट नहीं कर सकते। एण्ड डोन्ट फोरगेट द नेवल म्यूटिनी। **(समापन करते हुए)** सो वी डिसाइड टु लीव इंडिया।

सदस्य एक : आई डोन्ट लाइक दिस। नो इंग्लिशमैन विल लाइक दिस।

बेविन : वी आर हैल्पलैस।

सदस्य एक : क्यों कुछ नहीं किया जा सकता? हम एशिया के दूसरे कंट्रीज से सोल्जर्स इंडिया ले जा सकते हैं। अफ्रीका, कैनाडा, अमेरिका से सोल्जर्स ले जाकर इंडिया में बगावत को क्रश कर सकते हैं।

बेविन : इतना आसान नहीं है।

सदस्य एक : क्यों नहीं है?

बेविन : हमारे पास इतना भी नहीं है कि हम उनके ट्रांसपोर्टेशन का पेमेंट कर सकें। इस लड़ाई के खर्चे ने हमारा दिवाला निकाल दिया। आज ब्रिटिश पाउंड अमरीकी डॉलर और कॅनाडियन डॉलर के सहारे खड़ा है। हमें इंडिया से विड्रा करना होगा।

सदस्य : सुनकर मन उदास होता है।

बेविन : हम हिन्दुस्तानियों को नहीं बतायेंगे कि हम को मजबूरी में इंडिया से भागना पड़ रहा है। प्लीज नोट। इट इज़ वेरी इम्पोर्टेन्ट।

एटली : हम दुनिया से कहेंगे कि ब्रिटिश नेशन ने वादा किया था कि एक दिन इंडिया को फ्री कर देंगे। हमने अपना वादा निभाया और अपने आप इंडिया का आजाद करके चले गये। ब्रिटिशमॅन आर ऑनरेबल पीपुल।

सूत्रधार : हिटलर ने दूसरा महायुद्ध आरम्भ करके ब्रिटेन की आर्थिक कमर तोड़ दी, जिससे मजबूर होकर उसे भारत को आजाद करना पड़ा। किन्तु आजादी का असली श्रेय सुभाष चन्द्र बोस को जाता है, जिसने आजाद हिन्द फौज के द्वारा ब्रिटिश साम्राज्य की नींव हिला दी। वह इतना डर गये कि इसके पहले हिन्दुस्तानी सिपाही 1857 की तरह विद्रोह करके उनका बिस्तर गोल करके समुद्र में फेंक दें, उन्होंने खुद ही भाग जाना उचित समझा।

सदस्य दो : हमारा अरबों–खरबों का इनवेस्टमैंट इंडिया में है।

सदस्य एक : अगर हमने इंडिया को आजाद किया तो हमको इस पूंजी से हाथ धोना पड़ेगा।

बेविन : यह एक प्रोब्लम है। इंडिया को फ्रीडम देने के पहले हमें यह सोचना है कि हम इस इनवेस्टमेंट को कैसे बचाएं।

सदस्य एक : नहीं बचा सकते। फ्रीडम पाते ही इंडियन्स हमारी फैक्ट्रीज, इन्वस्टमेंटस, बिल्डिंग्ज़ को नेशनलाइज कर देंगे।

एटली : इसीलिए हमने तय किया है कि इंडिया को फ्रीडम दो स्टेज में दी

जाए। पहली स्टेज में इंडिया को ब्रिटिश ताज़ के नीचे डोमीनियम स्टेटस दिया जाए। इस स्टेज में हम अपना सारा इन्वेस्टमेंट इंडिया से निकाल सकेंगे। उसके बाद दूसरी स्टेज में ही उनको फुल फ्रीडम ग्रांट की जाएगी।

सदस्य तीन : क्या इंडियन्स मानेंगे?

बेविन : उन्हें मानना पड़ेगा। वह कैसे मानेंगे यह हम जानते हैं।

एटली : एक बात और है। फ्री इंडिया की नेशनलिज्म को कमजोर करने के लिए हम कंट्री का पार्टीशन करेंगे।

सदस्य एक : कंट्री का पार्टीशन इम्पोसिबिल है। गांधी ने बोला है—कंट्री का पार्टीशन उसकी डैड बॉडी पर होगा।

एटली : यही तो चैलेंज है। लार्ड बेविन, इनको बताइए हमारी प्लान्स।

बेविन : जवाहर लाल नेहरू इंटरिम गवर्नमेंट में प्राइम मिनिस्टर है। वह एंग्लो–फ़िल है। अगर उस पर वर्क किया जाए तो वह डोमीनियम स्टेटस के लिए भी तैयार हो जाएगा और पार्टीशन के लिए भी।

एटली : **(विश्वास से)** नेहरू पर वर्क करने के लिए भी कोई है।

सदस्य : कौन?

एटली : एडमिरल माउण्डबैटेन। माउण्टबैटेन हर तरह के आदमियों से अपनी पटरी बैठा सकता है। फिर उसकी पत्नी भी एक ग़ैर-मामूली औरत है। दोनों नेहरू से सिंगापुर में मिल चुके हैं। ब्रिटिश सरकार ने उनकी सिंगापुर में मुलाकात का इंतजाम किया था। कुछ दिन पहले जब नेहरू लण्डन आए थे तो माउण्टबैटेन ने उनको अपने साथ ठहरने को इनवाइट किया था। नेहरू उनके साथ ठहरने नहीं गये। नेहरू ने डोरचेस्टर में ठहरना पसन्द किया था, जहाँ लेडी माउण्टबैटेन का एक "स्वीट" है।

सदस्य : यह तो अच्छी ख़बर है। **(सब सदस्य हँसते है)**

एटली : एक और अच्छी ख़बर है। नेहरू ने अपने दोस्त कृष्णा मेनन के ज़रिये सर स्टैफर्ड क्रिप्स को संदेश भेजा है कि वैवल की जगह माउण्टबैटेन को इंडिया का वाइसराय बनाया जाए। साफ है, माउण्टबैटेन के साथ एडविना भी दिल्ली जाएगी। जेनटलमैन, वी कैन एण्ड दिस मीटिंग एट दिस हैपी नोट।

(दृश्य समाप्त)

विष कन्या

दृश्य-59

(एडविना नेहरू के कोट में गुलाब का फूल लगाती है।)

एडविना : तुमने सिंगापुर में भी अपने कोट में गुलाब लगाया था। तब से जब भी कहीं गुलाब देखती थी, तो तुम्हारी याद आती थी।

नेहरू : गुलाब में काँटे भी होते हैं।

एडविना : तुम ठीक कहते हो। गुलाब के साथ तुम्हारी याद मुझे काँटे सी चुभती थी।

नेहरू : माई डियर, मत कहो ऐसी बात। सोचो मैं कैसे जिन्दा रहूँगा तुम्हारे बिना। मैं अकेला हूँ। बहुत अकेला।

एडविना : जाना तो है ही मुझे एक दिन। एटली ने चौदह महीने दिये हैं। जून 48 तक डिकी और इंडियन लीडर्स को तय करना है कि ब्रिटिश सरकार जाने के पहले किसको पॉवर ट्रांसफर करके जाए। अगर कोई फैसला नहीं होता तो जून 1948 में अंग्रेज हर हाल में हिन्दुस्तान छोड़कर चले जाएंगे।

नेहरू : मेरी तो यही ख्वाहिश है कि जून 1948 तक कोई फैसला न हो। तब तक तो तुम हिन्दुस्तान में बनी रहोगी।

एडविना : नहीं नेहरू, मैं सेल्फिश नहीं हूँ। मुझे अपने लिए कुछ नहीं चाहिए। मैं तो अपनी जिन्दगी में तुम्हें हिन्दुस्तान का प्राइम मिनिस्टर देखना चाहती हूँ।

नेहरू : चौदह महीने बाद देख लोगी।

एडविना : नहीं, मैं इतना इन्तजार नहीं कर सकती। मैं जल्दी से जल्दी तुम्हें पी.एम. देखना चाहती हूँ। हिज़ एक्सीलैंसी द प्राइम् मिनिस्टर ऑफ इंडिया।

नेहरू : यह कैसे हो सकता है?

एडविना : क्यों नहीं हो सकता। एटली चाहते हैं कि हम जल्दी से जल्दी इंडिया को आजाद करके वापस जाएं। अंग्रेज तीन चार महीने में हिन्दुस्तान छोड़कर जा सकते हैं...अगर...

नेहरू : अगर?

एडविना : अगर कांग्रेस पार्टीशन एक्सेप्ट कर ले और इंडिया के लिए डोमीनियन स्टेटस।

नेहरू : यह कैसे हो सकता है? मैं कांग्रेस प्रेसीडेन्ट था। 26 जनवरी 1930 को हम सबने 'पूर्ण स्वराज' के लिए कसम खाई थी।

एडविना : माई डियरेस्ट जवाहर, चोयस तुम्हारे सामने है। चौदह महीने इन्तजार करो। फिर यह भी तो पता नहीं कि चौदह महीने बाद क्या पोलिटिकल सिचुएशन हो। लेकिन अगर आज पार्टीशन और डोमीनियन स्टेटस एक्सप्ट कर लो तो तीन-चार महीने में तुम प्राइम मिनिस्टर हो सकते हो।

(नेहरू सोच में पड़ जाता है।)

एडविना : माई लव। तुम जानते हो मैं तुम्हारी वॅल विशर हूँ। मैं लण्डन की बात जानती हूँ। मैं तुम्हें प्राइम मिनिस्टर देखना चाहती हूँ। जल्दी से जल्दी। क्या तुम मेरी यह छोटी सी विश फुलफिल करोगे?

नेहरू : मैं तुम्हारी हर विश फुलफिल करना चाहता हूँ।

एडविना : तो बस ठीक है। तुम पार्टीशन और डोमीनियन स्टेटस को इन-प्रिन्सिपल एक्सेप्ट कर लो। गांधी जी और बाकी कांग्रेस लीडर को मनाना मेरी और डिकी की जिम्मेदारी। **(हाथ बढ़ाते हुए)** दिस इज ए डील।

नेहरू : **(हाथ मिलाते हुए)** ओके। जस्ट एज यू विश।

(दृश्य समाप्त)

विभाजन पर गांधी जी की स्वीकृति

सूत्रधार : बिना कांग्रेस की राय जाने, केवल नेहरू जी की व्यक्तिगत सैद्धान्तिक सहमति के आधार पर माउण्टबैटेन ने देश के विभाजन की अपनी योजना लंडन भेज दी। माउण्टबैटेन आश्वस्त था कि नेहरू जी समय आने पर गांधी जी को और कांग्रेस को विभाजन और डोमीनियन स्टेटस के लिए मना लेंगे। माउंटबैटेन का अंदाज सही निकला। बूढ़े हो रहे कांग्रेसी नेताओं में संघर्ष जारी रखने

का उत्साह नहीं बचा था। वह जल्दी से जल्दी कुर्सी पर बैठना चाहते थे—चाहे वह डोमीनियन स्टैटस की हो, या 'पूर्ण स्वराज' की। उन्हें सिर्फ कुर्सी से मतलब था।

सूत्रधार : 2 जून की कांग्रेस वर्किंग कमेटी ने देश का विभाजन और डोमीनियम स्टेटस स्वीकार कर लिया। 14 जून 1947 को यह मसला अखिल भारतीय कांग्रेस कमेटी के सम्मुख स्वीकृति के लिए प्रस्तुत होना था।

(दृश्य समाप्त)

दृश्य-60

(बापू चरखा कात रहे हैं। मनु आकर बैठती है।)

गांधी : **(घड़ी देखकर)** मनु मुझे ए.आई.सी.सी. की मीटिंग में जाना है। आज चौदह जून है न।

मनु : आप मीटिंग में मत जाइए। वहाँ देश के विभाजन के प्रस्ताव पर विचार होगा। ज़्यादातर कांग्रेसी इस विभाजन के खिलाफ हैं।

गांधी : लेकिन कांग्रेस वर्किग कमेटी तो पार्टीशन के हक में फैसला कर चुकी है। नेहरू और पटेल दोनों ही पार्टीशन के लिए हामी भर चुके हैं।

मनु : इससे क्या होता है। ए.आई.सी.सी. पार्टीशन को रिजेक्ट कर देगी।

गांधी : अगर मैं नहीं गया तो ए.आई.सी.सी. सचमुच पार्टीशन को रिजेक्ट कर देगी।

मनु : रिजेक्ट हो जाने दीजिए। आप भी तो पार्टीशन नहीं चाहते। आपने ही तो कहा था—पार्टीशन केवल आपके मृत शरीर पर हो सकता है?

गांधी : कहा था। लेकिन जवाहर चाहता है।

मनु : उनको चाहने दीजिए। आप इस झगड़े से दूर रहिए। आप तो कांग्रेस के मेम्बर भी नहीं है। आपका वहाँ जाना ज़रूरी नहीं है।

गांधी : अगर नहीं गया तो जवाहर से क्या कहूँगा। मुझे जाना ही पड़ेगा।

वह प्रधानमंत्री बनना चाहता है। उसने मुझे अपने प्रेम का बन्दी बना लिया है। अगर मैं नहीं गया तो उसका दिल टूट जाएगा।

(दृश्य समाप्त)

दृश्य–61

(अखिल भारतीय कांग्रेस कमेटी का दृश्य)

सदस्य एक : हमें अपनी मातृभूमि का विभाजन स्वीकार नहीं है।

सब एक स्वर में : स्वीकार नहीं। स्वीकार नहीं।

पुरुषोत्तम दास टंडन : मैं पुरुषोत्तत दास टंडन हूँ। मैं वही कह रहा हूँ, जो ए.आई.सी.सी. के ज्यादातर लोग बोलना चाहते हैं। मैं बिना किसी लाग-लपेट के साफ-साफ दो टूक बात करूँगा। ऐसा लगता है कि मुस्लिम लीग ने जो देशभर में गुण्डागर्दी फैलाई है, जो दंगे करवाएं हैं, उससे डरकर हमारे नेता मुस्लिम लीग की माँग के आगे झुक गये हैं और देश के टुकड़े करने पर राज़ी हो गये हैं। क्या होगा अगर हम पाकिस्तान की माँग को ठुकरा दें? यही न कि हमको आज़ादी नहीं मिलेगी। न मिले। हम आजादी की लड़ाई जारी रखेंगे। अपनी माँ की लाश पर हमें आजादी नहीं चाहिए। हम अखंड भारत की आजादी के लिए लड़ते रहेंगे।

(जोरदार ताली बजती है)

गांधी : मैं भी देश के विभाजन के खिलाफ हूँ।

(जोरदार तालियां)

गांधी : आज जितना मैं दुखी हूँ, उतना कोई दुखी नहीं हो सकता। देश के विभाजन से जितनी चोट मुझे लगेगी, उतनी शायट और किसी को नहीं लगेगी। लेकिन जो हो चुका, वह हो चुका। आप कांग्रेस के सिपाही हैं। कांग्रेस के नेताओं ने, वर्किंग कमेटी के मेम्बर्स ने, आपकी ओर से देश का विभाजन स्वीकार कर लिया है। कांग्रेस

के वफादार सिपाही होने के नाते आपका फर्ज बनता है कि अपने नेताओं के फैसले पर चलें।

यह जरूरी है कि आप आज के हालात को समझें। वर्किंग कमेटी ने यह फैसला बहुत समझ-बूझ कर किया है। ऐसा फैसला कांग्रेस ने अकेले नहीं किया है। यह फैसला कांग्रेस, मुस्लिम लीग और ब्रिटिश सरकार का मिला-जुला फैसला है। अगर आप इसे अस्वीकार कर देंगे तो दुनिया आपको ग़ैर-जिम्मेदार कहेगी। मेरी आपको सलाह है कि आपकी ओर से आपके नेताओं ने जो फैसला किया है उस पर चलें। वक्त का तकाजा है कि जबान बन्द करके वही करें जो नेताओं ने देश के हित में तय किया है। आपको देश का विभाजन मंजूर कर देना चाहिए।

(दृश्य समाप्त)

सूत्रधार : महात्मा गांधी ने पार्टीशन के विरोधियों की जबान पर ताले डाल दिये। लोगों की आँखें नीची हो गयीं। उनकी गर्दनें झुक गयीं। अखिल भारतीय कांग्रेस समिति ने गांधी जी के कहने पर देश के बंटवारे का जहर चुपचाप पी लिया।

दृश्य-62

(गगनिका पर भारत का नक्शा-हिन्दुस्तान और पाकिस्तान में विभाजित हो गया।)

(विभाजन की विभीषिका और मारकाट के दृश्य गगनिका पर)

सूत्रधार : देश के विभाजन में कितने लोग काल के गाल में समा गये, कोई नहीं जानता। किसी ने लिखा है दस लाख, किसी ने 20 लाख और किसी ने 30 लाख। मरने वालों की सही संख्या कभी भी ज्ञात नहीं हो सकती। जो मर गये, वह मुर्दों की सूची में अपना नाम लिखाने नहीं आ सकते।

परिवार के परिवार विभाजन के वहशी दंगों में समाप्त हो गये। उनमें हिन्दू भी थे, और मुसलमान भी। मरने के बाद उनके कटे-फटे जिस्मों और गहरे जख्मों से बहते लहू का रंग एक

सा लाल था। सड़कों, मैदानों, खेतों, खलिहानों, घरों में उनकी लावरिस लाशें हफ्तों पड़ी सड़ती रहीं। चीलें और गिद्ध उन्हें नोच रहे थे। घुटन थी। बदबू थी सड़ती लाशों की।

दृश्य-63

(मंच पर मुर्दा लाशें पड़ी हैं। वहीं लाशों के बीच नेहरू जी भारत का तिरंगा झंडा फहराते हैं। नेपथ्य से नेहरू जी के 15 अगस्त 1947 को दिये गये 'ट्रिस्ट विद डेस्टिनी' भाषण की रिकार्डिंग सुनाई पड़ती है। फिर उदास ध्वनि के साथ नाटक का अन्त होता है।)

(इति)

परिशिष्ट

ऐतिहासिक साक्ष्य

Macaulay's Minutes

1. T.B. Macaulay wrote in his famous minute of 1835 "we must at present do our best to create a class, who may be interpreters between us and the millions whom we govern, a class of persons, Indian in blood and colour, but English in taste, in opinions, in morals and in intellect."

"...the dialects commonly spoken among the natives of this part of India contain neither literary nor scientific information, and are so poor and rude that until they are enriched from some other quarter it will not be easy to translate any valuable work into them," Macaulay wrote. "I have never found one among them (the proponents of continuing to strees oriental learning), " he wrote, "who could deny that a single shelf of a good European library was worth the whole native literature of India and Arabia." "It is, I believe, no exaggeration to say," he wrote, "that all the historical information which has been collected from all the books which have been written in the Sanskrit language is less valuable than what may be found in the most paltry abridgment used at preparatory schools in England. In every branch of physical or moral philosophy the relative position of the two nations is nearly the same." He wrote of "...languages in which by universal confession there are no books on any subject which deserve to be compared to our own.; systems (of scientific knowledge) which whenever they differ from those of Europe differ for the worse;......... medical doctrines which would disgrace an English farrier, astronomy which would move laughter in girls at an English Boarding-School, history abounding with kings thirty feet high and reigns 30000 years long, and geography made up of seas of treacle and seas of butter..... a literature admitted to be of small intrinsic value.... (one) that inculcates the most serious errors on the most important subjects hardly reconcilable with reason, with morality.... fruitful of monstrous superstitions, false history, false astronomy, false medicine. in company wih a false religion......" *(Arun Shourie : A Secular Agenda, A.S.A. Public New Delhi. pp. 18-19)*

2. Writing to his father in 1836, T.B. Macaulay said that it was his firm belief that if the plans for English education were followed up, there would not be a single idolater among the respectable class in Bengal thirty years hence. This would be effected without any efforts to prosetylise, without the smallest interference with religious liberty, merely by natural operation of knowledge and reflection.

English education and process of reforms to prevent Indian rebellion against British

C.E. Trevelyan in his book " Education of the people of India" (published in 1838) wrote that it was ultimately impossible to prevent the Indian people from regaining their independence.

"But there are two ways of arriving at this point. One of these is through the medium of revolution; the other, through that of reform. In one, the forward movement is sudden and violent; in the other, it is gradual and peaceable. One must end in a complete alienation of mind and separation of interests between ourselves and the natives; the other in a permanent alliance, founded on mutual benefit and good-will. The only means at our disposal for preventing the one and securing the other class of results is, to set the natives on a process of European improvement....They will then cease to desire and aim at independence on the old Indian footing.. The political education of a nation must be a work of time : and while it is in progress, we shall be as safe as it is possible for us to be. The natives shall not rise against us, because we shall stoop to raise them; there will be no reaction, because there will be no pressure : the national energy will be fully and harmlessly employed in acquiring and diffusing European knowledge, and in naturalising European institutions.

The separation, he concluded, would thus be peaceably and gradually effected. "We shall exchange profitable subjects for still more profitable allies." Tied to Britain by the bonds of commerce, an independent India would be "a solid foundation of strenght and prosperity to our whole nations" (Cited in "The aftermath of revolt, India 1857-1870 " by Thomas R. Metcalfe; p.15)

कांग्रेस की स्थापना

1. श्री ह्यूम के पास इस बात का अकाट्य प्रमाण था, कि राजनीतिक अंसतोष भीतर ही भीतर सुलग रहा था। उसके आधार पर श्री ह्यूम ने निश्चय किया कि असन्तोष को बाहर निकालने के लिए कोई द्वार तैयार किया जाए और कांग्रेस ऐसा ही सुरक्षा द्वार बन सकती है। (डा. पट्टाभि सीतारमैया : हिस्ट्री ऑफ फ्रीडम मूवमेंट इन इंडिया, खण्ड 1 पृष्ठ 316)

2. Sir Willium Wedderburn (one of the closest collaboators of Hume and the earliest leaders of Congress) Quotes him (Hume) as having said that "a safety valve for the escape of great and growing forces was needed and no more efficacious safety valve than our Congress could possibly be devised." (Sir Wellerburn : Allen Octavian Hume, cited by K.R. Bombwal : Indian Politics and Government : page 43)

3. Congress report of the session for 1889 says " it has been the chief glory of the Congress movement, that... it has swept away all the fungoid growth and sweetened all political agitation by working it out in the wholesome light of the day" (R.K. Bombwal : Indian Politics and Government : Page 43)

Sir Syed Ahmed Khan

1. He travelled to England in 1869 and wrote as follows to a friend in India : "Without flattering the English, I can truly say that the natives of India, high and low, merchants and petty shopkeepers, educated and illiterate, when contrasted with the English in education, manners and uprightness, are as like as a dirty animal is to an able and handsome man. Do you look upon an animal as a thing to be honoured? Do you think it necessary to treat an animal courteorsly, or the reverse? We have no right to

courteors treatment. The English have reason for believing us in India to be imbecile brutes."

2. In 1883, Sir Syed declared in Governor General's Council "that the system of election, pure and simple, cannot safely be adopted. The larger community will totally over-ride the interests of the smaller community." (History of India (Modern Period) by L. Mukherjee, Page 247)

3. 1888 में लखनऊ में सर सैयद ने भाषण दिया–"मेरी समझ में नहीं आता कि राष्ट्रीय कांग्रेस है क्या? क्या यह समझा जाए कि अलग अलग जातियों के, धर्म के, जो लोग भारत में रह रहे है वे एक राष्ट्र के लोग हैं या एक राष्ट्र बन सकते हैं, और उनके नाम और आकाक्षाएं एक जैसी हो सकती हैं? जो कांग्रेस, चाहे वह किसी भी रूप में क्यों न आए, भारत को एक राष्ट्र मानती है, वैसी हर कांग्रेस का मैं विरोध करता हूँ।" उन्होंने यह भी कहा कि "अगर अंग्रेज चले जाएं, तो हिन्दू और मुसलमान सत्ता में सहभागी नहीं बन सकते, क्योंकि यह जरूरी है कि उनमें से एक दूसरे को हरा दे। (और देश बंट गया : हो. वे. शेषाद्रि पृष्ठ 41)

The first Congress Session- 1885

The liberal nationalists were steeped in an attitude of loyalty towards the British Government. The attitude was evident in the very first session (of Congress) which concluded with three cheers to Queen Victoria.... Dadabhai Naoroji declared, "Let us speak out like men and proclaim that we are loyal to the backbone." (R.K. Bombwal : Indian Politics and Government, Atma Ram & Sons Page 53).

Beginnigs of Muslim Separatism

1. In 1886 session of Congress, there were 33 Muslims delegates out of 431 delegates.

2. "Our critics regarded the National Congress as Hindu Congress, and the opposition papers described it as such. We are straining every nerve to secure the co-operation of our Mohammedan fellow-countrymen in this great national work. We some times paid the fares of the Mohammedan delegates and offered them other facilities." writes Sir Surendra Nath Banerji

(Surendra Nath Banerjee : A nation in the Making (1857-1905) Oxford University Press, 1925 Page 108)

3. Another attraction that was offered to Muslims was the rule that no resolution affecting a particular community would be considered by the Congress, if the delegates representing that community, even if they were, in a minority, objected to it. In this way a resolution urging the prohibition of cow slaughter suggested by a Hindu landlord of Bengal was disallowed at a Congress Session of 1887. (Khalid Bin Sayeed : Pakistan- The formative Phase 1857- 1948; OUP, Karachi)

4. Lord Dufferin replying to a farewell address from Mohammedan National Association of Calcutta in 1888, observed- " In any event be assured, Gentlemen, that I highly value these marks of sympathy and approbation which you have been pleased to express in this regard to the general administration of the country. Descended as you are from those who formerly occupied such a commanding position in India, you are exceptionally able to understand the responsibility attaching to those who rule." (Cited in 'Pakistan, the formative phase' by Khalid Bin Sayeed, Oxford University Press, Karachi, 1991 Page 21)

All India Mohammedan Deputation of 1906

1. A Muslim deputation under the leadership of the Agha Khan waited upon the Viceroy Lord Minto on 1st October 1906. It was a command affair, organised by Mr. Archibold, the Principal of the Aligarh Collage and Col. Dunlop smith, the Viceroy's Privte Secretary. Even the contents of the address, submitted by the Deputation to the Viceroy, were dictated by them, as would transpire from the letter of Mr. Archibold written to Nawab Mohsin ul Mulk, dated Aug, 20, 1906 : " Colonel Dunlop Smith, Private Secretary of His Excellency the Viceroy, informs me that His Excellaency is agreable to receive the Muslim deputation. He advises that a formal letter requesting permission to wait on His Excellency be sent to him. In this connection, I would like to male a few suggestions. The formal letter should be sent with the signatures of some representatives of Mussalmans. The

deputation should consist of representatives of all the provinces. The third point to be considered is the text of the address. I would here suggest that we begin with a solemn assurance of loyalty. The Government decision to take a step in the direction of self governence should be appreciated. But our apprehensions should be expressed that the principle of election, if introduced, would prove detrimental to the interests of the Muslim minority. It should respectfully be suggested that nomination or representation by religion be introduced to meet Muslim opinion. We should also say that in a country like India due weight must be given to views of Zamindars... But in all these views I must be in the background. I can prepare for you the draft of the Address or revise it. If it is prepared in Bombay, I can go through it as, you are aware, I know how to phrase these things in proper language. Please remember that if we want to organise a powerful movement in the short time at our disposal, we must expedite matters." (Cited by K.R. Bambwall Indian Politics and Govt; p 106)

2. The deputation accordingly waited upon the obliging Viceroy and presented the address. The cardinal point of address was a plea for separate electorate for the Muslims in any scheme political reform on the ground that were loathe to place "our national interest at mercy of unsympathetic majority." It was also demanded that in the imperial legislative council their representation "should never be an ineffective minority."(Cited by K.R. Bomwall : p106)

Viceroy Lord Minto's Reply to All India Mohammedan Deputation of Oct., 1, 1906

Lord Minto said : "I am grateful to you for the opportunity you are affording me for expressing my appreciation for just aims of followers of Islam and their determination to share in the political history of our Empire." He further said "The pith of your address that in any system of representation, whether it affects a municipality, a district board or a legislative council, in which it is proposed to introduce or incerase and electoral organisation, Mahammendan community should be represented as a community" He expressed firm conviction that "any electoral representation in India would be doomed to mischievous failure, which aimed at granting a personal enfranchisement regardless of the beliefs and traditions of the communities commprising the population of this continent."(Durga Das : Curzan to Nehru & After; page 50)

2. "You justify claim that your position should be estimated not merely on your numerical strength but in respect to political importance of your community and the services it has rendered to the empire. I am entirely in accord with you." (K.R.Bombwal : Indian Politics and Government page 106)

कांग्रेस अधिवेशन (सूरत-1907)

थोड़ी देर में 1600 प्रतिनिधि एक दूसरे पर चिल्लाने लगे। मारपीट पर उतारू हो गये और कुर्सियां फेंकने लगे। इसी बीच किसी अज्ञात व्यक्ति ने मंच पर एक जूता फेंका, जो फिरोजशाह मेहता और सुरेन्द्र नाथ बनर्जी को लगा। इसके बाद पुलिस आई और उसने सभागार खाली कराया। कांग्रेस अधिवेशन समाप्त हो गया। इसमें जीत केवल अंग्रेजी हुकूमत की हुई। मिटों ने तत्काल मोरले को खत लिखा—"सूरत में कांग्रेस का पतन हमारी बहुत बड़ी जीत है।" (बिपिन चन्द्र, भारत का स्वतंत्रता संग्राम पृष्ठ 113)

Gandhiji and Revolutionary Movement

1. In 1908 Gandhiji wrote : "Many people exult at the explosion of bombs. This only shows ignorance and lack of understanding. If all the British were to be killed, those who kill them would become the masters of India, and as a result India would continue in a state of slavery. The bombs with which the British will have been killed will fall on India after the British leave (Collected works of Mahatma Gandhi, Vol.8, page 374)

2. On 1 July 1909, Madan Lal Dhingra, and Indian student, assassinated Sir William Curzon-Wyllie, political aide-de-camp to Lord Morley, the Secretary of State for India, at a reception held by the National Indian Association at the Imperial Institute in South Kensington, London. Gandhi's assessment of the event appeared in *Indian Opinion*. He said *inter alia* :–

"I must say that those who believe and argue that such murders may do good for India are ignorant men indeed. No act of treachery can ever profit a nation. Even should the British leave in consequence of such murderous acts, who will rule in their place? The only answer is the murderers." (Collected Works of Mahatma Gandhi, Vol. 9, page 303)

3. Those who believe that India has gained by Dhingra's act, and such other acts in India make a mistake. Dhingra was a patriot but his love was blind. He gave his body in a wrong way. Its ultimate result can only be mischievous. (Mahatma Gandhi : Hind Swaraj, Chapter XV Cambridge, Page 78)

4. Gandhiji wrote to Viceroy Lord Irwin on 2.3.30 :–

"It is common cause that disorgnised and for the time being insignificant the party of violence (i.e. Indian revolutionary movement) is gaining ground and making itself felt.... My experience.... shows that non-violence can be an intensely active force. It is my purpose to set in motion that force....(against) the unorganised violent force of the growing party of violence (i.e. Indian revolutionary movement.)" (Collected Works of Mahatama Gandhi; Vol. 43 page 6)

Satyagrah in South Africa (1914)

'Gandhi was convinced that the Commision was just a way for the government to buy time and end up doing nothing– so he made ready for another protest march, this one against the Commission. Just at that time, as it happened, Europian railway workers went on strike throughout South Africa, threatening the survival of Botha's Government Gandhi immediately called off his protest march, on the ground that a Satyagrahi did not take advantage of his adversary's weakness.' (Ved Mehta : Mahatma Gandhi and his apostles; Penguin Books 1977 page 129)

Khilafat

1. On 8th, 9th & 10th July 1921. All India Khilafat Conference met in Karachi. Some of the salient resolutions were:

i. This meeting of the All India Khilafat Conference declares allegiance of the Muslim population to His Majesty, the Sultan of Trukey, the Commander of the Faithful, and gives him an assurance that they would not rest content until they had secured complete fulfilment of their demands.

ii. The Muslims shall never agree to the conditions the allies wish to impose upon Turkish Government... as that would tend to interfere with the complete independence of the Khilafat and the Sultanate.

iii. It is in every way religiously unlawful for a Mussalman at the present moment to continue in the British Army or to induce others to join the army and it is the duty of all Mussalmans in gereral and the Ulemas in particular to see that these religious commandments are brought home to every Mussalman in the Army.

iv. If the British Government were to take, any military measures against AngolaèGovernment... then the Mussalmans of India will be compelled to commence the breaking of laws, that is civil disobedience, wih the concurrence of Congress, and declare complete independence of India and Indians and the establishment of a Republic for the Government of India. (Khalid Bin Sayeed : Pakistan, The Formative Phase (1857–1948), O.U.P., Karachi page 52–53)

2. I will gladly ask for the postponement of Swaraj activity, if thereby we would advance the interest of Khilfat. (M.M. Kothari : Critique of Gandhi, Critique Publications, Jodhpur, page 148)

3. He (Gandhiji) asked the Hindus "to befriend all Muslims and hold them fast as prisoner of our, love. It would be a pleasent possibility, if Hindus in their lakhs offered themselves cut to pieces without retaliation or anger in their heart." (M.M. Kathari : Critique of Gandhi; p. 148)

4. Gandhi commented on Chauri–Chaura incident and "characterised the tragedy as an 'index finger', and calling the civil disobedience movement off fasted for five days as penance for the violence.". (Durga Das : India from Gurogan to Nehru and after page 100)

On failure of Khilafat Movement

1. On suspension of Khilafat movement (on 4th Feb. 1922). Jawahar Lal Nehru's reaction was : "We were angry when we learnt of the stoppage of our struggle at a time we seemed to be consolidating our position and advancing on all fronts... The sudden suspension of our movement... was resented. Our mounting hopes tumbled to the ground... what troubled us even more were the reasons given for this suspension and the consequences that seemed to flow from them... a remote village and a mob of excited peasants in an out-of-the-way place going to and end... to our national struggle for freedom?" (Stanely Wolpert: Nehru, O.U.P. page 54-55)

2. It is not surprising that such a partnership (Hindu-Muslim Unity during Khilafat movemenat) could be buffetted from its nationalist course by any hostile wind either from the government side or the communalist. It was felt that Gandhi might have aroused Muslims suspicions by seeking an interview with the Viceroy... There were all together six of these interviews between 13 and 18 May 1921." (Khalid Bin Sayeed, The formative Phase, O.U.P. Karachi page 57)

3. Iqbal wrote to his friend, the historian Akbar Shah Najibabadi on 12 April 1925 :–

"You have rightly observed that the influence of professional theologians (Maulwis) had declined steeply as a result of Sir Syed Ahmed Khan's movement but the Khilafat Committee has reestablished their pristige among Indian Muslisms due to Committees need for political fatwas. This was a grave mistake which has perhaps not been realised by anyone till now." (Cited by Arun Shourie : the World of Fatwas, page 31)

Gandhiji On Bomb Blast on Lord Irwin's Train–(31.12.29)

1. Mr. M.K. Gandhi... moved the following resolution :–

"The Congress deplores the bomb outrage perpetrated on the Viceroy's train and reiterates its conviction that such action is not only contrary to the creed of the Congress but results in harm being done to the national cause. It congratulates the Viceroy and Lady Irwin and their party including the poor servants on their fortunate and narrow escape."

In support of his resolution Gandhiji said : "Congress will fail in its obvious duty if it does not record this resolution.... So long as the Congress creed remains what it is, namely, that we want to attain swaraj, not by any means, but by peaceful and legitimate means, it is our bounden duty to take note of anything that happens in India in breach of that condition. You might be told, that when people who do not belong to the Congress organization and are not connected with it in any shape or form do, particular acts which may be contrary to our creed, we are in no way and in no sense responsible.... We either claim to represent the thirty crores of Hindustan or we do not. If we claim to represent them, then it is our duty to consider ourselves responsible for anything that any single person born in Hindustan may do.... Not only so; we would be guilty of not having understood the implications of our creed if we forget that those Englishmen, whether in authority or not, who choose to remain in India are our charge, that we, who profess this creed of non-violence should consider ourselves trustees for the safety of their lives... In the opinion of Swami Govindanand and Dr. Alam this resolution is unwarranted. It is being suggested that no note should be taken of a recent violent outrage. The argument advanced is : "Let us go our way and let them go their way." But I can assure you that this is not the way to atain independence. When we claim that the Congress is the largest organization in India, nothing should deter us from registering the views of the Congress regarding such incidents in the country..." (Collected works of Mahatma Gandhi page 341-44)

Congress Presidentship : Moti Lal Nehru and Jawahar Lal Nehru

Writing to Gandhi on July 11, 1928, Moti Lal said : "I am quite clear that the hero of the hour is Vallabhbhai, and the least we can do to appreciate his public services is to offer him the crown. Failing him, I think that under all circumstances Jawahar would be the best choice." Gandhi solved the dilemma by proposing that Moti Lal himself become President. By this guesture he won over the Nehrus. (Durga Das: India from Congress to Nehru and After; page 128)

It was now clear that the Congress session at Lahore (1929) would be crucial. The provincial committees had recommended Gandhi and Sardar Patel for the Presidentship of the Congress.. When Gandhi announced his preference for Jawahar Lal, the General body, especially the senior leaders were astonished. For one thing it was considered odd that a son should succeed his father to the Congress throne.

Having learnt from private inquiries that Gandhi had succumbed to pressure from Moti Lal, I sought Gandhi's version. The Mahatma pointed out that Moti Lal had repeated with greater emphasis the argument put forward in his letter of July 1928 that Jawahar represented youth and dynamism.

It is certain that Gandhiji's decision marked a turning point in the history of modern India. A dying man, Moti Lal was naturally eager to see Jawahar Lal as Congress President in his own life time. But the effect of Gandhi's decision was to identify the Nehru family with the nation. (Durga Das: India from Curozan to Nehru and After, page 134)

Bhagat Singh Episode

Minutes of Viceroy Lord Irwin of his talks with Gandhiji on 19.3.31 :–

"As he was leaving, he asked if he might mention the case of Bhagat Singh, saying that he had seen in the Press, the intimation of his execution for March 24th. This was an unfortunate day as it coincided with the arrival of the new President of the Congress at Karachi and there would be much popular excitement.

I told him I had considered the case with most anxious care but could find no grounds on which I could justify to my conscience commuting the sentence. As to the date, I had considered the possibility of postponement till after the Congress, but had deliberately rejected it on various grounds :–

(i) that postponement of execution, merely on political grounds, when orders had been passed, seemed to me improper;

(ii) that postponement was inhuman in that it would suggest to the friends and relatives that I was considering commutation; and

(iii) that Congress would have been able legitimately to complain that they had been tricked by Government.

He appeared to appreciate force of these arguments, and said no more. Sd: IRWIN"

(National Archives of India, file No, 545è1931, Home Deptt. political Branch. Cited by A.G.Noorani: Trial of Bhagat Singh, Konark N.D. pp: 240–41. Also Collected Works of Mahatma Gandhi; Vol. 45 Page 315–16)

2. Minutes of Home Secretary Herbert Emerson of his talk with Gandhiji on 19.3.31

"I then asked him if he had seen in the papers that the Governor-General in Council had rejected the petition for mercy on behalf of Bhagat Singh. He said that he had and that he was apprehensive regarding the consequences. I did not mention the date on which the execution would be carried out, but I did explain to him that the question as to whether it should take place before or after the Karachi Congress had been very seriously considered by Government who realized the difficulties of either course, but thought it would have been unfair to the condemned persons to postpone execution and also not fair to Gandhi to allow the impression to gain ground that commutation was under consideration when this was not the case. He agreed that of the two alternatives it is better not to wait, but he suggested, though not seriously, that the third course of commutation of the sentence would have been better still. He did not seem to me to be particularly concerned about the matter. I told him that we should be lucky if we got through without disorder, and I asked him to do all that he could to prevent meetings being held in Delhi during the next few days and to restrain violent speeches. He promised to do what he could."

3. Dr. Pattabhi Sitaramayya wrote : "Any way Lord Irwin was unable to help in the matter, but undertook to secure a postponement of the execution till after the Karachi Congress. The Karachi session

was to meet in the last days of march, but Gandhi himself definitely stated to the Viceroy that if the boys should be hanged, they had better be hanged before the Congress than after. The position of affairs in the country would be clear. There would be no false hopes lingering in the breasts of the people. The Gandhi–Irwin Pact would stand or fall on its own merits at the Congress, and on the added fact that the three boys had been executed." (Dr. Pattabhi Sitaramayya : The History of Indian Nagional Congress Vol. I, [p. 442])

4. Correspondence between H.W.Emerson, the Home Secretary cum Chief Secretary, Govt. of India and Gandhiji in March 1931 :

"Government of India

Home Department, New Delhi

March 20, 1931

Dear Mr. Gandhi,

I write to thank you for your letter today enclosing translations of a circular and of notice issued by the Mamlatdar of Borsad. I will bring the matter to the notice of the local Government.

With reference to our conversation last night regarding the danger of excitement being worked up in connection with the execution of the sentence passed on Bhagt Singh, etc. the Chief Commissioner informs me that notice has been given in the city that Mr. Subhash Chandra Bose will address a meeting of protest tonight at 5.30. I fully realize your difficulties in the matter and I think that you realize the difficulties of Government and also their desire at the present time to aviod, if possible, preventive action, which may, however, be unavoidable if excitement grows. If a meeting is held tonight, it is almost certain to increase feeling, especially if speeches of an inflammatory character are made. Government will much appreciate any assistance you feel able to give to prevent this and to check the creation of conditions which, if uncontrolled, may have serious consequences.

Yours sincerely

Sd.èH.W.Emerson"

"M.K.Gandhi Esq.

1, Darayaganj, Delhi

March 20, 1931

Dear Mr. Emerson,

I thank you for your letter just received. I knew about the meeting you refer to. I have already taken every precaution possible and hope that nothing untoward will happen. I suggest that there should be no display of police force and no interference at the meeting. Irritation is undoubtedly there. It would be better to allow it to find vent through meetings, etc.

Your sincerely,
M.K. Gandhi

H.W. Emerson Esq.
Chief Secretary to the Government of India
New Delhi
(national Archives of India, File No 545è1931, KW2 Home Deptt. Vol 45, pp. 438–440)

Subhash Chandra Bose on Gandhiji
(When he suspended the Civil Disobedience movement in 1933)

"Today our condition is analogous to that of an army that has sunddenly surrendered uncounditionally to the enemy in the midst of a protracted and strenuous campaign not because nation demanded but either because C–in–C was exhausted as a result of repeated fasting or because his mind and judgement were clouded owing to subjective causes. (Subhash Bose: Indian Struggle p. 229)

Mahatma Gandhi on Subhas Bose's victory(1939)

"Shri Subhas Bose had achieved a decisive victory. I must confess that from the very beginning I decided against his re–election... And since I was instrumental in inducing Dr. Pattabhi not to withdraw, the defeat is more mine than his. It is plain to me that the delegates do not approve of the principles and policy for which I stand." (Leonard A. Gordon: Brothers against Raj, Viking; p. 374–75)

Muslim League demands Pakistan

1. March 1940 : Muslim League session at Lahore : Jinnah declared–"Muslim are a nation, according to any definition of a nation, and they must have their homelands, their territories and their state." (K.R. Bombwall : Indian Politics and Govt. p. 287)

2. At the Lahore session of Muslim League Jinnah declared : They (Islam and Hindusim) are not religions in strict sense of the word. but are in fact, different and distinct social orders, and it is doubtful that Hindus and Muslims can ever evolve a common nationality. The Hindus and Muslims belong to two different religions, Philosophies, social customs, literature. They neither inter– marry nor inter–dine together and indeed, they belong to two different civilizations. Their aspects on life and of life are different. It is quite clear that Hindus and Musalmans derive their inspiration from different sources of history. Very often, the hero of one is foe of the other and likewise their victories and defeats overlap. To Yoke together two such nations under a single state, one as a numerical minority, and one as a numerical majority must lead to growing discontent and final destruction of any fabric that may be built up for the government of such a state." (Rajendra Prasad : India Divided; p.1)

3. At Lahore Session of Muslim League (March 1940), it passed a resolution demanding that "areas in which the Muslims are in numerical majority as in North Western and Eastern Zones of India should be grouped to contribute an independent state ".

4. "Shortly after the session Jinniah clarified .. that Pakistan would comprise of existing provinces of NWFP, Buluchistan, Sindh and the Punjab in the West and Bengal and Assam in the East." (K.R. Bombwall : Indian Politics and Govt; p. 287)

World War II

1. Nehru : "This is not the time to bargain. We are against rising imperialism of Germany, Italy, Japan and for the decaying imperialism of Europe. (Durga Das : India from Curzan to Nehru and after; page 192)

2. Nehru : "We have repeatedly stated that we do not want to

bargain. We do not approach the problem with a view to taking advantage of Britain's difficulties." (Leonrd A gordon: Brothers against Raj; Viking; p. 405)

3. He (Mahatma Gandhi) told Lord Linlithgon that he "own sympathy were with England and France" ...He wrote in 'Harijan' that whatever support was to be given to the British should be given unconditionally." (K.R. Bombwall : Indian Politics and Government, P. 259)

4. Subhash Bose : "British Adversity is India's opportunity (Durga Das India from Curzon to Nehru and after, p. 192)

Thus Spake Jinnah

1. 1938 में लीग के अध्यक्ष चुने जाने पर अपना भाषण देते हुए जिन्ना ने कहा– "कांग्रेस का आलाकमान दूसरे सभी समुदायों और संस्कृतियों को नष्ट करने तथा हिन्दू राज कायम करने के लिए पूरी तरह दृढ़प्रतिज्ञ है। गांधी का आदर्श है हिन्दू धर्म को पुनर्जीवित करना और देश में हिन्दू राज कायम करना(बिपिन चन्द्र : भारत का स्वतंत्रता संघर्ष पृष्ठ 403)

2. मार्च 1940 में जिन्ना ने अलीगढ़ में छात्रों से कहा–"मिंस्टर गांधी चाहते हैं कि हिन्दू राज के तहत मुसलमानों को कुचल डालें और उन्हें प्रजा बना कर रखें। (विपिन चन्द्र पृष्ठ 404)

3. मार्च 1941 में जिन्ना ने अलीगढ़ में कहा "पाकिस्तान हासिल किया जा सकता है। अगर आप इस मुल्क में इस्लाम को पूरी तरह खत्म होने से रोकना चाहते हैं तो पाकिस्तान ही अकेला मकसद हो सकता है। (विपिन चन्द्र पृष्ठ 404)

4. अप्रैल 1941 में अपने अध्यक्षीय भाषण में जिन्ना ने कहा–"अखंड भारत में मुसलमानों के वजूद को खत्म कर दिया जाएगा।"

5. 18 अगस्त को जिन्ना ने अंतरिम सरकार पर टिप्पणी करते हुए कहा, "कांग्रेस सवर्ण हिन्दुओं की फासिस्ट संस्था है जो ब्रिटिश संगीनों की मदद से मुसलमानों और दूसरे अल्पसंख्यक समुदायों पर हावी होना चाहती है और उन पर हुकूमत करना चाहती है।

6. But he (Jinnah) emphatically asserted he knew one thing : Gandhi stood for Hindu revivalism. (Durga Das : India from Curzon to Nehru & other; p. 183)

Subhash Bose's Letter to Bengal Govt. dated 29.11.40

Govt. are determined to hold me in prison by brute force. I say in reply. Release me or I shall die. The individual must die, so that nation may live. Today I must die, so that India may live and win freedom and glory." (Leonard A. Gardon: Brother Against Raj, Victory; p. 418)

Nehru on Subhash Bose and INA

Jawahar Lal Nehru in a Press Conference at Gauhati said on April 24, 1942 :

"Hitler and Japan must go to hell. I shall fight them to the end and this is my policy. I shall also fight Mr. Subhssh Bose and his party along with Japan if he comes to India."

"We parted company with him (Subhash Bose) many years ago. Since then we have drifted further apart and today we are very far from each other... But I do realise that the way he has gone is utterly wrong, a way which I am not only against, but must oppose, if it takes shape..." (Leanord A. Gordan : Brother Against Raj Viking pp. 477–78)

1942 Movement : Gandhi's speech at A.I.C.C. Meeting on 8 Aug., 1942

I congratulatc you on the resolution (Govt. India resolution) that you have just passed... Nevertheless, the actual struggle does not commence this moment. You have only placed all your powers in my hands. I will now wait upon the Viceroy and plead with him for the acceptance of the Congress demand. That process is likely to take two or three weeks. What would you do in the mean while? What is the programme, for the interval, in which all can participate? As you know, the spinning-wheel is the first thing that occurs to me. I made the same answer to the Maulana... Every one of you should, from this moment onwards, consider yourself a free man or woman, and act as if you are free and are no longer under the heel of this imperialism... You may take it from me that I am not going to strike a bargain with the Viceroy for ministries and the like. I am not going to be satisfied with anything short of complete freedom. May be, he will propose the abolition of salt tax, the drink evil, etc. But I will say : 'Nothing less than freedom' ...Here is a mantra, a short one, that I give you... The mantra is : 'Do or Die.' We shall either free India or die in the attempt; we shall not live to see the perpetuation of our slavery.

British Decide to free India

1. In the Cabinet on the last day of 1946, Aneurin Beavean... pointed out that :

'Withdrawal of India need not appear to be forced upon us by our weakness, nor to be the first stage in the dissolution of the Empire. On the contrary, this action must be shown to be the logical compulsion, which we welcomed, of a policy followed by successive governments for many years. There was... no occasion to excuse our withdrawal. We should rather claim credit far taking these initiatives. (Andrew Robert: Eminent Churchillian, Widenfield Nicloson, Londan p. 78).

2. 15 मार्च 1946 को एटली ने हाउस आफ कामंस में 'कैबिनेट मिशन' यात्रा के बारे में जो विचार प्रगट किये थे, उसमें भारत संबंधी भावी नीति के बारे में स्पष्ट संकेत थे। एटली ने कहा था कि "भारत में राष्ट्रवाद का प्रबल वेग है, और स्पष्ट एवं निश्चित कार्यवाही करने का समय आ चुका है। कैबिनेट मिशन एक ध्येय ले कर भारत जा रहा है। आज वातावरण में 1946 का तापमान है। 1920, 1930 और 1942 का तापमान कुछ और था। उनके सहयोगी भारत जा कर इस बात का प्रयत्न करेंगे कि वह यथाशीघ्र यथासमय पूर्ण स्वाधीनता प्रदान कर सकें। वर्तमान सरकार के स्थान पर किस प्रकार की सरकार होगी, इसका निश्चय भारत को ही करना होगा, यद्यपि उन्हें आशा है कि भारत को ब्रिटिश राष्ट्रमंडल में रहना स्वीकार होगा।" (बी.पी. मेनन; ट्रांसफर आफ पावर पृ. 237; उद्धृत—हो.वे. शेषद्रि : और देश बंट गया; सुरुचि, पृ. 178)

3. Mountbatten confessed that one reason why they decided to leave India was that they had not the means of carrying on. (Collins & Lapier : Mountbatten and Partition of India).

4. In Tagore lecture, John Freeman a former British High Commissioner in India held that it was fallacious and misleading

to underestimate the magnitude of a century of re-volutionary struggle for independence which had preceded the final British withdrawal from India."(MM Kothari. Critique of Gandhi, Critique Publication, Jodhpur p. 143)

Mountbattens

1. The Mountbattens had been only in India a week before, the Private Secretary to field Marshal Sir Claude Auchinled C-in-C of Indian Army, was noting in his diary that Nehru's relationship with Lady Mountbatten is sufficiently close to have raised many eye-brows." (Andrew Roberts : Eminent Churchillians, p. 82)

2. Although Mountbatten didn't know it, the idea of sending him to India had been suggested to Attlee by the man at the Prime Minister's side, his Chancellor of the Exchequeor, Sir Stafford Cripps, It had come up at a secret conversation in London in December, between Cripps and Krishna Menon, an outspoken Indian left-winger and intimate of the Congress leader Jawaharlal Nehru. Menon had suggested to Cripps and Nehru that Congress saw little hope of progress in India so long as Wavell was Viceroy. In response to a query from the British leader, he had advanced the name of a man Nehru held in the highest regard, Louis Mountbatten. Aware that Mounbatten's usefulness would be destroyed if, India's Muslim leaders learned of the genesis of his appointment, the two men had agreed to reveal the details of their talk to no one. Menon revealed the details of his conversation with Cripps in a series of conversations with one of the authors in New Delhi in February 1973, a year before his death. (Collins and Lappierre : Freedom at Midnight P. 8)

3. Suspiciouslsy he (Winston Churchill) eyed Mountbatten. Did he have anything in writing? he asked. Mountbatten said he had a letter from Nehru, indicating Congress would accept, providing dominion status was conferred without delay... Finally be declared that if Mountbatten really could deliver the formal public acceptance of all Indian parties to his plan, then the whole country would be behind him. (Larry Collins and Daminique Lapierre: Freedom at Midnight. P. 150)

4. "At first Nehru and Edwina had written to each other every day. A year later they were writing twice a week, by 1954 once a fortnight. Now ten years on, letters come at three-week intervals". (Janet Morgan: Edwina Mountbatten : P. 464-5)

5. After the transfer of power he (Mountbatten) had received an Earldom... Edwina had been awarded GBE at the end of 1947 and in January 1948, the Chinese Order of Brilliant Star. (Janet Morgan p. 414)

6. "He had an extra ordinary facility for getting on with all kinds of people. He was also blessed with a very unusal wife." (Janet Morgan : Page 378)

7. People pressed forward to shake hands; from every side, there were cries "Mountbatten Ki Jai". "Lady Mountbatten Ki Jai". (Morgan.... Page 404)

8. ...Edwina Mountbatten was a spoilt play-girl. a woman so self-absorbed that she could forget where she had sent her two daughters and their Governess on holiday... Lady Mountbatten was consistently unfaithful, to the extent that at their Park Lane home, the butler at Brook House would be hard put to keep "Hugh", "Laddie" and "Bunny" unaware of each other's presence when the three happened to call simultnaeously. He also had Mike, Larry and Ted to consider. She saw no great cause to engage her considerable intelligence in the 1920 and 1930s, and took refuge in nymphomania and bisexuality."(Andrew Roberts: Eminent Churchillian, Weidenfeld and Nicolson, London, Page 58)

9. Persuading India to join the Commonwealth consumed more of Mountbattens time and energy than did other questions. "The Commonwealth meant so much to me", he was later to explain "and with emotional background I began to grasp every straw in the right direction." (Andrew Roberts : Page 91)

10. The Viceroy (Mountbatten) said–"I hated Subhas. He brought together the dregs of Indians in his army" (Leonard A Gordan : Brothers against Raj, Viking; Page 576)

11. "Lady Mountbatten was flat on the floor when my father and she met in Singapore" –Indira recalled. (Stanley Wolpert : Nehru, OUP, New York, Page 361)

12. Nehru lifted her up.... and fell in love with her. They dined together that evening, those who were soon to rule India "and we made life long friends" Dickie recalled. (Stanley Wolpert, Page 361)

13. "Mountbatten offered to be Nehru's host in London, but Nehru decided it was best for him to stay at the Dorchester, where Edwina kept a suite for herself, over-looking, Hyde Park." (Stanley Wolpert, Page 377)

14. Nehru himself developed a measure of intimacy with both Lord and Lady Mountbatten from the time he visited Singapore during the War and Mountbatten had given him a red carpet treatment by telling his aides to treat him as they would a Prime Minister. (Durga Das: India from Curzon to Nehru and after Page 238)

15. In the early months of 1947, one sensed a speed up of the movement towards the transfer of power. The drama was played both in India and at Whitehall. Plans being shaped in London envisaged British exit on the basis of dominion status. (Durga Das : Page 238)

16. "He (Mountbatten), in short was a man who enjoyed sexual act more in theory and anecdote than in fact and practice, and the voyeur strain in him was stronger than in most men. When he became reconciled to Edwina's infidelities he liked to hear about them from her. : (Richard hough : Mountbatten. Page 96)

17. The fact that she (Edwina) had an affair with Nehru... had the most profound effect on the negotiations for the transfer of power." (Richard Hough : Mountbatten. Page 224)

18. In a country, not at that time noted for political influence of its women, the views of those involved in the transfer negotiations played a strong part; and the leading role was, of course played by Edwina herself, her leading man Jawaharlal Nehru, now widowed and lonely and needing a woman in his life. (Richard Hough : Mountbatten, Page 223)

19. Everything, absoulutely everything was going to depend on personal relationships" said Mountbatten." I knew Nehru and there was plenty of goodwill there, we liked each other and Nehru had always been one for rank and titles–a great snob and pro–

English, even if the English had put him in jail so often. Above all, he and Edwina got on marvellously, too. That was a great help." (Richard Hough : Mountbatten. Page 223)

20. There was at Singapore small memorial to the I.N.A., built in a prominent place by I.N.A. personnal... Mountbatten was anxious that Jawaharlal should not visit this memorial, not merely because it would give recognition to the I.N.A., but also for fear that a big function that attracted large crowds might give rise to a certain resentment among the Chinese and others. It has been suggested that Jawaharlal was so bewitched by Mountbatten on his first meeting that he abondoned his principles and his integrity and he did not lay wreath at the memorial. (Mountbatten : Reflections on the transfer of power and Jawaharlal Nehru, Cambridge, 1968 p 5; H.V. Hardson: The Great Divide; Landon 1969; p. 205) –quoted from S.Gopal, Jawaharlal Nehru, p. 310)

Gandhi Pleads for Partition

TALK WITH MANU GANDHI

Bhangi Colony
New Delhi
June 14, 1947

I can see as through a crystal the sincerity and love in Jawahar.... He would be heart-broken if I hesitate to attend the A.I.C.C.. He has made me a captive of his love... (Collected works of Mahatma Gandhi; Vol. 88; Page 150)

SPEECH AT A.I.C.C. MEETING

New Delhi
June 14, 1947

You will not doubt that no one could be as much hurt by the division of the country as I am. And I don't think that anyone can be unhappy today as I am. But what has happened... The Working Committee has on your accepted partition. Now we have to consider what out duty is .... if the Congress Working Committee has done this, it had don deliberately and for certain weightly reasons. And this decision has been taken jointly by ths Congress, the Muslim League and the British Government.. If you reject it, the world will call you irresponsible... It is important that you should undertand the times. The demand of the times is that we should bridle our tongues and do only what will be for India's good.... (collected works of Mahatma Gandhi; Vol. 88; Page: 153-155)

Dominion Status

In May, however, Jawaharlal's keenness for an early defacto transfer of power was exploited in favour of Dominion Status. (S. Gopal : Jawaharlal Nehru, p. 353)

□□